新潮文庫

沈まぬ太陽

(一) アフリカ篇・上

山崎豊子著

目次

沈まぬ太陽 (二) アフリカ篇・下

沈まぬ太陽

（一）アフリカ篇・上

この作品は、多数の関係者を取材したもので、登場人物、各機関・組織なども事実に基き、小説的に再構築したものである。

第一章　アフリカ

濃厚なブルーの空に、雪山のような雲が動き、果てしない草原に、灼《や》けつく太陽の陽炎《かげろう》が波打っている。視界を遮る何ものもない。

恩地元《おんちはじめ》は猟銃を携え、四輪駆動のランドクルーザーのハンドルを握って、ナイロビから東南三百四十キロのボイに向っていた。

草原の真ん中に、一筋通った簡易舗装の道路は、亀裂が無数に走り、少しの油断でも、車が横転してしまうから、神経が張り詰める。

突然、前方に褐色の煙がたつように見えた。砂嵐が巻き起ったのだった。恩地は車の速度をゆるめて、砂嵐をやり過してから、再び、時速百キロで走った。

眼前に真っすぐ延びる道路は、遥《はる》か地平線にまで延び、地面の盛り上ったところが道路の果てかと思って行きつくと、そこは果てではなく、さらに起伏をもちながら延びている。

キリマンジャロ山の側峰が見えるあたりになると、草原の両側には、キリン、インパラ、縞馬《しまうま》などの野生動物が草を喰《は》み、ところどころに、枝を大きく広げたアフリカ・アカシアに、ハタオリ鳥やムク鳥が群をなして、飛び交っている。

ナイロビを正午過ぎに出発して、ボイの狩猟区へは遅くとも午後四時までに入らなければ、今日の目的である象撃ちはできない。恩地は、重いハンドルをぐいと握り直した。

地面の土が茶褐色から、次第に赤く変り、サバンナの緑が際《きわ》だつようになった。ツァボ地域のボイ狩猟区に入ったのだった。

恩地は監理事務所で車を停め、狩猟予約証明書を示し、備えつけの書類に名前と、時刻を記した。午後四時十分——、極力、飛ばしたつもりでも、予定した時刻より遅い。

「そいつは？」

監理官が、ランドクルーザーの助手席に坐《すわ》ったままの現地人のムティソを顎《あご》でしゃくった。恩地が自分のサーバントであると伝えると、許可のスタンプを捺《お》した。

「ブワナ（旦那《だんな》）、ンドウフ（象）は撃てそうかね」

　恩地の社宅の庭番兼ハンターの雑用係で、いつも連れて来ているムティソが、よく利《き》く眼を、早くも周囲に向けはじめた。

　背丈まで伸びた灌木《かんぼく》帯には、象の道が網目のようについているが、車で探すから、なるべく太い象道《ぞうみち》を、ゆっくりときき耳をたてて辿《たど》って行く。

「足跡がありますぜ」

　ムティソが、灌木《ブッシュ》が踏みしだかれているところを指した。下枝が折れ、草が地面にめり込んでいる。確かに象が通り過ぎた様子があり、まだ、時間はそう経《た》っていないようであった。

「ムティソ、あの岩山へ登って探すぞ」

　広大なブッシュには、ところどころに岩山があり、象の居場所を探すには、恰好《かっこう》の場所であった。車を岩山の近くまで着け、周りにアフリカ・バッファローや毒蛇が潜んでいないか、慎重に見定めてから、まずムティソが敏捷《びんしょう》な足どりで登り、続いて恩地が猟銃を手に登った。

　風がそれほどあるわけでもないのに、岩山に登ると、眼下のブッシュからとも、空からともなく、風音が聞える。

「ブワナ、いた！」

指す方向を双眼鏡で観察すると、赤褐色の大きな固形物は、ボイ独特の赤土をかぶった象ではなく、蟻塚《ありづか》であった。

「ただの蟻塚じゃないか」

と云《い》い、仔細《しさい》に双眼鏡で探したが、見当らない。

車に戻ると、ムティソは自分の信用を取り戻すように、助手席に戻らず、車の屋根にくくりつけたスペア・タイヤに尻《しり》を据えて、象探しにかかった。恩地がゆっくりとハンドルを切ると、ガサガサと音がし、体長二、三十センチの子鹿《こじか》のようなディクディクが、素早く横切って行った。

視界がひらけたところで、ムティソが天井を叩《たた》き、

「ブワナ、糞《くそ》」

と告げた。確かに象の糞《ふん》が点々と転っているが、赤茶のエナメルを塗ったように光っているのは、直射日光で灼かれ、変色しているのだった。

「もう、二、三時間前のものだ」

ケニアでも、年々、象の数が減っているとはいえ、ボイを中心とするツァボ地域には二万頭の象が棲息《せいそく》している。

陽が西に傾き、神の怒りにふれて逆だちさせられたという伝説のあるバオバブの樹《き》が、巨大な灰色のシルエットを見せはじめた頃、ブッシュが途切れた草地に、赤い土煙がたっている。三頭の象が、長い鼻で赤土を吸い、体にかけて土浴びをしていた。

恩地は、双眼鏡で三頭の象を観察した。額の線がなだらかで、雄であることは、ほぼ間違いないが、三頭とも若象《わかぞう》で、牙《きば》がまだ充分、発達していない。恩地が仕留めるのは、大きな成象であった。

三頭をやり過し、思わず、吐息をついた。象を撃てるチャンスは一日のうちで、朝と夕刻の二回しかない。陽が沈みかけようとしている今日は、もうそのチャンスは望み薄であった。日没までに、夜食用にホロホロ鳥を三羽、撃ち落した。

葉先が鋭く尖《とが》ったアカシアの灌木に、太陽が黄金の残照を放ったかと思うと、日輪がくっきり輝き、大空を茜色《あかねいろ》に染めて没した。

恩地の脳裡《のうり》を、日本の敗戦の日に見た夕陽が掠《かす》めた。

焼け野ガ原になった焦土に、夕陽だけが生きもののように輝き、眩《まば》ゆいほど映えていた光景が、十四歳の少年の胸に強く刻まれた。昨日まで心の底から信じ、仰ぎ見て来たものがすべて裏切られ、崩壊し、着のみ着のままで焼け出され、夕陽の中で飢え、体を震わせたことを、今もって覚えている。

「ムティソ、今日はもう諦《あきら》めよう、野営の場所を探す」

恩地はハンドルをゆっくりきり、ブッシュを背後にした見通しの効く平地《ひらち》で、車を停めた。

ムティソは車から飛び降り、後部席から小さく畳んで丸めた二枚のキャンバス地のグラウンド・シートを広げ、簡易テントを張りはじめた。雨水が流れるように、二本の木の間に広げたテントを斜め吊《づ》りにし、英国陸軍放出のベッドを組みたてた。

その間、恩地は水筒の湯ざましを飲み、サファリジャケットのポケットから煙草《たばこ》を出して、火を点《つ》けた。運転の疲れと、張り詰めていた神経がほっと、緩む最初の一服であった。

ムティソは小まめに体を動かし、焚火《たきび》をたくと、食事の用意にとりかかった。さっき撃ち落したホロホロ鳥の羽根を毟《むし》り、串刺しにして、火にかけ、携帯食のチャーハンをコッヘルで温めた。

「ブワナ、食事の用意が出来ました」

ホロホロ鳥の串焼きと、チャーハンをよそったアルミ皿をさし出した。

恩地は生温《なまぬる》いビールを開け、ムティソにも勧めると、ぐいと飲み干し、ホロホロ鳥の腿肉《ももにく》を頬ばった。

「明日は、きっと撃つね」

ムティソは、真っ白な歯を見せた。

「うむ、お前が見たこともないような象を必らず仕留めてやる」

恩地は、口元のビールの泡を拭《ぬぐ》って、頷《うなず》いた。

食事を済ませると、ムティソが後片付けをし、恩地はテントに入った。

ハリケーン・ランプが、恩地の顔を照らし出した。アフリカの陽に灼けた顔は、鼻《び》梁《りょう》が通り、見開いた眼は鋭い光を溜《た》め、唇は固く引き結ばれている。精悍《せいかん》な顔だちであるが、頬のあたりに翳《かげ》りがある。それは尋常ならざる体験をした人間だけが持つ、人を寄せつけない孤独で、強靭《きょうじん》なもののようであった。

恩地は、猟銃の手入れをはじめた。まず、夕方、ホロホロ鳥を撃った散弾銃を手に取った。火薬の滓《かす》が残っていないか確め、機械油をしみ込ませたフランネル布で、汚れがなくなるまで丹念に拭《ふ》き磨いた。

今日、使わなかったライフル銃も、車の窓の隙間《すきま》から砂塵《さじん》が入り込んでいたから、馴《な》れた手つきで、銃身の内部を掃除し、油を滲《し》み込ませて、汚れを取り除く。

鋭く光る鋼鉄の光は、一見、冷徹非情に見えるが、恩地にとっては、これほど信頼出来る仲間はない。銃は大事に手入れをしている限り、決して自分を裏切らない。大事にしなかった場合のみ謀反《むほん》を起し、不慮の事故に繋《つな》がる。いわば愛用の銃は、獲物を撃つ道具であると同時に、自分の命を托《たく》すものであった。恩地は、自分の背丈と肘丈《ひじたけ》に合せて買い求めたライフル銃に、強い愛着を覚えた。

ムティソは、テントで寝る恩地のために、太い倒木をくべ足した。万一、忍び寄って来る野獣に備えてであった。

「もういい、お前は寝なさい」

恩地の言葉に、ムティソははじめて、

「ララ　サラマ（よくお寝《やす》みになれますように）」

と挨拶《あいさつ》した。

「ララ　サラマ　アサンテ　サーナ（お前こそ、今日はどうも有難う）」

銃を持たない丸腰のムティソは、ランドクルーザーの中で寝た。

夜になると、急激に気温が下り、漆黒の闇《やみ》に包まれ、夜空に南十字星が凍りつくようにまたたいている。恩地は、遥けきところに独りいるわが身を思い、ジョニー・ウォーカーの瓶を取り出すと、キャップで生《き》のまま飲んだ。咽喉《のど》が灼けるように熱い一瞬を過ぎると、酒のうまさが臓腑《ぞうふ》に滲みわたった。日本にいた頃は、コップ一杯のビールで顔が紅《あか》らんだのが、今ではウイスキーの中瓶を独りで空けても何ほどでもない酒豪になったのだった。

ウーホッオゥー。ライオンの雄と雌、子供たちが共に咆哮《ほうこう》する声であった。時々、ウーウーと聞える低い咆哮は、仲間の群から取り残された雄ライオンの悲しみの声のようだ。

不意に、ギャーギャー、絞め殺されそうな鳴声が聞える。樹の上にいるヒヒが、下から豹《ひょう》に威嚇《いかく》され、怖《おそ》れ慄《おのの》く声であった。他にも、ハイエナの腸《はらわた》を抉《えぐ》るような唸《うな》り声が入り混って、聞える。

東アフリカのケニアへ来て三年目になる恩地には、ケニアのサバンナに棲息する獣の声を聞き分けることが出来た。獣の悲しみの声を聞く時は、自分の最も悲しかったことを思い、怒りの声を聞く時は、自らが真底、憤《いきどお》った時のことを、飢えの咆哮を聞く時は、自分の心が最も飢え凍えた時のことを思い出す。

自分が、中近東の僻地《へきち》を盥廻《たらいまわ》しされ、さらにアフリカへの赴任を命じる一片のテレックスを手にした時、いかに社命とはいえ、明らかに懲罰人事であることに、体を震わせて憤った。その苛酷《かこく》さは、江戸時代の流罪《るざい》にも似たものであり、遠島を申しつけられた流人が、両手をうしろにして舟に乗せられ、暗い海原を沖に向って漕《こ》ぎ行かれる様《さま》が、自分の姿に重なった。

組織の一員として、自分の信念を客観的な判断に基づいて云うべきことを具申し、正すべきところを正したことによって疎《うと》まれ、これほどまでの懲罰人事が行われていいものであろうか——。

通常、企業では、中近東やアフリカなどの僻地勤務の場合は二年、長くて三年を以《もっ》て限度とされているにもかかわらず、自分の場合は、中近東のパキスタン、イランを加えて、足かけ八年もの長期に及んでいる。

漆黒の闇に包まれた原野の思いがけない近さで、か細いライオンの声が、途切れ、途切れに聞えて来る。親に飢えを訴える子ライオンの声だった。

恩地の胸に、日本に残した妻子への思いが疼《うず》いた。

妻と、十四歳と十二歳の二人の子供は、おそらく、父と長く離れて暮す心の飢えを覚えながら、母子家庭のように母に寄り添って、ひっそりと暮しているのだろう。社宅住いであるから、国内勤務者が多く、殆《ほと》んどが家族の団欒《だんらん》に包まれ、休日ともなれば、父と母と楽しい一日を持つ仲間たちを、おそらく羨《うらやま》しげに眺めているであろうことを思うと、胸が塞《ふさ》がれた。

自分の信念と生き方を通すために、家族をパキスタン、イランと日本人学校のない任地へ連れ歩き、日本から送って貰《もら》った小学校の教科書と参考書で、妻と代る代る教えた。ようやく、イランでの三年の勤務を終え、帰国の日を前にしていた時、突然、アフリカへの赴任を命じられた。長男の中学校入学の時期を控えていたため、遂に子供たちは、妻と共に日本へ帰国させることにしたのだった。

あの日、一九六九年二月、テヘランは朝から雪が降り、エルブールズ山脈から吹き下す寒風が肌を刺した。夕刻から雨になり、殺伐としたテヘランの街を空港に向った。テヘラン発、東京行きの便は午後十時五分であった。冬のテヘラン空港の便は乱れていたが、僅《わず》かなビジネスマンが黙々と新聞を広げ、家族連れは、恩地の家族だけしか見当らなかった。

妻は、夫が、イランからさらに、海を隔てたアフリカの任地へ飛ばされることの意味を承知し、一時間後に、東と南とに別れねばならぬ耐え難さに、言葉もなく口を噤《つぐ》んでいたが、子供たちは、夏休みになれば、また父に会いに行けるだろうという気持で、これから帰る日本の本に見入っていた。

恩地は、ずっと黙り込んだままの妻の顔をちらっと見た。楚々《そそ》とした顔だちであるが、結婚以来、どのような辛《つら》いことがあっても、愚痴をこぼさず、自分の胸の中へ納めることが出来る気丈な性格であった。

だが、これが自分に対する献身の愛だと思うと、夜、妻を抱く時、いいようのない愛《いと》しさがこみ上げた。

テントの上を叩く雨の音がした。恩地の眼に、テヘラン空港の雨の飛沫《しぶき》の中で、東と南とに別れた時の妻子の姿が、まざまざと瞼《まぶた》に浮かんだ。

「お父さん、元気でね」

「夏休みに会おうね、さようなら」

子供たちは、無邪気に手を振ったが、妻はこみ上げて来る思いに耐えかねているのか、足を止め、

「お体を大事に――」

一言、そう云い、雨に濡《ぬ》れる子供を庇《かば》うように、傘をさしかけた。木造モルタルの古びた空港の建物から、飛行機が駐機しているところまで、二人の子供を連れて歩いて行く妻の背中は、ずぶ濡れになっている。

恩地は、妻の名を呼んだが、聞えないのか、一度も振り返らなかった。その背中は「解《わか》りました、あなたはどうぞ、ご自分の信じる道を貫いて下さい」と無言で応《こた》えているようであった。

二人の子供の名を呼んだが、子供たちも激しい雨脚の中で、もはや振り返らなかっ

た。飛沫で白く煙る中を、妻と子の姿が、次第に遠ざかって行く。

その一時間後、東アフリカの未知の任地へ赴かねばならぬ恩地は、思わず搭乗口のガラス窓に身を寄せ、窓枠に手をかけて、声を殺して嗚咽《おえつ》したのだった。


「ブワナ（旦那）、たいした雨ではなさそうですが、薪《まき》を足しましたぜ」

ムティソが、燻《くすぶ》りそうになった火に、新しい枯木の丸太をくべた。

「有難う、お前の方は大丈夫か」

「あっしは、車の中ですんで、何ともありませんさね」

と答え、ばたんと車の扉が閉まる音が、夜の静寂《しじま》に響いた。

テントをうつ雨の音を聞き、ちろちろと外で燃える焚火を見るにつけ、恩地に、テヘラン空港で妻子と別れた時の体が引き裂かれるような苦痛が甦《よみがえ》って来た。テントをうつ雨の音さえ、あの時の激しい飛沫に思えた。

あの日から、独り東アフリカのケニアへ赴任し、既に二年半も経っている歳月を思うと、自分は、まさに現代の組織の中における〝流刑の徒〟以外の何ものでもない――。

恩地は、ハリケーン・ランプの灯りを消したテントの中で、万一の野獣の襲来に備え、ライフルを右手の届くところに置いて、寝袋のファスナーを締めた。

紫色につつまれた夜明け前、灌木《ブッシュ》はまだ黒々とシルエットを描き、静まり返っている。昨夜の雨は上り、靄《もや》がたち籠《こ》めている。

恩地はサファリジャケットの衿《えり》をたて、サーバントのムティソが作ってくれた熱いコーヒーを飲み、ビスケットで軽く腹ごしらえをした。

ムティソは早々と簡易テントとベッドを片付け、火の始末をして、ランドクルーザーの助手席に坐った。ハンティングは、日の出前三十分から、日没後三十分までと限られている。恩地は今日こそは仕留めねばならぬという思いに駆られ、車のハンドルを握った。

ブッシュの中の道を、ライトを点けながらゆっくりと進む。ライトの端に、ぴかりと二つの眼が光り、叢《くさむら》に消えた。ジャッカルのようだった。

やがて、しらじらと夜が明け、紫の地平線に一条の赤い光が射《さ》したかと思うと、アフリカの太陽が、ぐいぐいと昇る。鳥が舞い、ブッシュの海を、キリンが移動して行く。

恩地が魅了されるサバンナの光景であった。赤象も動き出しているはずだが、なかなか出合わない。

「ブワナ」

ムティソが赤土と枯草でまだらな道を指さした。象の足跡だった。足跡を見るだけで、恩地には象の大きさ、体重、そして木の葉を喰べながら移動して行ったのか、早足で通り過ぎて行ったのか、見当がつく。

大きな足のめり込んだ跡が、はっきり見て取れ、青い葉のついた枝が散乱しているところから、ここで象が餌《えさ》を喰《は》み、通り過ぎてから、まだそう時が経っていないと思われる。チャンス到来であった。

ムティソは車の屋根に上り、

「ブワナ、いた」

と天井を叩いた。恩地も視界がきく屋根に上った。前方三百メートルのところに、目指す大きな象が一頭、長い鼻を木に絡《から》めているのが見えた。

双眼鏡で覗《のぞ》き、額の線がなだらかで、齢《とし》とった雄象と確信したが、次の瞬間、肩の力が抜けた。木の枝に絡めていた鼻を口へ持って行った時、象の牙が途中で折れているのが眼に入った。左右対称の太い牙を持った象を撃たねば、プロハンターの資格を持つ者の恥である。

「ムティソ、引き返すぞ」

恩地は落胆し、方向を変えた。

三時間余り、ブッシュを廻り、岩山に登って、望見したが、子連れの雌象の群を何度か見ただけであった。象に限らず、雌を撃つことは、厳しく制限されている。

陽が高くなり、乾いた大気の中に、熱波が漂いはじめると、動物たちは木の繁《しげ》みや、岩の窪《くぼ》みに入り、姿を現わさない。

恩地は見渡しの効く樹陰《こかげ》に目星をつけ、辺りにライオンやアフリカ・バッファローが潜んでいないか見極めてから、車を停め、午睡を取った。

午後三時、再び車のハンドルを握り、細い道に入り込み、眼を瞬《しばたた》いた。二百五十メートルも離れていない開けたところに、めったに出合うことのない巨象が一頭、草を喰んでいる。恩地はエンジンを切り、暫《しば》し観察した。見事な巨象であった。高鳴る鼓動を抑え、車からそっと外に出、風向きをはかるために、地面の赤土を一つまみ、手に取り、落した。細かい粒子の赤土は、さらさらと落ち、象が風上にいることを確めた。視力は弱いが、臭いと音には敏感であるから、恩地は、ムティソを車に残し、足音を忍ばせてブッシュを廻り込んで、風下にたった。

念のため、しゃがんで象の下腹部に雄のしるしを見て取ると、ライフル銃を構え、そろそろと近付いた。巨象は気付かず、大きな耳をばたつかせながら、鼻先で根こそぎ捥《も ぎ》取った草を、巧みに肢《あし》に叩きつけて土を振い落しながら、口に放り込んでいる。太く長い牙は、先できゅっと細く締まり、大きさ、形とも申し分がない。

頭蓋骨《ずがいこつ》と牙を傷つけず、一発で仕留めるため、恩地は前方斜めから、頸椎《けいつい》を狙撃《そげき》する位置に、じりじりと体を進めた。十五、六メートルまで近寄った時、風向きが変ったらしく、巨象は頭を上げ、恩地の臭《にお》いと姿を認めた。野生動物の中でも、極めて知能が発達している象は、バッファローや犀《さい》のように、反射的に突進して来ない。身に迫った敵を攻撃するか、逃げるか、一瞬の迷いを示す。そこを捉《とら》え、頸椎を狙撃しようと、腰をためた瞬間、

ウワーン！　ウォーン！

轟《とどろ》き渡るラッパのような声を放ち、赤い巨象が耳を張り、鼻を巻き上げて、襲いかかって来た。

銃口ごと叩《たた》き潰《つぶ》される恐怖で、体が硬直した。眼前が、象の巨体で赤茶に染ったが、恩地は無我夢中で引金を引いた。

巨象は衝撃でのけぞったが、なおも向って来る。殺《や》られるのかと、目をつぶった時、地響きがし、巨象は前肢から崩れ、横転していた。

恩地の全身に、脂汗《あぶらあせ》が滲《にじ》んだ。恩地の狙撃力を以てすれば、あのまま頸椎に命中させて即死だが、眉間《みけん》を撃った場合、弾丸はその辺りの薄い頭蓋骨を突き破り、脳に達する。そのほんのコンマ何秒かの間、突進は止まらない。恩地の経験したことのない速さで、まさに叩き潰される寸前まで、襲いかかって来たのだった。

骨の髄まで凍る恐怖であった。

「ブワナ、ブワナ、大丈夫ですかい」

ムティソが、離れた場所から声をかけたが、横転した巨象が、いつ、むっくり起き上るかもしれない。恩地はなおも銃を構えたまま、象のうしろに廻った。尿が多量に流れ出ている。絶命したのだった。

恩地は近くの倒木に腰をおろし、はじめて煙草に火を点けた。一つ間違えば、命を落したかもしれない。まさに一騎討ちの戦いであったことが、恩地の気持を、久しぶりに昂揚《こうよう》させた。

一服、喫《す》い終ると、ナイフで象の尻尾《しっぽ》を切った。竹ひごのような硬い毛が生えている尻尾は、象を仕留めた者のみが所有出来るのだった。

恩地はムティソに手伝わせて、まず頭部の切り離しにかかった。分厚い皮と肉を、大型ナイフで割き切り、露呈した頸椎を斧《おの》で打ち砕いた。体温が残った屍体《したい》から湯気がたち、血と脂の臭いがたった。

胴体から離れた重い頭部を、二人がかりで地面にたて、牙抜《きば》きの作業にとりかかった。時計は三時五十分を指している。急がねばならない。

歯槽に斧をふり下して、頭部から切り出し、牙の周囲の歯槽を斧で大まかに削り、牙近くになると、日本製の鉈《なた》で丁寧に肉をこそげ落す。約四十センチほど中へ入り込んでいた牙の中の肉を最後にナイフで廻し取ると、すぽんと外れた。長さ一・九メートル、重さ四十キロのずしりと見事な象牙《ぞうげ》であった。

西に傾く陽が気になった。既に、上空に禿鷲《はげわし》が旋回している。怖しいのは、多分、近くの叢でじっと狙《ねら》っているライオンが、我慢しきれなくなる時刻だった。

猟銃を眼で確め、屈《かが》んだままの腰を伸ばしかけ、わが眼を疑った。天から降ったか、地から湧《わ》いたか、何十人という数の老若男女が、手に手にバケツ、南京袋《ナンキンぶくろ》、斧を持って、遠巻きにしている。象の肉のおこぼれに与《あずか》るのを待っているのだった。

恩地は、ムティソに、皆に手伝って貰い、自分たちの肉は舌《タン》とフィレ、腿肉のみに止《と》め、あとは部族の人たちに振るまうことを、伝えさせた。

象の死体の周りに、わっと人が駈《か》け寄り、腕っぷしの強い者が腹の皮を割き、真っ先に腹腔《ふくこう》内の臓物と脂肪の網目を取った。草原の部族にとって脂肪は、貴重な栄養源であった。

他の男たちは、分厚い背中の皮を剝《は》いで、肉を取り、女、子供は臓物を取った腹腔内にもぐり込んで、せっせと肉を削り取っては、バケツや南京袋に詰めた。

黄金色の夕陽が最後の燦《きら》めきを放ち、沈むと、恩地は、

「アサンテ　サーナ、クワヘリニ（どうも有難う、さようなら）」

と声をかけた。

「アサンテ　サーナ、ブワナ　クワヘリ！（どうも有難う、旦那《だんな》、さようなら）」

部族の人々は感謝し、別れを告げた。

狩猟監理事務所で手続をした後、恩地は夜道をナイロビへ向けて、走った。恩地のようなサラリーマン・ハンターは、月曜日の出勤時間にぴたりと間に合うように、日曜の夜道を飛ばさねばならない。

通い馴れた道とはいえ、一車線の真っ暗な悪路をヘッドライトの灯りだけを頼りにして飛ばすのは、神経が疲れ、スピードが落ちる。

午前零時過ぎ、ようやくナイロビの街に入ったが、電力が乏しいこの国では、街灯もなく、僅かにガソリンスタンドが薄暗いネオンを灯《とも》している。中心街を抜け、山手の外人居住区へ入ると、門番のいる小屋にカンテラの光が、ぽつん、ぽつんと見える。

その一角に恩地の社宅があった。

車を玄関に着けると、中から料理人兼サーバント頭が待ち構えていたように、出て来た。

「象牙は玄関の中へ、肉類は冷凍庫へ入れておいてくれ、すぐバスを使うが、ボイラーは焚《た》いてあるだろうな」

「イエス、ブワナ、しかし服は外で脱いで下さい」

と云《い》い、象の血が滲《し》み、ダニがびっしりたかっているサファリジャケット、ズボン、下着一切を脱がせて、ドラム缶に放り込んだ。血洗いし、煮沸するためだった。

恩地は、バスルームに駈け込み、蛇口をひねり、レモンを切って、浮かせた。熱い湯が二日間のハンティングで硬くなった体を揉《も》みほぐし、レモンの酸が皮膚に喰い込んだダニを剝がし取ってくれる。

さっぱりした体で、清潔なシーツのかかったベッドで睡眠をとった後、伸びた髭《ひげ》を剃《そ》り、ベージュのストライプのワイシャツに、やや濃い目の同色のスーツを着て、ダンヒルのネクタイを締めると、英国風の紳士の身だしなみが、びしっときまる。

ちらっと時計を見、鏡の前で身だしなみを確めてから玄関を出、クリーム色のクラウンのハンドルを握って、ナイロビの中心街にあるオフィスへ向った。

ナイロビの市街は、午前八時ともなると活気を帯びる。車道は、渋滞してクラクションが鳴り、歩道も通勤者が列をなして、歩いている。

恩地は、イギリス統治時代に建てられた石造りの荘重な庁舎、銀行、教会が並ぶ混雑した通りから抜け出し、独立後、大統領の名前に変ったケニヤッタ通りに面した高層ビルの駐車場に車を乗り入れた。

エレベーターで九階まで上り、オフィスの扉を押した。

「グッドモーニング　サー」

クラークのウイリアムが、礼儀正しく挨拶《あいさつ》した。

「グッドモーニング　ウイリアム」

恩地は笑顔で頷《うなず》き、カウンターの奥の部屋に入った。

壁一面に大きな世界地図が掲げられ、窓を背にしたマホガニーの机には、電話と書類箱、ペン立てがきちんと並べられている。それが恩地の執務机だが、他に人影はない。飾り棚には日の丸の小旗と桜のマークを尾翼に記した模型旅客機が置かれている。ナショナル・フラッグ・キャリアである国民航空のナイロビ営業所であるが、日本人は、恩地だけのワンマン・オフィスであった。

新聞広告で現地採用した二十一歳のウイリアムが、恩地の出勤する前に、中央郵便局から受け取って来たテレックス、郵便物の束を持って入って来た。

恩地はテレックスから眼を通した。ケニア、タンザニア、ウガンダ三国共同体のフラッグ・キャリアである東アフリカ航空、英国航空、インド航空など、航空各社の飛行機の便名、離発着時刻の変更通知が殆《ほと》んどであった。

郵便物は大半が、インド人経営の不動産会社の広告であった。ケニア独立後、急激な勢いで外国企業と、国連機関が増え、外人用住居の広告が目だつようになった。

電話のベルが鳴った。受話器を取ると、観光省副大臣の秘書官からだった。

「午後二時に、副大臣が会いたいと云われています、おいで下さい」

「二時ですか――、解りました」

受話器を置いた。

恩地はファイルボックスから、乗客予約カードを取り出した。ナイロビからロンドン、パリなどのヨーロッパ各都市までは、東アフリカ航空その他の便を利用し、ロンドン、パリから国民航空を利用する乗客の中には、便の中止、時刻変更によって、乗り継ぎが悪くなり、まる一日、遅れてしまうケースが出て来る。

ナイロビを中心に、東アフリカ三ヵ国に駐在する日本企業や、たまに訪れる観光客に、拝み込むようにして自社の航空券を購入して貰《もら》った先から「だから、ナイロビに就航していない国民航空に乗るのは、いやなんだよ」と文句を云われないために、手早くそれらの搭乗予定者に乗り継ぎ変更のスケジュール表をタイプする仕事にかかった。

午後二時、観光省副大臣室を訪れた。独立後、八年経《た》っていたが、行政面では、英国の教育を受けたインド人の実務官僚が、少なからず、主要ポストを占めていた。観光省も、大臣はケニア人だが、副大臣は二人制で、上席がケニア国籍を取得したインド人、もう一人は独立戦争で武勲のあった英語が話せるケニア人であった。

「グッドアフタヌーン　ミスター・モイ」

恩地が手を差しのべると、恩地より七、八歳齢下《としした》の次席副大臣は、胸をそらせ、

「グッドアフタヌーン、ユー　キャン　シット　ダウン」

埃《ほこり》が薄っすらとかぶっている椅子《いす》を指した。

「今日のご用件は何でしょう」

恩地が聞くと、

「日本は、いつになったら、わが国へ就航するのか」

いつもの質問を、はじめた。

「お国との間で航空交渉がまだ、まとまっておりませんので、即答しかねます」

「それはミスター・オンチの会社に積極性がないからだと、東アフリカ航空の幹部は云っている、ミスター・オンチはナイロビ支配人として、もっと強力に本国に働きかけねばならない」

「在ケニア日本大使館と共に、努力します」

恩地は、次席副大臣のやたら can, may, must の命令口調に内心、うんざりしたが、旧宗主国の英国人が、植民地の人間に対して使った言葉には、would you も please もなかったのだった。

「よろしい、ところで日本人はケニアに観光に来たら、ミスター・オンチのようにハンティングを楽しむのか」

「日本国民は元々、農耕民族ですから、ハンティングを楽しむ人は、それほど多くありません、観光客として呼ぶなら、圧倒的にサファリでしょう、日本人は動物園へ家族連れでよく行きますので、ケニアのような野生動物の宝庫は、垂涎《すいぜん》の的です」

「ならば、わが国の誇るこの観光資源にもっと関心を示すよう、宣伝活動を強化すべきだ、日本人は、リッチマンのはずだ」

「しかし、ヨーロッパ諸国と異り、日本から遠過ぎるのが、最大のネックです、副大臣の云われるPR活動は必要ですので、日本の動物学者、テレビ局に引続き働きかけます」

「是非、そうあってほしい、その結果を報告書にして提出するように」

モイ次席副大臣はそう云い、秘書官が取りついだ電話を潮に、握手して、席をたった。

恩地は、観光省を出て、車を運転しながら、満開のジャカランダに眼を向けた。大きな枝に紫の小花の房を一杯につけ、遠目には日本の桜に似ていた。尾翼に桜のマークの国民航空が就航しないことが、何かにつけ、ネックになっている。将来、ナイロビに就航するから、その準備のためにと、テヘランからナイロビへの赴任命令を受けたが、それは名目に過ぎないようでもあった。

オフィスに戻ると、クラークのウイリアムが、午後のテレックスの束を渡しながら、

「東京のヘッド・オフィスからです」

と云った。欧州・中近東・アフリカを統括するロンドンの地区総支配人室からは、たまにテレックスが入っても、東京本社から直々《じきじき》に、テレックスが入ることは稀《まれ》であった。何事かと思いながら、ローマ字綴《つづ》りのテレックスを読んだ。

十一月二十日、ナイロビにて欧州・中近東・アフリカ地区支店長会議を開催することに決定。受入れの準備万端を手配されたし。

半年前から開催地はカイロと決っていたのが、急遽《きゅうきょ》、ナイロビに変更になったのは、アラブ連合の慌《あわただ》しい政局絡みと思われるが、よりにもよって未就航《オフライン》のナイロビで支店長会議を開くのは、格別の狙いでもあるのだろうか。会議には本社から社長以下、担当役員、部長らも列席する。

その中に同期入社で、曾《かつ》て志を共にしながら、ある時点を境にして生き方を異にし、現在、運航管理部次長の要職にいる行天《ぎょうてん》四郎の存在が、重くのしかかった。

食後のブランディを飲みながら、恩地は、ホームバー付きの広々とした居間で一人、夜の暗闇《くらやみ》を見詰めていた。

テラスの向うは、芝生の庭が広がっている。その奥には満開のジャカランダが、ほのかに浮かんでいるが、人目の届かぬところは雑木が生い繁り、藪《やぶ》になっている。

外人居住区のこのあたりの屋敷は、おおむね一エーカー（約千二百坪）単位であるから、隣の家は見えず、境界は木の柵《さく》か有刺鉄線で仕切られているだけであった。夜十時を過ぎ、三人のサーバントが別棟のサーバント・クォーターへ引き下って行くと、念入りに手入れされている住いとはいえ、空家のように荒寥《こうりょう》と感じられる。

グラスを手に、恩地はホームバーの横に並べている動物の剝製《はくせい》へ、視線を転じた。ライオン、豹《ひょう》、レッサークドゥー——、それらはすべて自分の猟銃で仕留めた獲物で、象は牙だけを三対、壁面にたて掛けている。日本語を一言も喋《しゃべ》らない日は、剝製の動物に向い、グラスを眼の高さに上げてから、飲みはじめるのが、慣《な》わしであった。

ブランディのおかわりを注《つ》ぎかけ、恩地は妙に気怠《けだる》いのに気付いた。

急遽、欧州・中近東・アフリカ地区の支店長会議がナイロビで開催されることになり、東京本社から社長以下九名、各地支店長以下二十一名を迎える準備で、このところ連日、忙殺されていた。恩地だけのワンマン・オフィスでは如何《いかん》ともし難く、ロンドンの地区総支配人室から若い二名の総務担当者が手伝いに来てくれていたが、ずっと居続けるわけにもいかず、昨日、一旦《いったん》、引揚げて行ったのだった。

ホテルの部屋を社長、専務以下の各クラスごとに押さえ、会議室に使う部屋を物色して、机と椅子を揃《そろ》え、会議用の書類作りと、仕事そのものは単純だが、何事もポレポレ（ゆっくり、ゆっくり）のアフリカ人相手で思うように事は進まない。ロンドンから手伝いに来た二人は音を上げて、結局、恩地が何もかも締めくくらねばならなかったが、たとえ雑事であっても、久方振りに社員三人で仕事をし、昨日まで心が弾んでいた。

グラスを置き、シャワーを浴びようと、セーターを脱いだ途端、悪寒《おかん》がした。額に手を当てると、かなりの熱がある。

疲れで風邪でもひいたかと、シャワーを止《や》め、バスローブを羽織って、二階の寝室に上って行く階段で目眩《くら》みがした。

風邪薬を飲み、早々にベッドに入ったが、激しい頭痛がし、体ががたがたと震え出した。風邪にしては、症状が急激すぎる。

もしやと、恩地は不吉な予感がした。ナイロビに着任して半年後、ケニア最大の港町であるモンバサの旅行代理店まで営業に出張した折、蚊に刺されたのか、一ヵ月後にマラリアで倒れた。東南アジアのマラリアと異り、アフリカのマラリアは症状が強烈だった。運よく大事に至らなかったが、もし手当てが遅れた場合は、高熱のために死に至ることもある。

長年にわたる僻地《へきち》勤務で、四十歳にして恩地の体は肝臓、腎臓をおかされ、怖《おそ》れていたマラリアに取り憑《つ》かれてしまっていた。

疲労が重なり、体力が消耗した時に、再発しやすいと注意され、クロロキンの錠剤を貰っていたから、がたがた震え、歯まで鳴る体に毛布を巻き、引出しから取り出して、ポットの湯ざましで飲み下した。

寒い、頭が斧で割られるように痛い――、よりにもよって、社長以下、東京本社役員、各支店長が一堂に会する重要な会議を目前にして、マラリアに倒れようものなら、「風土病でダウンとは、お気の毒さまなことだ」と一笑されるだろう。

もっと毛布が欲しい、氷嚢《ひょうのう》を持って来てくれ――、四十度の高熱で朦朧《もうろう》となり、のたうった。

四日後、恩地はまだ微熱の残る気怠い体に鞭《むち》打つようにして、ナイロビ国際空港にたっていた。

午前八時十分、英国航空で到着する小暮《こぐれ》社長一行を迎えるためであった。

白い雲に掩《おお》われていた空が、濃い青味を帯び、今日の炎暑を予感させるように見えるのは、マラリアの病み上りのせいだろうか。

各支店長は、昨日中にナイロビに到着し、欧州・中近東・アフリカ地区総支配人兼ロンドン支店長の南洋一も、空港に迎えに出ていた。

英国航空の機影が十七分遅れで滑走路に滑り込んで来、タラップがかけられると、最初に姿を現わしたのは、小暮社長だった。次いで大柄な金井専務が下りて来ると、南総支配人はタラップの下まで出て迎え、通関の方へ先導して行った。部長、次長は恩地が迎えた。

「よう、恩地君、ライオンに喰われず、生きていたかい」

行天四郎だった。百八十センチ近いスリムな長身で、目鼻だちが大振りに整っていたが、笑うと口もとにかすかな厭味《いやみ》が漂う。

「相変らず、元気そうで、何よりだね」

恩地は、穏やかな表情で迎えた。

通関の列には、南総支配人に付き添われた小暮社長が、憮然《ぶぜん》とした表情で列《なら》んでいる。事前にケニア政府の高官に声をかけておけば、社長はＶＩＰルームで待ち、恩地らで通関手続を済せることが出来るが、今回は実情視察を兼ねての来訪であるから、恩地は敢《あ》えてそうしなかった。

「君ぃ、ここはあまり愉快じゃないねぇ」

小暮が、南に云った。ナイロビ国際空港の入国管理官は、まるで最高裁判所の判事が坐《すわ》るような高い壇に坐り、通関者を見下すようにして、入国許可のスタンプを捺《お》した。

「あの馬鹿《ばか》高い壇は、旧宗主国のイギリス統治時代からの代物で、ご不便をおかけします」

南は不機嫌な社長の気持を柔げるように云い、恩地が奔走して借り受けたベンツへ案内した。

金井専務、秘書部長らも次々と、ベンツに乗り込み、ケニアで最も古く、格式の高いノーフォーク・ホテルへ向った。

第一次大戦前に建てられたノーフォーク・ホテルの玄関には、シルクハットにモーニング姿の黒人ドアマンが恭《うやうや》しく賓客を迎えた。

翌朝、午前九時から、ホテルの会議室で欧州・中近東・アフリカ地区の支店長会議が開催された。

コの字形の正面テーブル中央に、小暮社長、その両側に営業担当の金井専務、南地区総支配人が並び、左側のテーブルに東京本社の営業、運航の部長、次長、右側のテーブルに一級支店であるロンドン副支店長、パリ、フランクフルト支店長、二級支店の上《じよう》クラスのローマ、チューリッヒ、アテネ、コペンハーゲン、アムステルダム、カイロ、下《げ》のクラスのボンベイ、ジェッダ、テヘラン、カラチ支店長、末席に三級支店扱いのナイロビ営業所の恩地が坐っている。左側の空いた席には社長に随行して来た秘書部長、課長の他に、ロンドンから中堅、若手が会議進行の手伝いと記録係を仰《おお》せつかって、同席している。

三十名の出席者は、小暮のようないささかの隙《すき》も見せない官僚タイプか、金井のように営業の第一線から成り上がったボス・タイプが多い。そんな中で行天四郎は、官僚的なそつのなさと行動力を兼ね備え、精彩を放っている。

司会役の南総支配人がたち上り、挨拶を述べた。開催地がナイロビに急遽、変更になり、迷惑をかけたこと、はるばるナイロビまで社長以下、各支店長が出席されたことを感謝しますと云い、社長の開会の挨拶を告げた。

小暮は、小柄で痩身《そうしん》だが、運輸省の実力次官から国民航空へ天下り、桧山《ひやま》社長の後を、そつなくこなしているきれ者であった。

「久しぶりにこうして、各支店長にお会い出来、嬉《うれ》しく、皆さんの日夜のご苦労に感謝します、政局慌しいカイロからナイロビへ変更になりましたが、考えようによっては、このアフリカのど真ん中に位置するナイロビで会議が開かれたということは、全世界に翼を広げるナショナル・フラッグ・キャリアのわが国民航空にとって、象徴的な喜ばしいことであります」

にこやかな笑みを一同に向けたが、半年間の準備が水泡に帰した〝二級の上〟のカイロ支店長、短期間で受入れに漕ぎつけたナイロビ営業所の恩地には、その笑顔は届かなかった。

「世界の航空会社の競争は激化の一途を辿《たど》り、羽田に乗り入れの航空会社の数は増え続けています。わが社は全世界に路線を延ばしながらも、経営は横這《よこば》い乃至《ないし》、相対的に落ちている、これは由々しき事態で、ナショナル・フラッグ・キャリアにあって、下降ということはあってはならぬことです、その意味でもヨーロッパ線の伸び率を上げることは至上命題で、今後ともさらに苦難を乗り越え、邁進《まいしん》して戴《いただ》きたい」

ナショナル・フラッグ・キャリアの誇りを強調し、業績の向上を説いた。

次いで、営業担当の金井専務がたち上った。「わしは、わが名の如《ごと》く金《かね》の井戸を掘る営業マン」というのが口癖で、大手旅行会社に派手に販売促進費をぶち込んで、団体のパック旅行で大当りを取った名物男だった。派手なストライプのスーツを着、頭髪をヘアクリームでこってりと固めている。

「本会議の議題は二つであります、第一は毎年の課題となっている下期増収策、第二はナイロビ線開設を含む中期計画です、下期緊急増収策については、お手元の資料を見て下さい」

陣頭指揮を執るように、濁声《だみごえ》を上げた。

一斉に書類の頁《ページ》を繰る音がした。国民航空の収入は、上期では収益を上げ、下期で持出しというのが、一般渡航が許可されて以来、変らぬ傾向であった。上期はゴールデン・ウィーク、お盆休暇があるが、下期は年末年始の休みしかないのが、主な原因であった。

「下期は、休暇日数が少いこともさりながら、北米、ヨーロッパ北部は寒冷で、観光客の足が鈍るのも一因だ、ならば南ヨーロッパ、中近東、東南アジアがある。

云《い》うまでもなく、航空会社は自国の乗客のみならず、アメリカ、ヨーロッパ、中近東の外人客の需要を喚起し、そのつみ取り率の増大を図らねば、世界に延びる翼とはいえず、お客の総需要の全体を増やし、且《か》つそのシェアを自社便で増やすことが肝腎だ。わが国民航空のシェアが増えなければ、いくら総需要が増えても、みすみす他の外国航空会社の宣伝になるだけだからね、もっと直截《ちょくせつ》に云うなら、他のエアラインから、お客をぶん取って来ることだ、支店長諸君の一層の奮起をお願いし、今年はじめに設定した各支店別の販売目標の五パーセント・アップを達成して戴きたい」

苛烈《かれつ》なノルマを課し、檄《げき》を飛ばした。

「五パーセント・アップ……」

そこここで、小さな騒《ざわ》めきが起った。

「ぼそぼそ云わず、納得出来ない支店長は手を上げて、その理由を説明したまえ」

金井専務が、一同を見廻すと、俄《にわ》かに私語が消え、しんとなった。

「では第二議題の中期計画に移ります」

支店長たちは、また書類の頁を繰った。向う三年の中期計画の説明が行われ、それに付随してナイロビ路線開設問題にふれた。

「この問題は、第一議題の下期増収策の一環である南ヨーロッパ以南にかけての旅客の需要喚起、つみ取り率の増大とも関連する、そこで現地の意見も聞きたい」

恩地に、顔を向けた。一同の視線も恩地に集ったが、小暮社長だけは正面を向いて、煙草《たばこ》をふかしたままだった。

「恩地君、ナイロビの旅行客はどのくらいなのかね」

「全世界からナイロビへの旅行客は、昨年は三十七万人で、そのうち最も多いのはイギリスの七万人、次いで西ドイツ五万人、以下アメリカ、北欧と続き、日本人は四千九百人でした」

「なんだ、五千人を下廻るのか」

金井は、鼻くそでも丸めて捨てるような口調で云った。恩地は表情を動かさず、

「現状はそうですが、原因は一《いっ》にわが社の便が就航していないことです、ナイロビに来る旅客は、泣く子も黙るという不便なボンベイ、カラチ経由か、運賃がそれより六〇パーセントも高くなるヨーロッパ経由という方法しかなく、その上、乗り継ぎの時間が悪いため、ケニアがますます遥《はる》けき国になっているのです」

と云い、視線を小暮に向けた。

「私がナイロビ就航の一日も早からんことを願うのは、次の三点です。

第一は、ケニアには、野生動物をはじめとする大自然をそのまま保護した観光資源があり、家族ぐるみ、グループ単位で旅行客を呼べる最適のところです。第二はアフリカは、南アフリカをはじめとして各国に銅、マンガンなど地下資源が豊富に埋蔵されており、日本にとって重要な資源供給国です。第三はご承知の通り、世界の外交は国連中心に移行しつつありますが、現在、国連加盟国百三十一ヵ国のうち、アフリカ諸国は四十二ヵ国に及び、国連加盟国の実に三分の一がアフリカ諸国に当ります、国連を通してアフリカ諸国との友好親善を深めることは、将来的に有意義であります。以上の三点から、アフリカの玄関口であるナイロビへの就航は、速やかにご決裁戴きたい次第です」

会議室に異様な雰囲気が漂った。中近東、アフリカを八年間、盥廻《たらいまわ》しにされている恩地が、いささかもアフリカ呆《ぼ》けせず、広い視野にたって新路線の開設を要請したことへの驚きであった。だが、間髪を入れず、行天が口を切った。

「只今《ただいま》の国連の外交的立場にたつ高邁なご意見には感銘しました、しかしわが社は、外務省の付属機関ではありません、採算面の裏付けがなければ、絵に描いた餅《もち》に過ぎません」

冷やかに云うと、パリ支店長はディオールの縁眼鏡をかけ、気取った口調で、

「それで、ナイロビへの就航ルートはどう考えているのかね」

と聞いた。

「パリ経由となりますと、時間が短縮され、ヨーロッパとアフリカの二大陸を楽しむ魅力がありますが、運賃が高過ぎ、中高年の高所得者しか対象になりません、その点、東京—香港《ホンコン》、もしくはバンコク—ボンベイ—ナイロビのルートの場合は、ヨーロッパ経由の約半額になり、若い多くの層にアピール出来ます」

「機材は、何を使うつもりかね」

「DC8—62が最適ではないでしょうか、ファーストクラスの座席数をどのくらいにするかによりますが、おおよそ百七十席ほどと思います」

恩地が淀《よど》みなく答えると、再び行天が割り込んだ。

「それだと週に最低二便、年に百四便、飛ばさないと採算が合わないね、一便百七十席の掛けること百四便として、年間全供給座席は約一万七千——、搭乗率を約七三パーセントとして、ざっと一万三千人、こういう数字になりますよねぇ」

「そういうことです」

「先程の話だと、ナイロビを訪れる日本人は四千九百人ということだが、採算面で一万三千人の乗客が必要だというのに、この甚しい乖離《かいり》をどうするつもりなのかね」

「開設当初は、高い利用率が期待出来なくとも、乗入れをはじめれば旅客が増える例はいくらでもあります、人気に左右される観光地は、特にその傾向が強く、日本人の直行旅客以外に、外人旅客や途中区間だけの旅客もあります」

恩地が答えると、行天は営業部長に、

「少し楽観的すぎないでしょうか」

お伺いをたてた。

「そうだな、第一、日本からの直行客など、数がしれている」

営業部長は、言下に首を振った。

「では、目下、ケニア政府と行っている航空交渉は、中断ということになるのですか」

恩地が、ことあるごとに官庁筋に聞かれて、答えに窮する問題を質《ただ》すと、営業部長は、むっとするように恩地を睨《にら》みつけたが、行天は、

「将来の権益確保のための交渉ですから、今後も運輸省のお力添えを戴きながら続行することになるのではないでしょうか」

運輸省天下りの小暮社長を意識した答えをした。

「つまり、ナイロビ就航は当分、ないという本社サイドの結論は、既に出ているのですか」

中期計画に盛り込まれたナイロビ就航についてという項目は、他社に割り込まれないための運輸省向けの記述に過ぎないようであり、さすがに恩地は気色ばんだ。

白けた空気を、アテネ支店長が破った。

「当支店のマグロの輸送ですが――」

唐突な話題の転換に一同、目を瞬《しばたた》いた。

「アテネ支店では、マグロの輸送が飛躍的に増大しております、南廻り路線は各支店とも、貨物のスペースを競っていますが、アテネを優先的に図って戴きたいのです」

と云うと、アムステルダム支店長も発言した。

「当地には、週二便しか飛んでいないのでもう一便、何とか増便して戴きたい」

「ウィーン営業所からも、発言させて下さい、日本人にはウィーンの音楽に幅広い愛好者がいるにもかかわらず、いまだにオフラインで、お客さんから国民航空は芸術が解《わか》らんのかとお叱《しか》りを受け、肩身の狭い思いをしております、野生動物と音楽を比べるわけではありませんが、早急に開設をお願いします」

各支店から、増便、新規乗入れを要請する声が続いた。自分の代で実績を作り、今より一ランク上って行くための要請が大半であった。

恩地は、苦々しい思いで、ぶり返したマラリアの熱を押えるために、目の前のミネラルウォーターで、クロロキンの錠剤を目だたぬように、飲み下した。


早朝のナイロビは、アフリカとは思えぬほど、ひやりと肌に涼しい。赤道直下とはいえ、海抜千七百メートルのナイロビは、高原性気候で、一日のうちに四季がある。

二日間の支店長会議が終了した翌日、アフリカの大自然と野生動物に接して貰うために、恩地の提案で、ナイロビから南へ二百四十キロ、タンザニアとの国境近くのサバンナにあるアンボセリ国立公園へ向った。

小暮社長と金井専務、秘書部長らはゴルフコースを廻り、サファリには参加しなかったが、欧州・中近東の各支店長は殆《ほと》んどがサファリカーに分乗して、ナイロビを発《た》った。

午前七時半にナイロビを出発して、暫《しばら》くはコーヒー園やとうもろこし畑が続いたが、やがて草原になり、アカシアの木が枝を広げているサバンナになった。

「おっ、縞馬《しまうま》じゃないか」

一人が、大声を発した。縞馬やインパラが群をなして、草を喰《は》んでいる。

「恩地さん、ほんとに象やライオンが見られるのですか、ある意味で音楽よりも素晴しいと云っていた野生動物が――」

六、七年後輩のウィーン営業所長が、恩地の座席の後《うしろ》から聞いた。

「もちろん、一泊では無理かもしれないが、ビッグ・ファイヴは全部、見られます」

「ビッグ・ファイヴって、何のことですか」

「象、ライオン、豹《ひょう》、アフリカ・バッファロー、犀《さい》だ、その他、珍しい動物、鳥類もたくさん棲息《せいそく》していて、アンボセリからは運がよければ、キリマンジャロが真正面から見えますよ」

「えっ、キリマンジャロが！　青春時代から憧《あこが》れていたキリマンジャロが見られるなんて、夢みたいだ」

支店長会議では、自分の支店の権益拡大で激論を交していたのが嘘《うそ》のように、揃《そろ》って窓に顔を寄せ、童心に返ったようにはしゃいでいる。

そんな中、行天四郎はずっと双眼鏡を手にしていた。恩地にしてみれば、行天が社長に随《つ》いて、ナイロビの英国統治時代の名門ゴルフ場へ行かなかったことが、意外だった。

アンボセリ国立公園のゲートをくぐると、雄大な草原が拡《ひろ》がり、縞馬、ヌーが群をなし、茶色の網目模様のキリンがサファリカーを見下すように、ゆっくりと歩いて行く。長い首から脚まで五メートル近くもあり、一見、悠然と歩いているようだが、歩幅が広く、あっという間に遠ざかってしまう。視線を巡らせると、滑稽《こっけい》なまでに愛らしく、仲睦《むつ》まじいイボイノシシの一家が寄り集り、優美でしなやかなトムソンガゼルやインパラが跳躍している。

「あのトムソンガゼルという鹿《しか》に似た動物、あれはサバンナの貴婦人のように素敵だね」

「あれは、鹿ではなくて、牛科なんですよ」

恩地が、説明を加えた。

「ほう、角は鹿より遥かにりっぱなのに、牛科だって?」

「えっ？ 縞馬の黒と白の幅が、人間の指紋と同じで、全部、違うのかい、やはり神の創《つく》り賜《たも》うたものなんだねぇ」

「それにしても、ナイロビ市内から三時間余りで、これほどの大草原が拡がり、野生動物が見られるなど、想像も出来なかったですよ」

「全く、観光的要素は大だね、ヨーロッパの金持たちが、クリスマス・ホリデイをアフリカで過すというのも、ようやく解ったよ」

それぞれ、昂奮《こうふん》した口調で云った。

やがてアンボセリ・ロッジに着き、ビュッフェ・スタイルの昼食後、午後三時から再びサファリに出かけた。

サファリカーの屋根を上へ押し上げると、各自、シートの上にたって、広い開口部から、体を乗り出した。見渡す限りの原野は、地平線も定かでなく、耳に聞えるものは、草原を渡る風の音だけであった。

遠くから、砂煙を巻き上げて来る車がある。同じように、野生動物を追う別のサファリカーであった。動物保護のために、珍しい動物を見つけても、サファリカーは草原の中へ乗り入れることは許されず、国立公園が定めた小径《こみち》しか走ることが出来ない。それ以上、たち入って動物を真近に観察したり、もの音をたてることは禁じられているから、野生動物たちは、四角い檻のようなサファリカーに入っている人間は、危害を加えないものとして、警戒心を抱かないが、一歩でも車の外に出た人間に対しては、容赦なく襲いかかって来る恐れがある。

「シンバ！」

ドライバーが、声を上げた。皆は何のことか解らないが、恩地は、

「ライオンですよ、あの枯草の向うに、頭だけ見えるでしょう」

と指さした。枯草よりやや濃い目のライオンの鬣《たてがみ》が垣間《かいま》見える。

「あっ、いる！　恩地君、まさか襲って来ないだろうね」

「車の中にいる限り、あり得ません」

恩地は、ドライバーにライオンの前面に廻り込むように、指示した。黄金色の鬣を風にそよがせた大きな雄ライオンの横に、雌ライオンがごろりと横たわっていた。

サファリカーが十メートルほど小径を廻り込み、停まると、雄ライオンは人間どもを睥睨《へいげい》するように見た。

「百獣の王、ライオンとはよく云ったものだな」

口々に、感嘆の声を上げた。

「ライオンは普段は、二、三頭の雄と多数の雌の群で暮していますから、このペアは、

目下、ハネムーン中、つまり交尾期のライオンですよ」

恩地が云うと、一同は好奇心を募らせた。

「つまり、そのぉ……、ペアリングをするというわけで？」

「こういう場合は、メイティング（mating）と云います、交尾期に入ったライオンは、数日間、ずっと行動を共にし、その間、殆んど飲まず、喰わずの状態です」

「そうすると、つまり……その間はずうっとメイティングを繰り返すというわけ？」

「ええ、そういうことです、ほら、これから——」

恩地が眼で指した。雄ライオンがのそりとたち上り、ごろりと行儀悪く寝転んでいた雌ライオンもたち上った。七、八メートルほど一緒に歩いて行ったかと思うと、雄ライオンが、雌ライオンの下半身にのしかかった。雌を獲得するために、何十頭もの雄同士で鎬《しのぎ》を削り、勝ち残ったものだけが、雌とのハネムーンのチャンスを勝ち取る。強い種を子孫に残して行く大自然の摂理であった。

突然のライオンのメイティングに、一同、生唾《なまつば》を呑《の》んで、じっと見守った。

雄ライオンは、雌ライオンを後から抱え込み、力をこめて体を上下させたが、ものの三、四十秒で行為を終えたかと思うと、雌の首筋に嚙《か》みつき、雌は大きな咆哮《ほうこう》とともに、鋭い爪《つめ》をもった前肢で、雄の顔面を一撃するように叩《たた》いた。ぎくりとする光景であったが、雌は白い腹を見せて仰向けになり、さらに左右に体をごろごろくねらせた。

それで終りだった。雄ライオンは、再び鬣をなびかせて坐り、雌は気怠《けだ》るげな動作で、そのまま横に寝ころんだ。

ほうっとした吐息が、誰からともなく出た。

「つまり、そのぉ……、あれを何度も繰り返すということかい？」

ミスター〝つまり〟支店長が、聞いた。

「ある時間帯、二、三十分ごとに繰り返します、雌ライオンがああしてお腹を左右に何度もくねらせるのは、受精卵の着床をよくするためではないかと、云われています」

「だけど、交尾の後、雄と雌が互いに敵同士のように牙《きば》をむいて嚙みつくのは、どういう意味なんだね、愛撫《あいぶ》とはとても思えん凄《すさま》じさだが」

地区総支配人の南が、聞いた。

「それは、今もって、謎《なぞ》なんです、世界中の動物学者が、豊富な資金で、長期研究していますが、解明に至っていません」

「百獣の王らしい愛情表現だと思うがね」

行天が、断定するように云った。

「さあ、擬人化した情緒的解釈は排した方がいいというのが、英米の専門家たちの意見です」

恩地が云った。

「そうだろうな、こんな大自然を前に、人間が何もかも解明しようなんて、不遜《ふそん》かもしれない、キリマンジャロの頂上近くの氷に、豹の屍体《したい》が封じ込められていたという話もあるじゃないか、そんな高いところに、何故《なぜ》、豹が登って行ったのか、あの伝説も謎なんだろう？　それでいいんだよ」

ロンドン支店長が、大自然の下で感銘深げに、頷《うなず》いた。

やがて、サファリカーは、後《あと》からやって来たイギリス人の団体の車に場所を譲り、沼地で水浴びしている河馬に興じ、アフリカハゲコウの不気味な姿に、眼を見張った。

四百平方キロの広い国立公園を巡って、キリマンジャロが真っ正面に見える平地に車を停めた。

雲がかかっていたが、待つほどに風に吹き消されるように薄れ、草原の彼方《かなた》に、すっくと天に向って聳《そび》える山容が見えた。アフリカ最高峰のキリマンジャロが、姿を現わしたのだ。

白い王冠のような万年雪が山頂を縁どり、その頂きから長く裾《すそ》をひくように稜線《りょうせん》が拡がり、山腹に白い雲がたなびいている。その美しさは、さながらクイーン・エリザベスのような気品と威厳に満ちている。

一同は、息を呑み、暫《しば》し時を忘れ、感動して、キリマンジャロを仰ぎ見ていた。


ロッジ本館の食堂で夕食を摂《と》り、ビールやウイスキーが体に回ると、支店長たちは、さすがに疲れた様子で、広い敷地に点在する各自の部屋へ引き揚げた。

恩地は、明日、午前中までのサファリの手はずを整え、今晩中に済ませられる精算をし、ほっとして、食堂に隣接しているバーへ行くと、カウンターの止まり木に、欧米人たちに混って、欧州・中近東・アフリカ地区総支配人の南洋一が、煙草をくゆらせていた。確か先程、引き揚げて行ったはずだった。

「どうかなさいましたか」

恩地が、声をかけると、

「いや、こういう野趣に富んだバーで飲むのも一興だし、恩地君もブランディにするかね」

と誘い、大きな自然石を積み上げた暖炉の傍へ、席を移した。人間の背丈の倍ほどもある暖炉の上には、犀の大きな頭部の剥製《はくせい》が飾られ、炉の中に積み上げられた丸太が燃えさかっている。その前に陣取っていたゲルマン系らしいグループがたち上った後、南と恩地はソファに坐《すわ》った。

「恩地君、ここには人間が失ってしまっているものが残されているね、野生動物に久しぶりに昂奮し、キリマンジャロを仰いで、心が洗われた、もっと早く来たかったよ」

ブランディを啜《すす》り、眼を細めた。南は、戦前、商社マンの父と共に、幼少の頃から長く海外に育ち、視野の広いリベラリストであった。

年に二度、アフリカ地区を統轄《とうかつ》するロンドンの総支配人室へ出張する恩地を、目だたぬように慰労し、理解する数少い人物だった。

「ところで君は、このナイロビに赴任して、二年半を超えるね」

「ええ、最初、ナイロビ空港に着いた時は、カルチャー・ショックで、茫然《ぼうぜん》としたものですが、住めば都と申しますか」

あとは、口を濁すと、

「実は、私は来年一月の人事で、多分、本社に帰ることになる、どうだ、君もそろそろ、本社へ戻ることを考えては」

銀髪の横顔を、恩地に向けた。唐突な言葉に、恩地は戸惑った。

「わが社も、益々《ますます》、規模が大きくなり、ナショナル・フラッグ・キャリアの形は整って来たが、中味が伴わない、航空会社に中味が欠けているということは、メーカーや商社など、他の業種と異り、非常に危険だ」

人命を預る上での危険——、空の安全を示唆《しさ》していた。

「おっしゃることはよく解ります、しかし今の会社が、私を受入れることはあり得ないと思います」

カラチ、テヘランの後、オフラインのナイロビまで盥廻《たらいまわ》しにし、放置したままの会社の仕打ちを、思った。

「だから、僕が自然な形で帰れるように考える、ナイロビ営業所長の君が本社へ戻るからには、一応、管理職だ、その齢《とし》と学歴でヒラなのは、君だけだからね、しかしながら、君を支援している旧労、反対の新労双方からはいろんな声が上って、辛《つら》いことがあるだろうが、そこは五年先、十年先のことを考え、我慢して貰《もら》わねばならない」

「総支配人の温かいお気持は、胸に沁《し》みて有難く思いますが、今日まで私を信頼してくれた人たち、なかんずく旧労の仲間たちに疑心を抱かせることは、致しかねます」

グラスを手にして、はっきりと云《い》うと、南は、恩地の顔を見詰めた。

「私は入社以来、海外支店勤務が長く、組合のことはよく解らないが、現在の旧労の組合員も、年齢的に君とは離れていて、顔馴染《なじ》みといえば、委員長ぐらいなものだろう」

「それでも、三百人の組合員が、将来の昇進のみならず、昇給まで差別されてなお、旧労の国航労組に踏み止《とど》まっているのです、その組合員がいる以上、現経営陣の下で、管理職に組み込まれて行くことは、彼らを裏切ることになります」

「君が今日まで節を曲げずにいるのは、その一念だろう、しかし、それではいつまでたっても、問題は解決しない、君自身の能力が充分に生かされる仕事と云えば経営企画室、財務部などだろうが、それは全く望むべくもないことだから、私の担当する部門の中でということなら、どうだね」

「国航労組は、もしかして察しをつけてくれるかもしれませんが、とどのつまり、総支配人にご迷惑をおかけすることは、目に見えております、そして会社は、私が節を曲げ、踏絵を踏まない限り、そういう人事は発令しないはずです」

恩地は、揺れそうなグラスを、膝《ひざ》の上で押さえた。

「そうか、君はよほど会社から裏切られ続けて来たんだな——、だが、君のような人材が、むざむざと、ナイロビに埋もれたままでは、見るに忍びない、これが、私が力になれる最後のチャンスかもしれない」

真底、恩地の身を慮《おもんぱか》った南の真情が、恩地の胸を揺ぶり、妻子の姿が過《よぎ》ったが、なまじ希望を抱いて、これ以上の屈辱を味わいたくなかった。

「何と御礼申し上げていいか……、言葉もありません、ですが、ご放念下さい」

と云うと、南は、恩地を正視出来ぬように、暖炉へ眼を向け、

「会社が、一人の人間を、ここまで追い詰めるとは――」

あとは、絶句した。

支店長会議に出席した一行が、潮がひくように、東京とそれぞれの任地へ去って行くと、再び、単調な生活がはじまった。

がらんとした人気のない社宅の居間で一人、酒を飲みながら、一同を見送った空港での様子を思い返した。

真っ先に出発する社長一行は、ナイロビからロンドンまで英国航空の便で、そこから自社便に乗り替える。社長を見送るために、南総支配人以下、各支店長たちが深夜の空港に集り、麗々しく列《なら》んでお辞儀をした。

天下りの小暮社長は、鷹揚《おうよう》な笑みを見せて搭乗口へ進んだが、空港にいた人々の好

奇の眼が向けられていた。

行天もその一行に加わりながら、つと足を止めて、恩地の方へ歩み寄った。

「いろいろお世話になった、奥さんに何かことづけがあれば、承るよ」

「気持は有難いが、今はないよ」

「じゃあ、せいぜい元気で――、もしや、ノイローゼにでもなっているんじゃないかと、内心、心配していたが、さすが君だ、地の果てにいても、やけを起さず、アフリカ呆《ぼ》けもせず、したたかに自分の生き方を見つけているようだな」

恩地は、行天の棘《とげ》を含んだ言葉に、黙っていた。

「その逞《たくま》しい精神力は、アフリカの大自然と野生動物に囲まれた環境だからだろうな、羨《うらやま》しいよ、ここから組合へ指令を出しているのかね」

「いい加減にしたまえ」

「そう、むきになるなよ、社長が遠路運ばれる以上、国際会議の出席でなくても、タラップから赤絨毯《じゅうたん》を敷いて、入国手続もフリーパスの手配をするべきだ、気がきかないな」

と云い、搭乗口へ消えて行ったのだった。

それだけに、アンボセリ・ロッジで、南がかけてくれた言葉が、今さらのように胸を衝《つ》いた。

――君がこのナイロビにむざむざと埋もれているのを見るに忍びないと云ってくれ、「これがラストチャンスかもしれないよ」と真情のこもった言葉をかけてくれたにもかかわらず、固辞してしまった。

何故《なぜ》、あの時、あんなにべもない断り方をしたのだろう。もう少し含みをもたせた大人の断り方があったはずだ。せめてご配慮戴き、有難うございますと云っておけば、峻拒《しゆんきよ》したことにならなかった……、そう思うはしから、今になって女々《めめ》しく、南の温情に縋《すが》ろうなどという自分が恥しく、疎《うと》ましかった。

飲むほどに頭が冴《さ》え、さまざまなことが思い出された。自分より遥《はる》かに後輩の支店長、事務所長たちは、差別人事で昇進の遅れている恩地と話す時、後ろめたさから言葉遣いに気を遣い、齢上の自分自身もフランクに話せず、みじめな思いを味わった。さらに行天四郎と顔を合わすことがなかったら、多分、これほど懊悩《おうのう》することはなかっただろう。曾《かつ》て同期の友として行《こう》を共にした行天と、或《あ》る日、袂《たもと》を分ってから、十年が経《た》つ。今、その行天は、本社の運航管理部次長として、一段と大きな仕事の場で、自信に満ちている。行天の姿が、生々《なまなま》しく瞼《まぶた》に残った。

第二章　友情

アフリカの夜は暗く、厚い闇《やみ》に塗り込められている。

恩地《おんち》は、支店長会議が終了し、再び孤独になった寂寥《せきりよう》を嚙《か》みしめ、グラスを重ねながら、ホームバーの横に並べている自分の猟銃で仕留めた動物の剝製《はくせい》に眼を遣《や》った。ライオンの眼が、まるで生きているような光を放っている。

サファリで野生動物に興じ、昨日、帰国した行天《ぎようてん》の姿が浮かんだ。本社運航管理部次長として、一回り大きくなっている行天と、あまりに対照的な自分の生き様に思いを致し、来し方を振り返った。

恩地を運命づけたのは、社内の掲示板に貼《は》り出された一枚の貼り紙だった。それは一九六一年（昭和三十六年）六月、国民航空労働組合の新委員長を告げる掲示であった。

掲示板の前に集っている社員の方へ、なにげなく足を向けると、

「恩地さん、あなたが新委員長に選ばれましたよ」

「僕たちのために、頑張って下さい！」

四方八方から手が伸び、握手された。恩地は、わが耳を疑った。委員長就任については、昨日、固く辞退したばかりであった。

だが、グリーンの羅紗《ラシャ》紙を張った掲示板に、鋲《びょう》止《ど》めした貼り紙を見ると、自分の名前が、眼に飛び込んで来た。

中央執行委員長選挙（定員一名）について

一、標記の立候補受付は六月五日締切ったところ、立候補者は次の通り

恩地　元（本社支部）　　　以上一名

二、立候補者が定員を超えないので、選挙規則第二三条により、右の立候補者を無投票当選とする。

以上

一九六一年六月六日

黒いマジックで、記されている。そこに記されている組合の新委員長就任については、一ヵ月前、突然、国民航空労組の八馬《はちうま》委員長に呼び出されて、就任を要請されたのだった。その場で辞退する恩地に「近頃は、自分のことしか考えない連中が多過ぎる中で、君のようなエリートで、人の面倒見がよくて、常に職場環境の向上を考えている人物は少い、頼もしい快男子だ、実は私の任期はあと一ヵ月というのに、後《あと》の引受け手がいない、そこで君を見込んで、私の後任を、是非とも頼みたいのだ」と、辞を低くして頼み込んだのだった。

恩地は、かねがね、御用組合と批判されている組合の要請に応じるつもりはなかった。

「歴代の委員長は皆さん、就任時に私より齢《とし》が上で、経験豊富な方ばかりでしたので、私のような若輩が委員長というのは、おこがましく、とても無理なことです」

重ねて、辞退したのだった。それでも八馬は諦《あきら》めず、恩地を呼び出して、

「現執行部の三役で決めたことだ、ここは一つ、われわれ国民航空組合員三千人のために、引き受けて貰《もら》いたい」

執拗《しつよう》に喰い下ったのだった。

大学時代、多くのクラスメイトと共に自治会主催の学生運動に参加し、メーデー事件のデモで一晩、警察署に留置された恩地であったが、国民航空への入社が決まった段階で、入社十年間は、社務に精励することを自らに固く誓っていたのだった。学生から社会人となり、一つの企業に属したからには、まずその仕事を学ぶというのが、恩地のごく自然な考え方であった。入社した時に配属された羽田空港で、搭乗券のもぎり、荷物の計量からはじまり、カウンター業務見習い、都内営業所で予約、航空券発券の業務についた後、収入管理部門へ配属され、かねてからの希望である本社予算室への転属が決まったばかりであった。

「恩地君、君の新しい職場の予算室長には、既に話を通じてあるよ、はっきり云《い》って予算室は、君の先輩の東都大学卒をずらりとならべ、例えれば、大蔵省の主計局と主税局を併せたような部署だから、せっかく獲得したばかりの人材を組合に取られるのはと、難色を示したが、東都大卒は他にもいるが、難航している組合の次期委員長は、恩地君しかいないと説いて、諒承《りようしよう》して貰ったんだ」

と八馬は、一方的に根廻しし、取り決めていたが、本社予算室の仕事は、組合の仕事と兼ねてというような生やさしいものでなかったから、固辞し続けた。

それにもかかわらず、恩地の委員長就任が、無断で決められ、もはや、既成事実として、掲示板に貼り出されているのだった。

「恩地さん、期待していますよ」

「新しい執行部が誕生したんです！　頼みますよ」

周りから声援を受けながらも、恩地は無言で踵《きびす》を返し、組合事務所の八馬のところへ行った。

「すまん、すまん、だが、これしか組合として取る方法がなくてねぇ」

恩地と顔を合わせるなり、八馬は、曖昧《あいまい》に笑った。

「ですが、私は、最後まで固辞したではありませんか、無断で推挙就任の貼り紙は、あまりにひどいやり方ではありませんか」

「といって、君は、あんなに喜んでいる組合員たちに対して、今さら知らぬ存ぜぬと云えるかね、男と見込まれて選ばれた以上、受けねば、敵前逃亡と云われかねんよ」

胸倉を衝《つ》くように云った。

恩地の脳裡《のうり》に、学生時代、自治会の闘士として鳴らしていた男が、委員長に選ばれた途端、怯気《おじけ》づいたのか、登校しなくなり、卑怯者《ひきようもの》呼ばわりされたことが、思い出された。卑怯者の烙印《らくいん》を捺《お》されることは、恩地にとって耐え難いことであった。だが、謀《たば》られた後味の悪さは、拭《ぬぐ》えなかった。

「当人の私に、無断で行われたことですので、一晩、考えてからお返事します」

恩地は、就任を保留した。

その夜、恩地は同期入社で、千代田中央営業所の営業部にいる行天四郎を呼び出した。

新橋駅近くの蕎麦屋《そばや》の二階座敷は、二組の客しかいなかった。行天は、恩地と顔を合わせるなり、

「突然、なんだい？　飲めない君から、夜の呼び出しがかかるとは珍しい」

同窓、同期入社で、全く気のおけない間柄であった。

「実は、今度の組合の新委員長のことなんだよ」

と云い、恩地は、組合委員長に選出されるに至った経緯を詳しく話すと、行天はクールな眼《まな》ざしで、

「そうか、そんな経緯《いきさつ》があったとは、知らなかった、君が入社後、十年間は社務に専念したいと常々、云っていたから、気持は解《わか》る、だが、これまで御用組合のために、お互い入社時からひどい目に遭い、不満ばかりだったものなぁ」

と云った。事実、行天が云うように、二人は、羽田空港のカウンター係に配属され、

切符のもぎりから、積み込み荷物の計量に泣かされた挙句、夜は九時出発の最終便を見送ってから、空港の宿直室でラーメンを煮て食べ、雑魚寝《ざこね》――、その翌朝の一番機の見送りと、現場の厳しい仕事が長かった。

それにひきかえ、同期入社でも縁故採用者は、業務見習いなど名ばかりの〝見習い〟で、さっさと丸の内の本社ビルにおさまった。政府出資の特殊法人というせいか、国民航空には有名政治家、財界人の子弟が多く、旧華族出身者も目だつ。

本間といえば、「本間様には及びもないが、せめてなりたや殿様に」の酒田の本間、前田といえば、金沢の加賀百万石、その他、伊達《だて》、鍋島《なべしま》と数え上げればきりがない。そうした縁故採用者の大半は、現場から最も遠い本社ビルで、営業活動の一環と称して、昼間からゴルフ、囲碁に明け暮れ、五時ともなれば「ご機嫌よう」と帰って行く。

「あの連中もさることながら、有力政治家ナンバーワンの山野一郎の一件は、ひどかったよな」

行天は、ビールのコップを口にしながら云った。

その一件は、社内の語り草になっていた。本社営業部に属しているその社員のあまりの勤務態度の悪さに、腹に据えかねた部長が、福岡支店への転勤を内示したところ、「あそこでは文化的な生活ができないから、赴任しませんよ」と拒否したのだった。

部長が、「業務命令だ」と一喝すると、ものの三十分もしないうちに、山野一郎から社長に電話がかかって来たのだった。「この山野に何か恨みでもあるのか、あれの保証人は、私だよ」と恫喝《どうかつ》され、社長と営業担当専務、人事部長、営業部長がすべての予定をキャンセルし、国会へすっ飛んで行き、内示は直ちに取り消されたのだった。

そのことを思い出すと、恩地は憤《いきどお》りがこみ上げて来た。

「ナショナル・フラッグ・キャリアといえば、一見、すべての点で一国を代表する企業と思われがちだが、中味は正直云って、中小企業並みのお粗末さだ、社内の一部特権階級だけが、優雅な待遇を満喫しているが、大多数の社員は、給与、労働条件ともに公務員にも及ばない、乗員は外人パイロットの半分、整備士は町工場に毛が生えた程度、われわれ地上職にしても、他の会社に就職した友達に云えないような給料と劣悪な環境で働かされているのだからな」

と云うと、行天は、恩地の半分も減らないコップにビールを注《つ》ぎ、

「その通り、それもこれも組合がありながら、幹部の連中が組合員のことより、自分たちの出世のために、会社と馴《な》れ合っているからだ、どの部門の職場でも不満は鬱積《うっせき》しているのに、云い出す者がいない、誰かが正そうと口火を切れば、組合員は必らずついて来る、恩地、迷うことはない、引き受けろよ」

強い語調で、勧めた。誰かが正せばという言葉が、恩地の胸に響いた。

「じゃあ、僕が引き受けたら、君は力になってくれるか」

「よし、力になるとも」

と答えた。恩地は入社時、自分と共に会社の不公正を身に沁《し》みて憤った行天とならばと、ようやく、委員長就任の決心をしたのだった。

翌朝、八馬委員長に、次期委員長を引き受ける旨《むね》を正式に伝えた後、恩地は行天と新執行部のメンバーを選考し、半月後の国民航空労組の全国大会で、初のスピーチを行った。

会場の羽田オペレーションセンターの講堂は、二百五十名の代議員で埋まり、張り詰めた気配に包まれていた。スーツ姿の地上職員、作業服を着た整備士をはじめ、スチュワーデス、パーサーなど、パイロットを除く各職場から集った組合員たちが、ずらりと列《なら》び、恩地委員長、行天副委員長、桜井書記長の三役をはじめ、組織部長、賃金対策部長、教宣部長たちの新鮮な顔ぶれを見詰めている。

新委員長の恩地元は、拍手に迎えられ、演壇にたった。秀《ひい》でた額の下に切れ長の眼を見開き、固く唇を引き結んでいる。

一礼して、恩地は口を開いた。

「わが国民航空は、他の企業と異り、人命を預かる会社です。われわれの一瞬の不注意が、お客さまの生命《いのち》にかかわる事故に繫《つな》がるという自覚を持って、日夜、それぞれの職場で努力しておられると思います。しかし現状の賃金、労働条件はあまりに前近代的で、社会的役割と企業の規模からかけ離れているばかりか、公務員並みの水準にも至っておりません。

その一方で、現場と離れた本社部門では、業務にさし障《さわ》りがないという条件つきながら、土曜日は半ドンの週四十三時間しか働いていない者が、四十八時間フルに働いている者と同一の給与であり、職場間の不平等は歴然としています。この不平等が、恵まれない職場の犠牲の上になりたっている事実を見る時、われわれは、経営者の旧態依然とした意識に、憤りを覚えずにはいられません」

演説口調ではなく、イデオロギーをぶつのでもなく、ヒューマンな思いを籠《こ》めて訴えかけるスピーチに、組合員たちは大きく頷《うなず》いた。恩地は、言葉を継いだ。

「人間が、人間らしく生きる連帯感が、人命を尊び、人命を預かるわが国民航空の組合運動の根幹をなすものであります。賃上げも、労働条件の改善も、すべて〝空の安全を守る〟ためのものであらねばなりません。組合員の皆さん、多少の立場の相違はあっても、不合理に対する怒りを共有し、明るい職場を築いて行こうではありませんか」

場内に共感の声が上り、いつまでも拍手が鳴り止まなかった。

その日のうちに、組合の機関紙に載せる委員長就任の挨拶《あいさつ》の原稿を書き、新執行部のスタートを祝って、事務所でビールとジュースで乾杯した後、恩地は、家路についた。最終バスが出た後で、目黒《めぐろ》駅からバス道を歩いていた。

バス道の両側には、ところどころ畑があり、木立の深い神社の前を通り過ぎると、国民航空の社宅が五棟、建ち並んでいる。その一番手前の端が、恩地の住いであった。

妻のりつ子は、夜食の用意をして待っていた。

「今日も、歩いて帰ってらっしゃったのね、お疲れでしょう」

「二十分足らずの道など、なんてことないさ」

上衣を脱いで、食卓に向った。

「今日、組合の全国大会で、あなたが委員長就任の素晴しいスピーチをなさったんですって？」

「いや、皆が日頃、思っていることを話しただけだよ」

「でも、どうして委員長を引き受けたことも、今日のスピーチのことも、一言も話して下さらなかったの、社宅の皆さんから、よろしくお願いしますよと云われ、戸惑ってしまいましたわ」

「すまない、ゆっくり話そうと思いながら、慣れないことの連続で、つい先延ばしになってしまった、勤務が予算室に変って、まだ仕事にも馴れないのに、組合の仕事と重なって、これから毎晩、遅くなると思うが、一年だけのことだから、我慢してくれ」

ご飯のお替りをしながら、云った。

「あなたは、いつもそう——、追いついていくのが、大へんだわ」

りつ子は、温かいご飯をよそいながら、眼元の涼しい楚々《そそ》とした顔を、恩地に向けた。

「行天君が、副委員長として助けてくれるから、心配ないよ、克己《かつき》と純子はもう寝たかい？」

四歳と二歳の二人の子供のことになると、恩地の表情は綻《ほころ》んだ。

「純子はともかく、克己はお父さん、全然、お家《うち》にいないのはどうしてって、ご機嫌斜めなのよ、何か約束でもあったの」

「そうか、そういえばキャッチボールの投げ方を教えてやるから、新しいボールを会社の帰りに買ってくると云って、そのままになっていた、ごめんと云ってやってくれ、で、母さんは？」

「今日はお加減がよくて、まだ起きていらっしゃるはずよ、つい今しがたまで、あなたのことを話し合っていたところですもの」

手狭な社宅で、幼児《おさなご》二人と、夫の病弱な母の世話をするのは、並大抵のことではないはずだが、りつ子は田舎の高校教師の家庭に育ったせいか、優しい思いやりと、芯《しん》の強さで、愚痴一つこぼさなかった。

隣りの襖《ふすま》を開けると、母はやはり起きて、恩地を待っていた。

「お姑《かあ》さん、りんごでもむきましょうか」

「もう、充分ですよ、元《はじめ》、お前、組合の委員長を引き受け、今日の大会で演説したそうだけど、入社の時、保証人になって戴《いただ》いた叔父さんに、不義理になることはないのかい」

恩地が十一歳の時、父が南方で戦死し、高校、大学卒業まで世話になった叔父のことを云った。

「お母さん、今の組合の委員長というのは、働く人たちの暮しをよくするための世話れていた。

「他人《ひと》から頼まれごとをしたら、いやと云えないところは、死んだ父さんそっくり役ですから、心配には及びませんよ」

安心させるように云ったが、

「……、私に、一言、相談してくれたら、辞退しなさいと云いましたよ」

母は、それ以上、口にしなかったが、父の戦死後、親戚《しんせき》の援助を受けつつも、女手一つで自分と妹を育てた苦労は、察して余りあった。

「叔父さんには、一段落したら必らずご挨拶に行きますから」

恩地は、重ねて母の心配を和らげるように、云った。

戦争中、母と妹は、早くから静岡の母の実家《さと》に疎開し、恩地も中学校で勤労動員されていた。

八月十五日のその日、たまたま、リュックサックに食糧を背負い、東京・田端《たばた》の焼け跡に、バラックを建てて住んでいる叔父夫婦を訪ねた。長男を特攻隊で喪《うしな》った叔父は、誰が何と勧めても、焼け跡から動かなかった。

昼前に辿《たど》り着いた恩地は、叔父夫婦と共に、正午からの玉音放送を聴いて、終戦を知ったのだった。叔父夫婦は、声を放って泣いたが、十四歳の恩地は涙が出なかった。

軍国少年として、勤労奉仕には誰よりも先んじて働き、叔父の長男の特攻隊への入隊を聞いて、胸を沸《たぎ》らせた。愛国少年としての、それらすべてが突如として、無に帰してしまったのだった。

茫然《ぼうぜん》として焼野ガ原に佇《たたず》み、戦いが終った日の夕陽を見詰めた。夕陽は真っ赤に輝き、空一面を血染めにするような光を放っていた。十四歳の少年であった恩地の瞼《まぶた》に、特攻隊員となって、雲の彼方《かなた》に死んで行った従兄《いとこ》や、上級生たちの姿が、血が滴《したた》るように浮かび、彼らを死なせた大人たち、権力者たちの云うことは、二度と信じまいと、心に誓ったのだった。

*

恩地は、組合の新委員長として、最初の団体交渉の場に臨んでいた。

入社八年、三十歳で、社長、労務担当役員、労務部長たちと、テーブルを挟んで対等に話すことは、はじめての経験で、強い緊張感を覚えていたが、桧山《ひやま》社長をはじめ、会社側幹部は、朝から続いている交渉に、疲れを滲《にじ》ませながらも、余裕あり気であった。

ヘビースモーカーの桧山は、交渉が長びくことを見越したように、ピースの缶を机の上に置き、村夫子《そんぷうし》然とした風貌《ふうぼう》で、

「航空会社の社長は、日銀総裁より重責だよ、日銀総裁は、真夜中に電話が鳴っても、地下金庫の金《かね》がなくなるようなことはないが、私は電話が鳴ると、すわ、事故かと肝《きも》を冷やす、にもかかわらず、人の命を預かっている航空会社の社長の給料は、日銀総裁より遥《はる》かに低い、これは決して、君たちの賃上げ要求を値切るために云っているのではない、人の命を預かり、空の安全を思う立場は、組合の君たちと、私は同じなんだということを知って貰いたい」

委員長の恩地をはじめ、並んでいる行天副委員長、書記長、組織部長たち新執行部の顔ぶれを一人一人、見て云った。恩地は、桧山の視線を受け止め、

「それならなおのこと、私たち空の安全を担《にな》う組合員たちの願いを、ご理解戴きたいものです、現在、われわれが不平等を感じているのは、本社勤務者と、営業支店、整備、運航の現場勤務者たちとの待遇の格差です、最前線で乗客、飛行機に携っている者が、土曜半ドンの本社勤務者より、万事、おろそかにされているのは、本末転倒で、われわれ新執行部が団交で是正しようとする理念は、ここに根ざしています」

と云うと、若手社員の一ヵ月分の給料より高そうな高級テーラー仕立てのスーツを着た正宗《まさむね》労務担当が、

「何も、そう本社、本社と目くじらをたてることはないでしょう、君たちの多くはい

ずれ将来、本社勤めをするんだからねぇ」

おっとりと、云った。学習院育ちの〝殿様労務担当〟と、蔭《かげ》で呼ばれている、団交には場ちがいな役員だった。

「私は現場に近ければ近いほど、その人たちを大切にしなければならないと云っているのです」

恩地は、正宗常務が、なぜよりにもよって、労務担当なのか、首をかしげる思いで云い、

「組合の要求は、団交冒頭でも申しましたように、既に書面で以《もっ》て申し入れている通りです。要求は、年末手当三・八ヵ月、労働時間短縮、労働協約の改訂の三本柱です、労働協約は、ご承知のように労働者のいわば憲法で、スト権、年次休暇から女子生理休暇に至るまで、多岐多項目にわたっておりますから、書面で逐次、改訂事項を申し入れることと致します」

と云うと、

「女子の生理のことなど、団交で論じることではないでしょう」

正宗は、顔を紅《あか》くして怒った。執行部のメンバーは、下を向いてくすりと笑いを噛《か》み殺した。

桧山社長は、煙にむせたようにごぼごぼと咳払《せきばら》いをし、

「君たちの書面は、新鮮でなかなか好もしい、だが、わが社は民間企業でなく、特殊法人で、国からの補助金を受けている立場だから、書面通りにいかないことを、承知して貰《もら》わねばならん」

と釘《くぎ》をさした。

「充分に解っております、まず年末手当につきましては、中立総連の公表した全国平均である三・八を要求します」

「三・八ヵ月など、会社はじまって以来の数字だ」

「創立十年のわが社においては、そうかも知れませんが、他の企業と比べて、決して高過ぎるわけではありません、と申しますのも、わが社の給与はナショナル・フラッグ・キャリアとは思えぬ低さだからです。一例を挙げると、今年度の大卒初任給は五《ご》菱《りょう》金属一万五千七百円、大日本繊維二万百円、航空業同様に新興のジャパン放送が二万一千円、それに対し、わが社は一万三千七百円です。

航空業界も年々、利用者が増え、収益を上げておりますから、せめて公務員並みの賃金に引き上げて戴きたい、ですが、今回は年末一時金が要求項目ですので、三・八ヵ月分を要求する次第です」

「君たちは、ちょっと収益が上向くと、すぐ要求をエスカレートさせるが、会社はジェット機時代を迎え、機材（飛行機）購入に資金を要する時だ、会社の基礎を固めるまで、あと暫《しばら》く我慢してくれ、景気に浮かれて組合の要求通りにすれば、不景気に陥った時、そのツケが廻って、会社が潰《つぶ》れてしまいかねない、会社あっての組合、社員じゃないか」

「では伺いますが、わが社の昨年度の決算における人件費の比率は、どのくらいでしょうか」

「それは、どうかな、資料があるかね」

桧山が、正宗常務の方を見ると、正宗は、労務部長を振り向いた。

「……すぐには、数字は出しかねます」

労務部長が、小声で云《い》った。

「数字の根拠もなしに、会社が潰れる云々《うんぬん》は、あまりに前近代的に過ぎます、私たちの要求する年末手当は、これまで低過ぎる給与に甘んじて来た毎月の家計の赤字を、年末手当で埋めるためのものであることを、ご理解下さい」

恩地が真摯《しんし》な眼《まな》ざしで、迫った。

「役員会だっていろんな意見が出、激論になる、みすみす正論と解っていても、トップとして辛《つら》い決断を下し、憎まれ役に甘んじねばならんのだよ、昨年の妥結額は二・八ヵ月なんだから、労使、歩み寄り、三ヵ月で折れ合おう」

手を打つように、桧山が云った。

「現在の給与では、三・八が組合員の一致した悲願です」

「まるで肉体労働者なみの云い方は、止《よ》しなさい」

正宗が、聞くに堪えないように、眉《まゆ》を顰《ひそ》めた。

「現場の最前線で働いている者は、肉体労働者以外の何ものでもありません、三・八については、一歩も引かぬことを前提にお考え戴くこととして、次に時間短縮の事項に進みます。

現場の週四十八時間拘束を、本社勤務者同様、週四十三時間拘束とし、それを超える場合、残業手当をつけ、人員不足のところは補充をお願いしたい、最近のように、増便につぐ増便で、現場の者は体力の限界に達しています、一体、会社は飛行機さえあれば、従業員は自動的に働くとでも、思っておられるのですか」

「確かに業務の急激な拡張で、人員の確保に手をつけられなかった点は認める、長期人事計画は、今後、真剣に考えていくつもりだ」

桧山社長が、新しいピースの缶を開けた。

「長期とは何年ぐらいのことですか、大阪支店の貨物部門ではこの三年間、人員が増えないのに、業務は二、三倍になり、全職員十一名中、今年になって三名が過労で倒れました」

「それは初耳だ、労務部長、ほんとうかね?」

「はっ、早速、調査致します」

労務部長は、困惑をおし隠し、ことさらにメモを取った。

「支店の職員より、さらに苛酷《かこく》な労働条件で働いているのは、整備士です、三交替のシフト勤務の上、残業につぐ残業で、限界を超えています、ネジ一つ、組み忘れても安全運航にさし障《さわ》る現場ですから、特に速やかな人員の増加をお願いします」

「了解した、二年先には是正するよう最善の努力をする」

「二年も先――、炎天下、寒風吹きすさぶ中、この先、二年も現状が続けば、いつ、どんな事故が起きても不思議ではありません、社長ご自身で一度、確めて下さい」

「年末、年始の視察で、解《わか》っておるよ、だが企業にとって、人件費の増大ほど経営を圧迫するものはない、解るだろう」

「それなら、政府と掛け合って下さったら、いかがです、大臣や外国要人搭乗の飛行機が墜《お》ちたら、彼らとて他人事《ひとごと》ではないはずです」

「委員長、脅迫する気かね、政府にそんなことを云おうものなら、わしの首が飛び、君らがわしよりも、もっと厭《いや》がっている官僚が天下って来るぞ」

桧山は、巧みにかわした。

「もう一つ、申し上げたいことがあります、役員の中には、自分付きの車の運転手に対して、公私のけじめをおろそかにし、妾宅《しょうたく》で深夜まで平気で待たせておく人がいるやに聞いていています、運転手も、われわれと同じ働く仲間です、自粛と同時に、彼らに対しても時間外手当をつけて戴きたい」

恩地が云うと、〝殿様労務担当〟が狼狽《ろうばい》した。桧山は、

「君は、何かといえば組合員の健康を口にするが、長時間、団交に応じているわしのような老人の健康に関しては、非人情なんだな、今日はここまでにし、あとは次回にする」

憮然《ぶぜん》としてたち上った。

まだ煙が濛々《もうもう》とたち籠《こ》めている会議室で、副委員長の行天は、恩地の肩を叩《たた》き、

「ご苦労さん、疲れただろう、はじめての団交にしては上々だ」

上気醒《さ》めやらぬ表情で、云った。

「事前に君らと打合せた通りに、やっただけだよ、だが、終った途端、腰から下が、がくっとなった、向うは場馴《な》れしているからね」

苦笑するように、恩地が云った。

「何はともあれ、ここまで漕ぎつけたんだから、要求を貫徹しよう、あの運転手の残酷物語はよかったな」

「まさか、あんな酷《ひど》いやり方をしている役員が、正宗常務とは知らずに云ったので、こちらの方がまごついたよ、それにしても、労務の何たるかを、全く勉強していない様子には、呆《あき》れるばかりだよ」

「全くだ、労務部長までも社長の操り人形同然のお粗末さで、今までいかに御用組合と馴れ合っていたか、語るに落ちるだ」

行天は、見縊《みくび》るように云った。

「しかし、桧山社長は要注意だよ、根は悪人とも思えないが、相当な二枚腰、三枚腰だと思う」

「同意見だ、恩地、あんなに迷いに迷っていた委員長だったが、引き受けてよかったな」

二人は、思いをこめて云いそれぞれの職場へ向った。

予算室は、いつもピリッとした空気に包まれている。国民航空の年間収支を把握して、次年度の予算をたてる中枢《ちゆうすう》部門であった。

広い部屋に、選り抜きの十名が、少数精鋭で仕事をしている。室長が、大蔵省からの天下りであることで、社内では予算室のことを〝国民航空大蔵省〟と呼んでいる者もいる。本社部門では珍しく、殆《ほと》んど毎晩のように、九時、十時まで灯《つ》りが点いている。それだけに恩地は、いくら組合のためとはいえ、団体交渉で、長時間、仕事を抜けることは心苦しかった。

清水予算室長は、いつものように、机の上に積み上げられた書類に、眼を通していた。どんな多忙な時でも、平静さを失わない人で、官僚臭がない。

「団交が終りました、遅くなりご迷惑をおかけしました」

恩地が云うと、眼で頷《うなず》き、

「君の立場はよく理解している、しかし、何しろ十人の少数精鋭部隊なのだから、一人でも戦力が欠けると、他の九人に負担がかかる、正直云って、君が組合の委員長になることが事前に解っていたら、私は君を採らなかったよ」

と云ったが、決して組合活動を疎《うと》んじているのではなかった。恩地が八重洲支店の収入管理部から、本社予算室への転属が定まった直後に、突如として組合の執行委員長に選ばれたのだった。

その時、清水室長は「君にとって、組合の委員長を引き受けることが、プラスか、マイナスか、私には解らない、しかし、君が予算室でじっくり仕事をすることは、いずれ会社の将来を担う人材の一人として、大きなプラスになる、それだけははっきりしている、だが、決まった限り任期一年、きちんとやることだね」と云った。

何事も、公正を旨《むね》とする人らしい言葉であった。それだけに恩地は、どんなに組合の仕事が忙しい時でも、自分が担当した仕事は、やり遂げることにしている。

恩地は、自分の席に戻り、

「どうも、このところご迷惑をかけます」

近くの先輩、同僚に挨拶《あいさつ》すると、二、三の先輩は聞えぬ振りをしたが、同僚たちは、

「組合の仕事は、僕たちのためなんだから、こちらこそよろしく頼むよ」

「仕事の方は、僕らでカバーするよ、遠慮なくやってくれ」

それぞれ、声をかけてくれた。

恩地の仕事は、会社の収入予測であったから、今後、増加する乗客、貨物量を予想し、積算して、それを収入に換算することであった。いわば大蔵省の主税局的な仕事

で、法務省の入国管理局から入手した海外渡航者、税関通過の貨物、国内支店、営業所から上って来る数字、郵政省の航空郵便物の各統計を、手動式計算機にかける。当初、慣れなかった計算機の扱いも、板について来た。

こうして出た数字を基に、将来の需要見込み、機材の導入、運賃の予測が弾《はじ》き出され、運輸省への申請へと繋《つな》がる。

八時を過ぎると、その日の仕事が終った者は次々に帰って行き、三人が腕まくりで作業を続けていた。

恩地は、小さな頃から山好きの父に連れられ、爾来《じらい》、大学の山岳部で鍛えられ、体には人並み以上の自信を持っていたが、さすがに今日のように昼食を挟んで、ぶっ通しで三時半まで、はじめての団交に臨み、そのあと予算室での仕事は、こたえる。

背後で声がし、振り返ると、組合の前委員長の八馬であった。委員長退任後は、元の営業には戻らず、労務部の課長補佐になっている。小柄ながら、頑丈そうな体つきで、細い眼がよく光る。

「もう八時半だよ、ちょっと付き合わないか」

残業している他の者を、憚《はばか》るように声をかけた。

「いえ、まだ今日中に仕上げなければならない仕事が残っていますので」

「いいじゃないか、ちょっと急いで話したいことがあるんだよ」

「では、隣りの会議室で」

恩地は、内扉を押した。後片付けをしていない会議室には、煙草《たばこ》の吸殻が山となった灰皿、湯呑《ゆの》み茶碗《ちゃわん》が、そのままになっている。

「汚ない所で、失礼します」

茶碗を隅へ寄せ、椅子《いす》を勧めると、八馬は突ったったまま、

「こんなところでなく、私が一杯、奢《おご》ろうと云っているのに、融通がきかんな」

窓の彼方に見えるネオン街へ視線を泳がせ、不満そうに云った。

「で、急なご用件というのは？」

と促すと、八馬はどすんと椅子に坐った。

「君ぃ、今日の団交はどういうつもりなんだ、おかげで私は、労務部長に呼び出され、あんなとんでもない奴《やつ》を、なぜ新委員長に推薦したんだと、叱《しか》り飛ばされたよ、組合、組合といっても、会社あっての組合だということぐらい、解っているだろう、よくもあんな突拍子もない要求を出せたものだ」

「組合の要求は、八馬さんもご承知のように職場討議、代議員総会、さらに全国大会にかけて、纏《まと》まった総意です、突拍子もないとは、どういうことでしょうか」

「解っているじゃないか、会社側の意向をそれとなく忖度《そんたく》して、ほどほどで手をうつんだよ、今の調子では、私の面子《メンツ》はまる潰れ、君を推薦した責任まで問われているんだ」

声を荒げて、詰《なじ》った。

「推薦と云われますが、辞退に辞退を重ねていたにもかかわらず、無断で、私の名前を掲示板に張り出し、既成事実を作って、無理やり、委員長にしたのは、八馬さんのはずです」

「君の口調では、組合をやると、職務上、損をするような恨みがましさに聞えるが、逆だよ、委員長になったからには、組合を踏み台にして出世する者が、多いのだよ、今の労務部長、人事部長、ニューヨーク支店長、すべて然《しか》りだ」

「では八馬さんが、営業から、労務部の課長補佐になられたのも、その類《たぐ》いだとおっしゃるのですか」

「そうは云っていない、君は、私と違って、わが社のエリートコースである東都大学卒で予算室だ、組合の委員長を巧《うま》くやれば、将来は必らず保証される、そこのところを先輩として、親身になって云っているんだよ」

手繰《たぐ》り寄せるように云った。

「ご親切は有難く存じますが、ここで一言、はっきり申し述べさせて戴きます、私は御用組合の委員長になるというお約束は致しておりません」

ぴしっと、撥《は》ねつけるように云った。

「御用組合とは、なんだ、失敬千万！ いやしくも私は、君より入社年次が上なんだぞ！」

「私は、三千人の組合員の付託を受けた委員長です」

「では、私の説得を聞かず、断固やるというのか！」

八馬の顔色が変った。これ以上、言葉を交すことは無意味であった。恩地は黙って、八馬の顔を見詰めた。

「恩地さん、国会議員の先生からお電話です」

組合事務所の若い女性が伝えた。恩地は訝《いぶか》しげに、振り向いた。国会議員からの電話など、全く心当りがなかった。

「委員長にと、おっしゃってます」

女性事務員に促され、受話器を取った。

「やあ、恩地君、じゃなかった、恩地委員長、社進党の有村ですよ、よくやってるね」

有村といえば、交通運輸労組協議会の副議長から参議院に打って出た若手議員で、今春、五百万人の足を奪った私鉄十社のストの陰の立役者として名を馳《は》せた男だった。

恩地は交通運輸の会合で二度ほど、顔を合せたことがあった。

「ご無沙汰《ぶさた》しています、ご活躍のほどはよく存じ上げております」

「いやいや、君の方こそご活躍で、国民航空創立以来の輝ける委員長とか――」

「とんでもありません、初めて体験することばかりで、戸惑いながらやっています」

「ご謙遜《けんそん》だろう、何でもスト権確立の得票率が九七・八パーセントとか――、他の組合では例を見ない快挙じゃないか」

「お蔭さまで、日頃の職場討議が実りまして、賛同を得、ほっとしているところです」

恩地は、あくまで慎重に答えた。

「ところで、パイプはどうしているのかね」

「はぁ？　パイプと申しますと？」

「会社側と組合側とのパイプのことだよ」

「それは、団体交渉を通してやっています」

「君、団交は、表舞台だけでなく、裏が大事なんだよ、これだけの大闘争に裏のパイプがないなど、信じられないねぇ」

妙に物慣れた口調で云った。

「ですが、団交で充分と思っていますが」

「恩地君、団交というのは、ただ押しまくればいいというもんじゃなく、頃合いを見計らって、手早く退《ひ》くところが、委員長の腕の見せどころなんだ、あまりにも素人《しろうと》すぎるよ、何だったら私がパイプ役の労を取ってもいいから、一度、議員会館へ来ないかね」

「ご助言は有難く思いますが、素人は、素人なりに、やって行こうと思いますので」

「そうかい、私は親切心で云っているだけだ、相談があればいつでも来たまえ」

俄《にわ》かに横柄な調子で、云った。

「ご心配下さり、感謝します、何かの節にはよろしくお願いします」

恩地は、鄭重《ていちょう》な受け答えに終始して、電話をきった。

代議員総会を開き、引き続いて組合員全員の投票で、九七・八パーセントのスト権賛成票を得たことが、早くも有村議員の耳に入り、会社側とのパイプ役を買って出ようと打診して来たのは、有村の功名心だけからだろうか――。

「国会議員からの電話って、誰なんだ」

副委員長の行天が、恩地の表情を素早く読み取った。恩地が、電話の顚末《てんまつ》を話すと、

「ほう、われわれの闘争は結構、有名なんだね、あの元私鉄労連のストの名手だった有村議員が、何を云うか聞いてみたい気もするね」

興味あり気に云った。横にいた桜井書記長が、

「パイプ役という真意は、どこにあるのでしょうね、われわれと一緒になって考えてくれるのか、はたまた、会社側に頼まれて、内情を探り、手打ちをさせるためか」

用心深く、云った。

「書記長、ビラの文案、これでいいですか」

教宣部長の声がしたかと思えば、札幌や大阪から駈《か》けつけて来た支部委員らが出入りし、事務所は活気に包まれた。

突然、ぱっと華やいだ雰囲気が流れた。制服姿とワンピース姿のスチュワーデスが三人、入って来たのだった。

「恩地さんが私たちの職場にいらして、労働協約のことなど、全然、知らなかったことを教えて下さって、目が開きましたわ、知ると知らないとでは、全然、違うんですもの」

一人が云《い》うと、洗練されたワンピース姿の一人が、

「私、近々、国際線を飛ぶのですが、もしストが実施された場合、国際線にも及ぶのでしょうか」

と聞いた。美人揃《ぞろ》いの中でも、一際《ひときわ》、華やかさが目だつスチュワーデスだった。

「当然、国際線の方にもご協力願うことになります」

「じゃあ、海外支店地で、交替を待機している乗務員はどうなりますの」

「海外の交替要員は、ストの対象にはなりません、日本発がスト対象者になる予定です」

恩地が説明すると、

「それを伺って安心しました、これ、私たちが非番の時に作ったクッキーですの、皆さんで召し上って下さい」

とリボンをかけた包みを差し出した。

「いやぁ、これは有難う」

恩地が照れて受け取ると、

「おっ、美樹、三井美樹じゃないか」

行天が、割って入って来た。

「あら、行天さん、お久しぶりです、奥様はお元気ですか」

ワンピース姿の三井美樹が、挨拶した。行天の妻は元スチュワーデスで、才色兼備の誉れ高く、結婚で辞めたことを、惜しまれていた。

「僕が組合で忙しいものだから、欲求不満著しい、君らで慰めてやってくれよ」

「またお宅にお邪魔しますわ、では失礼します」

三井美樹が云うと、制服姿のスチュワーデス二人もにこやかな笑みをうかべ、帰って行った。


その日の団交のテーブルに、マイクが据えつけられていた。

部屋に入って来た桧山社長は、村夫子然とした表情をちらっと動かし、

「これは一体、なんだね」

と聞いた。正宗労務担当役員以下、労務部長、課長らも怪訝《けげん》そうに、マイクを見た。

「実は、団体交渉の経緯を直《じか》に知りたいという組合員の要望に応《こた》え、たまたま土曜日の午後でありますので、仕事に支障のない者は隣室でマイクを通して聞かせることにしました、ご了承下さい」

恩地は、有村議員が会社と組合とのパイプ役云々《うんぬん》と電話して来たことを思い浮べて

云うと、

「それで隣りの部屋に人が集っているのか、団交は、労使双方の代表者が誠意を尽しての話し合いなんだから、マイクでわざわざ伝えることはない、撤去しなさい」

桧山は不機嫌に云った。正宗も、

「社長のおっしゃる通りだ、直ちにはずしなさい」

と命じたが、恩地は、

「組合員は、既に十数回にわたって会社側と団交を重ねながら、要求が受け入れられないのは何故《なぜ》なのか、疑問を持っていますので、内容をオープンにすることにしたのです、いつまでも押し問答をしているより、早期解決が図れるのではないでしょうか」

と云うと、桧山は、

「君は、したたかな戦術家だな」

恩地の手の内を見抜くように云った。

「私は戦術など弄《ろう》しません、公明正大に労使交渉を行うだけです、隣室使用につきましては、総務部に届け出て、許可を得ていますので、このまま団交に入らせて戴きます」

と云い、マイクのスイッチを入れた。

桧山は、苦虫を噛《か》みつぶしたようにピースの缶を開け、正宗たちは不承不承の面持で、暫《しば》し、おし黙っていた。団交の内容が組合員の集っている場に流れることは、経営者側にとって、強いプレッシャーがかかることであった。

「桧山社長、われわれは今回の交渉に当り、全組合員によるスト権行使投票を行いましたところ、賛成投票九七・八パーセントで支持されましたので、その前提で話し合いを致します」

恩地が口火を切った。三千人中、二千九百三十四人がスト権行使に賛成したことは、経営者にとって、衝撃的な事態であった。

「まず第一に年末手当ですが、前回までの交渉で、三ヵ月を回答されましたが、われわれの要求は何度も申しますように、今迄《まで》の低賃金による家計の赤字を補填《ほてん》する意味合いをこめて三・八ヵ月を要求しています。昨年の年末手当は、組合員二・八ヵ月に対し、管理職は三・八ヵ月を支給されたことを調査しました。上に厚く、縁の下で働く勤労者に薄いとは不平等も甚だしいと云わざるを得ません」

恩地が云うと、桧山はピースの煙をふうっと天井に吹き上げ、

「管理職については、昨年度のみ、たまたまそうなっただけで、会社創立以来、苦し

い時期に、ずっと据え置かれていたのだから、たまにそんなことがあっても、それこそ埋め合せというものだ」

「創立以来十年の苦節は、組合員とて同じで、我慢と忍耐を通して来ました、昨年の下期から航空運輸の需要は、倍々ゲームで急上昇しており、その分、労働過重になり、会社側はそれに応えるためにも、三・八ヵ月で満額回答して戴《いただ》きたい」

「年末手当だけなら、考えようもあるが、時短、労働協約改訂など、天井知らずの要求の出し放題だ、その上、要求を聞き入れない場合はストを振りかざす、君らは、本気でストを打つ気かね」

桧山が、真意を測るように云うと、

「それが国民航空の社員のやることですかね、まるで炭鉱労働者と変らんじゃないか」

〝殿様労務担当〟は、ストライキと聞くだけでおぞましげであった。

「スト権は、労働者が要求を貫徹するための労働三権として、憲法でも保障されています」

労務担当でありながら、労働法も勉強していない正宗に、ぴしりと云うと、

「委員長ねぇ、航空会社は、公益事業に準じ、ストは本来、違法のはずだよ」

桧山が、灰皿を脇《わき》に押しやり、平然と云った。村夫子然とした容貌《ようぼう》に似合わぬ相当な狸《たぬき》ぶりであった。

「航空事業は、公益事業ではありません」

恩地は、労働三法の一つである労働関係調整法の〝公益事業〟に関する項目を、ついとさし出した。

公益事業は一般市民生活に、一刻も欠くことの出来ないガス、電気、電話、鉄道などが、総理大臣の名において指定されている。

「航空も鉄道と同じ大事な国民の足だよ」

桧山が、応じた。

「それは解釈が違うと思います、東京─大阪間の往復運賃が、大卒の初任給とさして変らず、東京─サンフランシスコ間の往復運賃が、七百八十三ドル（二十八万千九百円）と大卒初任者の年間所得に近い運賃を取る航空会社が、一般市民生活に欠くべからざるガス、電気と同じ公益事業とは考えられません」

利用者はごく限られた人々で、事実、労働法学者、有識者の間でも、現在の航空運輸業は公益事業に該当しないとする意見が主流であった。

「今さら会社が、公益事業か否《いな》かの論争をはじめるのなら、団交は一時中止し、お考えを纏《まと》められては如何《いかが》でしょうか」

「社長、一時、休憩ということに——」

正宗が、この場を逃れるように囁《ささや》いた。

「いや、この席で決める」

桧山は、正宗の肘《ひじ》を払うように、頑として云った。組合の要求に屈することは出来ないが、さりとてこの若い理想主義者の集団がストに突入した場合、収拾不可能で、一日に国際線、国内線合せて約二千万円の損失が出る。その上、監督官庁の運輸省から叱責《しっせき》され、自身の経営責任が問われかねないことを慮《おもんぱか》る様子だった。

桧山の表情に焦躁《しょうそう》の色が滲《にじ》み、くわえた煙草《たばこ》の先の灰がぽとりと、落ちた。

「社長、団交続行なら、回答をお願いします」

恩地が、真っ正面から迫った。

「——」

桧山は答えなかった。煙草の先の灰が、再びぽとりと落ちた。重苦しい沈黙が続いた。

団交はもはや中止かと、恩地たちが顔を見合せた時、桧山が大きな吐息をついた。

「年末手当三・八ヵ月は満額呑もう、そのかわり時短週四十三時間拘束については、一年後より実施という条件で、妥結してくれ」

「年末手当、満額で呑んで戴き、感謝します、しかし、本社勤務の者が、既に数年前から土曜日半ドンの週四十三時間であるのに、現場だけ四十八時間というのは、何人《なんぴと》も承服しません」

恩地は、桧山が一項目、譲った弱気を衝《つ》いた。

「これ以上は、君らの不当要求だ、応じられん！」

桧山は、憤然と蹴《け》った。


二日後、労務課長から団交再開が通知された。

着席すると、桧山は、

「懸案の時短だが、人事部門に検討させた結果、来春より四十三時間とする運びになった」

前回の団交とうって変り、あっさりと回答した。居並んだ執行委員たちは安堵《あんど》の笑みをうかべたが、恩地は表情を引き締め、

「では三本柱の要求の最後である労働協約の改訂に参ります、合意に達していない項目について、ご回答下さい」

と畳みかけた。

「三本柱のうち二本、譲ったのに、まだ収まらんのか、労働協約のような多岐にわたる項目については、別途、書面で審議することにし、これで労使双方とも円満妥結、ストは中止ということにしようじゃないか」

桧山は、俄《にわ》かに好々爺《こうこうや》ぶった口調で、恩地の口を封じかけた。労働協約を頰かぶりして、妥結に持ち込もうとする老獪《ろうかい》さは、さすがであったが、ストについては、〝航空業界初のスト〟という経営者としての失態を演じたくない一心が、以前にも増して顕《あら》わになっていた。恩地は、そこを見逃さなかった。

「社長、労働協約の改訂は、われわれ組合員の悲願です、一項目ずつ話し合い、回答を戴くまで、スト権は確保します」

「しかし、全項目にわたって話し合い、合意に達するなど、無理難題というものだ」

「しかしそれは、不平等をなくすための話し合いです」

「君らにとっては、そうかもしれんが、収益を上げ、一方で監督官庁にがんじがらめにされている経営者にとっては、命取りになりかねんことばかりだ、わしがクビになって、血も涙もない天下りが来てもいいというんだな」

桧山はいつもの台詞《せりふ》を口にした。

だが、組合は一歩も退かず、労働協約の改訂を迫った。長期臨時職員の正規採用は繰り越しになったが、年次休暇、停年延長、男女平等の諸問題は、連日、審議を重ね、会社側は大幅な労働協約の改訂に合意した。

三千人の組合員は、ほぼ全面的な勝利に熱狂し、一枚岩で団結すれば要求は通るものだと喜んだが、恩地は、極論すれば桧山社長の保身と、軟弱な経営陣のその場しのぎの譲歩につぐ譲歩が、組合に勝利をもたらしたのであり、決して組合自身の力によるものではないと、自戒した。

大晦日《おおみそか》、目黒の国民航空の社宅で餅《もち》つき大会が、賑《にぎ》やかに行われた。

「恩地さん、お蔭《かげ》で家族に明るいお正月を迎えさせられますよ」

口々に、感謝した。

「いや、私は皆さんの総意を会社側に伝える役割だけで、皆さんの結束の賜《たまもの》ですよ」

恩地はそう云い、つきたての餅を、妻と二人の子供たちとで、家へ持ち帰った。母は、そんな恩地の姿に、目を細めた。

「あなた、お正月ぐらい、家族とゆっくり休んで下さいね」

妻のりつ子が、そっと寄り添った。委員長就任以来、恩地の帰宅は日付が変ることもしばしばで、日曜さえ家で過すことはなかった。

「解《わか》っている、お前たちにも淋《さび》しい思いをさせた」

りつ子の背を優しく、叩《たた》いた。

「恩地さん、速達ですよ」

郵便配達が一枚の葉書を、届けた。差出人に、恩地は覚えがなかった。

私は国民航空整備工場で、臨時工として七年、勤務している者です。この度、恩地委員長の下で、組合員が大幅な待遇改善を勝ち取られ、心よりお喜び致しますが、私たちはいつ迄《まで》たっても身分保障が得られない臨時職員です。

既に六年、七年と整備に携っている者は安全運航に関して、正規社員に勝るとも劣らぬ技能と使命感を持っております。同時に、ミスが出れば、即解雇の不安に絶えず怯《おび》えています。

来年は、私たち臨時工のことを是非、ご一考下さい。ご健闘をお祈り致します。

恩地は、何度も何度も、葉書を読み返した。

第三章　撃　つ

漆黒の闇《やみ》に包まれたサバンナに、野生動物の咆哮《ほうこう》が聞えている。

恩地《おんち》は、十二月十二日のケニア独立記念日を含めた三日間の休暇を利用し、タンザニア国境沿いのマサイ・マラとアンボセリとのほぼ中間に拡《ひろ》がる狩猟区へハンティングに来て、野営していた。

草原あり、ブッシュ、森林、沼ありと変化に富み、動物、鳥類の棲息《せいそく》が豊富な狩猟区だが、今回の狙《ねら》いは、ライオンであった。

見通しの効く太い枝の股《また》にロープをかけ、皮を剥《は》いだ縞馬《しまうま》の肩のあたりが、地上二メートルほどの高さになるよう、頭を下に吊《つ》り下げている。ライオンをおびき寄せるための餌《えさ》であった。

象撃ちは一対一の一騎討ちだが、ライオンは餌を仕掛けてのいわば騙《だま》し討ちであった。

一昨日の午後、狩猟区に入るとすぐ縞馬を撃ち、皮を剝いで腹を割き、四輪駆動のランドクルーザーで引きずり廻した。臓物の臭《にお》いが辺り一面に漂ったところで、助手兼雑用係として連れて来ているサーバントのムティソと二人がかりで、重い縞馬を木の股にかけたロープで吊り下げた。二メートルの高さであれば、ハイエナは届かず、二メートルに達する大きな雄ライオンが喰らいついている間に、仕留めることが出来る。そこまで達しない雄ライオンなら、仕留める値うちはなく、見逃してやりたい。

この二年半のアフリカでのハンティングで、ライオンを仕留めたのは、ただの一回で、剝製《はくせい》にし、ナイロビの社宅に置いている。サラリーマン・ハンターである恩地は、土、日曜しか利用出来ないから、今まで何度か餌を仕掛けても、ライオンが警戒して近付かないうちに、帰らざるを得なかった。

今回はまたとない三連休で、望みなきにしもあらずだが、あと一時間半で、夜明けとなる。

ウォッホッホー、クヮン、クヮン

サバンナの闇に、夜行性の獣たちの咆哮が絶え間なくする。

恩地は目だたぬように張った簡易テントの寝袋の中で、ライオンの咆哮に耳を澄ましていた。子ライオンが求める声に、ウォーッ、ウォーッと応じる母ライオン、岩場で天に向って轟《とどろ》くような咆哮を放つ雄ライオン——。

ライオン撃ちのためのハンティングであるが、ライオンの家族が上げる咆哮を耳にすると、恩地は自らの家族に、つい思いを馳《は》せる。

一ヵ月程前、欧州・中近東・アフリカ地区支店長会議をナイロビで開催した時は、国民航空のナイロビ路線就航が実現するかと期待したが、嘗《かつ》ての盟友である行天《ぎょうてん》四郎運航管理部次長から、採算性ゼロと指摘され、屈辱のうちに会議は終了した。そんな中で地区総支配人兼ロンドン支店長の南から、近々、本社へ帰任するに当り、君を日本へ戻したいと温かい誘いを受けたのだった。妻子の姿が脳裡《のうり》を掠《かす》めたが、ナイロビに〝流罪《るざい》、遠島〟を申し渡されても節を曲げない自分を支えにしている組合員がまだ三百人もいることを思えば、これが日本へ帰る最後のチャンスだよと云《い》われても、受ける訳にはいかなかった。

男として節を曲げない生き方は、妻のりつ子には理解して貰えるが、パキスタン、イランの僻地《へきち》を盥廻《たらいまわ》しにされ、学校教育を満足に受けていない長男の克己《かつき》は、日本の中学校へ入学したものの「学校なんか大嫌いだ、外国なんかへ行かなければよかった！」と登校拒否で妻を手こずらせ、小学生の純子は学校から帰ると家に閉じ籠りがちで、たまに外へ遊びに出ると、泣いて帰って来る——。

　りつ子から毎月、ナイロビに届くエアメールには、恩地を心配させるようなことは細々《こまごま》と記されていないが、以心伝心で、子供たちが、子供らしい楽しげな生活をしていない様子が窺《うかが》え、父親である自分の負い目が、子供たちに貼《は》りつき、切なく、不憫《ふびん》であった。

　不意に、わが身にしのび寄る獣の気配に、我に返った。万一のために寝袋から出している右手で傍らの猟銃を摑《つか》み、上半身を起した。獣の気配はじりじりと近くに感じられ、一頭ではない様子である。

　恩地は寝袋から出、身構えながら、猟銃の弾倉をかちりと、はめた。サーバントのムティソは少し先の平地に停めてあるランドクルーザーの中で眠り込んでいる。焚火《たきび》はいつの間にか、消えてしまっている。

　ウゥーッ、ウォーッ
　四方から威嚇《いかく》の声がする。次第に猛々《たけだけ》しくなる獣の唸《うな》り声に怖《おそ》れを覚えながら、その正体を見極めようと、左手で懐中電灯を照らして眼を凝らし、臭いを嗅《か》ぎ、耳を欹《そばだ》てた。

悪臭とともに、草かげに青く光る目がいくつも動いた。リカオンだ、十数頭の群が自分を取り囲んでいる。

ライオンをおびき寄せるために吊した縞馬の肉に引き寄せられて来たものの、届かず、怒り狂って、矛先を自分の方に向けて来たのだろうか。

シェパードよりやや小さいが、耳が大きく、頭部ががっちりし、アフリカ大陸のオオカミとも云われているリカオンは、狙った獲物を群で追跡し、倒してから食べるより、追いすがりながら食い千切るという獰猛《どうもう》な肉食獣であった。

円陣を組んで、にじり寄って来るリカオンに、恩地は猟銃を向けながら、懐中電灯を回すと、鋭い牙《きば》を剥《む》き出した群は、地を蹴《け》って闇の中へ四散して行った。

恩地は、いまいましさを呑《の》み込んだ。吊した縞馬の餌を狙って、もし近くにライオンが潜んでいたとしたら、警戒して、今日は一切、姿を現わさないかもしれない。

「ブワナ（旦那《だんな》）、何かあったのかね」

ランドクルーザーの窓から、サーバントのムティソが、心配そうに声をかけた。

「リカオンが来ただけだ、心配ない」

恩地は云い、もう一度、寝袋にもぐり込んだ。

一年程前、イギリス人ハンターに、ライオン撃ちの難しさについて、聞いたことがある。プロハンターであるそのイギリス人は、笑いながら答えた。

「ライオンはどこかの台地から、あんたの姿を見ているんだよ、縞馬やヌーの肉を吊り下げて、ブッシュの中に隠れている人間のことを――、ライオンは槍《やり》を持ったマサイ族と、鉄砲を持った人間の区別はつくんだ、鉄砲を持った人間が、ハイド（隠れ場所）に入ったきり、出て来ないのはどういう訳か、ちゃんと知っているんだよ」

「では、どうして翌日になっても、ライオンは餌に喰いつかないのか、私が一旦、ハイドから引き上げて行くのも、見ているはずではないか」

「それでも警戒している、ライオンを撃つなら、三日以上、居続けなければ無理だよ、三日程したら、ライオンも警戒心が緩み、空腹にも耐えかねて、ぶら下っている肉を食べたい誘惑に負けるもんだ」

と教えてくれた。烏《からす》は利口な鳥だが、三つまでしか勘定出来ないと聞いたことがある。ライオンもせいぜい三つぐらいしか勘定出来ないだろう。よし、やってやると、土地のマサイ族の若者五人を車に乗せ、餌場で五人全員、下して、自分とムティソの二人だけ残って、機会を待ったが、空ぶりに終ったことがあった。

白い湯気がたつコーヒーカップが、いきなり、目の前に突き出された。ムティソが音をたてずにコーヒーを沸かしてくれたのだった。

「アサンテ　サーナ（どうも有難う）」

熱いコーヒーが冷えた五体のすみずみに滲《し》みわたる。ビスケットを齧《かじ》り、夜明けのハンティングに備えて、腹ごしらえをすると、恩地は、サファリジャケットのポケットに入れた銃弾の数を確めてから、猟銃を手にして、餌を吊り下げた手前八十メートルの位置で、背丈ほどの藪《やぶ》を背にして、身を潜めた。

縞馬の肉は、一昨日から二日にわたって、昼間の灼熱《しゃくねつ》の太陽に灼《や》かれ、腐って異臭を放っている。恩地にも充分、臭うのだから、ライオンにとってはたまらない誘惑に違いない。

やがて、東の空の一点が紫色を一刷《は》きしたように明るんだが、周囲は依然として黒ずんだままである。

昨日は、同じ場所で、しらじら明けを待ってもライオンは現われず、午前八時過ぎ、我慢しきれず、縞馬の肉を吊した周辺を調べてみると、半径三十メートルにわたって、大きな足跡がついていた。百獣の王、ライオンの足跡に、興奮を覚え、夕刻のチャンスを忍耐強く待ったが、日没直後まで、姿を現わさず、薄暮の中をもう一度、観察しに行くと、足跡が、半径十メートルに狭まっていた。

恩地は、武者震いせんばかりに藪に身を潜め、今か今かと、見張っていたが、ライオンの影も形も見なかった。にもかかわらず、足跡は朝より確実に一廻り縮まっていた。人間の束《つか》の間の睡魔に引き込まれた間隙《かんげき》をついて、ライオンは餌に近付いたとしか考えられない。見張っているつもりが、ライオンに一部始終、見張られていたのだった。

昨日の轍《てつ》を踏むまいと、恩地は倍率の大きい双眼鏡を覗《のぞ》いた。肉眼より明るいが、周囲はまだ暗く、餌の縞馬も定かに見分けられない。

右の端に、動く影を捉《とら》えた。その方へ双眼鏡をずらすと、太く逞《たくま》しい肢《あし》が、縞馬の肩にかかり、ぶらりと動いた。なおも眼を凝らしていると、筋肉の塊のような強靭《きょうじん》な肩が上下に揺れ、それにつれて長い尾が左右に動き、その先に毛房がある。形状といい、僅《わず》かに識別出来る色といい、紛れもなくライオンだが、頭が縞馬の陰になり、雄か、雌かは定かでない。

一塊りを喰いちぎったところで、ライオンは向きを変えた。雄の鬣《たてがみ》が、はっきり見て取れた。腕時計は六時十二分——、日の出前三十分から狩猟が許されるぎりぎりの時間である。撃つぞ！　狙撃《そげき》力に自信を持つ恩地は、目測八十メートルの距離からライオンの心臓に、照準を合せた。

この時点で、もし恩地に気付けば、一回に七、八メートルジャンプするライオンは、十回、時間にして五、六秒で恩地の咽喉元《のどもと》を襲う。

心臓に照準を合せ、引金を引いた。銃口が火を噴き、雄ライオンが銃口の先でオレンジ色に照らし出され、次の瞬間、弾丸のショックで、二百五十キロ近い巨体が飛び上った。

鈍い地響きがし、ライオンは地面に叩《たた》きつけられたが、すぐ起き上った。鬣に、血が飛び散っている。

ウーッ、ウーッ、巨体から搾《しぼ》り出す悶絶《もんぜつ》の咆哮を放ちながらも、ライオンは凄《すさま》じい眼光を恩地に向けた。一歩でも後退《あとずさ》りしようものなら、逆襲に出る力を溜《た》めているようだった。

太い四肢で、血の滴《したた》る体を支えつつ、ライオンは藪の中へ入り込んだ。心臓をぶち抜いた自信はあるが、藪へ逃げたライオンに油断は出来ない。

周囲が明るくなるまで、銃を構えたまま、待たねばならないが、その間の恐怖は大きく、長い。藪へ逃げ込んだとはいえ、暗がりから、いつ襲って来るかもしれないのだ。

その不安に負けて、ライオンを追って行こうものなら、手負いとなった獣は、最後の力をふり搾って、襲いかかって来る。

待つこと十分——、ようやく空の彼方《かなた》が明るみ、周りが見えはじめてから、恩地は藪に近付いた。

「ブワナ、シンバ（ライオン）は撃ち殺したかね」

それまで、恐れをなして姿を隠していたムティソが、へっぴり腰で現われた。

「うむ、あの藪に石を投げろ、生きていたら飛び出してくるに違いないから、そこを狙撃する」

ムティソは、恐しげに頭を振った。

「大丈夫だ、ほら、血がてんてんと藪の中までついているから、近付かない限り、襲われない」

恩地が命じると、ムティソは意を決したように、拳《こぶし》ほどの石を投げた。

藪の中は、がさっとも動く気配がない。恩地は用心深く、藪の周りを大きく廻った。

藪が開けたところに、雄ライオンの巨体が横たわり、息絶えていた。

それでも用心深く、血に染った胸部を観察したが、動かない。

「頭に石を投げろ」

ムティソは、ライオンの頭に、小石を投げたが、ぴくりともしない。

恩地ははじめて、ライオンに近寄った。弾丸は前肢を砕き、心臓を貫通していた。

週明けの月曜日、三連休で仕事がたまっている恩地の机の上に、クラークのウイリアムが、中央郵便局から受け取って来た郵便物とテレックスの束を置いた。

「ああ、ご苦労さま、休み明けだから、中央郵便局は混雑してただろう」

と犒《ねぎら》い、恩地は、日常的な中近東―アフリカ地区間のテレックスに混って、東京本社からのテレックスに気付いた。一ヵ月程前の欧州・中近東・アフリカ地区の支店長会議終了後、はじめて東京本社から届いたテレックスであった。

来年、一月中旬より二週間、ラゴス出張を命ず。ナイロビ路線就航に関連する現地の情況を把握されたし。

恩地は、わが眼を疑った。アフリカ諸国の情況調査の命令は、ロンドンの欧州・中近東・アフリカ地区総支配人室からが筋であるのに、東京本社から来ることが、まず異例であった。その上、よりにもよってラゴスとは――、恩地は、壁面のアフリカ大陸の地図に視線を向けた。

現在の任地であるケニアから西方へ、ウガンダを経て、ザイール、中央アフリカを横ぎり、カメルーンを越えて、ナイジェリアになり、その首都が、ラゴスであった。大西洋に面した港町で、曾《かつ》ての奴隷《どれい》売買の拠点として知られていた。

十八世紀末までは、奴隷貿易が盛んで、一千五百万人以上の原住民が、ポルトガル、イギリス、オランダ、フランス、アメリカなどの仕向地に送られており、一八〇七年に至って、イギリスが奴隷貿易を厳しく禁止したのだったが、今なお地図には奴隷海岸という名が記されている。

ついこの間の支店長会議で、ナイロビ路線就航は、採算が合わないとして、棚上げされたばかりであるのに、就航関連の市場調査とは、一体、どういうつもりなのか、本社からのテレックスの意図が、理解できなかった。

世界中、至るところに、進出し、出先がないところはないと云われている日本の総合商社でも、まだラゴスには、殆《ほと》んど駐在員事務所を置いていない。

ごくたまにココア、落花生などの農産物の買い付けで出向く商社マンもいたが、ナイロビへ帰って来ると、ラゴスは地獄という一言であった。灼熱地獄のみならず、二百五十以上の部族間の絶え間ない小競《こぜ》り合い、人身売買、そして原因不明の怖《おそろ》しい疫《えき》病《びょう》——、蠅《はえ》が人間の皮膚に卵を産みつけ、血液中で孵《ふ》化《か》して幼虫が湧《わ》き、高熱のあげく死亡するが、疫病というだけで、その具体的な病名も、治療法も明かになっていない。

二十世紀後半の今なお、暗黒の大陸の一部とされているだけに、飛行機でラゴスへ行くには、アフリカ大陸を西へ横断できず、一旦、南アフリカまで下り、そこからラゴスまで、二、三ヵ国で給油し、北上し続けなければならない。

アフリカの地の果てとも云われているラゴスの市場調査は、国民航空にとって何ら必要のないことであるにもかかわらず、ものものしく、出張期間を指定してまで、自分を行かせようとする真意は、奈辺にあるのだろうか。

中近東、アフリカと、転々と八年にわたって、流刑の徒のように流されながらも、健康で、気も狂わず、オフラインの営業所としては、成績を上げているのを見て、懲罰人事いまだ至らずと考えたのだろうか。

それとも、将来、ラゴスへまで流すことがあり得るという威嚇的な暗示だろうか。そこまで自分を追い詰めようとしている隠された目的は、何であろうか——。

恩地は、腕を組んで考え込んだ。小雨期に入っているケニアの十二月は、空が晴れていても、時々、俄《にわ》か雨が降る。オフィスの窓から見える高い空の遠くに、黒いカーテンのような雨雲が垂れ下ったかと思うと、ざっと雨が降り出し、みるみる、辺りが暗くなった。

恩地の眼に、不意に奈落の底からせり上って来るように、役員の座にいる一人の男の姿が、浮かび上って来た。

その男の存在を認識したのは、一九六二年の新年が明けたばかりの日であったが、その日も、雨が降っていた。


新しい年が明け、祝賀の諸行事が一段落すると、組合事務所の人の出入りは賑《にぎ》やかになった。

「新年おめでとう、一泊とはいえ、家族を熱海へ連れて行け、お父さん今年も頑張ってねと、ハッパをかけられたよ」

「わが家も、やっと娘に晴着を買ってやれ、写真館に行って来たよ」

「僕は穂高に登って、今年一年、ますます幸あれと、願って来た」

「山で願を懸けるなんて、組合のことかしら、ご自分の花嫁さんのことでしょ」

組合婦人部の女性たちがまぜっ返し、笑い声が上った時、副委員長の行天四郎が足早やに入って来た。

「皆さん、いつまでも正月気分に浸ってられないよ、重大ニュースだ」

いつになく、険しい表情で云い、

「つい、今しがた、顔を合せた人事部長から、明日付で、団交のメンバーが代ると報《しら》された、現在の労務担当役員と労務課長が更迭《こうてつ》され、後任の労務担当役員は、経営企画室長の堂本信介取締役、新労務課長には、八馬《はちうま》忠次が任命されたそうだ」

新年早々の唐突な人事に、一瞬、しんと静まり返った。書記長の桜井が、

「よりにもよって、僅《わず》か半年前まで、組合委員長だった者を、労務課長に据えるとは、前代未《み》聞《もん》のことだ」

憤慨すると、他の執行委員たちも、

「まさに露骨な組合への挑戦だ、これまでの組合の内部事情を知り、今後の組合の動きを牽制《けんせい》しようとしているのだな」

「それだけではない、前委員長として、当時の組合役員との個人的つながりを利用し、組合内に楔《くさび》を打ち込もうとしているに違いない」

次々と声が上ったが、恩地は、八馬労務課長のことより、経営企画室長から突如として、労務担当取締役になった堂本信介の出現に、心を奪われた。

この人物を、労務担当に据えたことは、春闘に備えた人事に違いない。

堂本信介は、経理、海外支店、経営企画室と、着実にエリートコースを歩んで来た一見、地味な能吏タイプの取締役の一人であるが、その裏には、隠された暗い履歴を

持っていた。

戦前、東都大学在学中に、学内の共産党細胞のリーダーとして、治安維持法違反で逮捕され、拘置生活一年、面《おもて》を見せることは許されず、深編笠《ふかあみがさ》をかぶせられ、厳冬でも素袷《すあわせ》に裸足の草履ばきで、法廷に引き出され、天皇の名において裁かれた悲惨な経験を持っているのだった。

懲役一年半、執行猶予《ゆうよ》三年の刑であったが、恩地は量刑そのものより、深編笠をかぶせられ、裸足、草履ばきの非道な姿で裁かれたことに、痛ましさを覚えた。

だが、堂本は獄中で転向し、東都大学を卒業後、国民航空の前身であった大東亜航空へ入社したのだった。採用試験の時、敢《あ》えて自らの履歴に「治安維持法違反で逮捕、有罪判決」と記入しながら、抜群の成績で入社したと聞いている。転向後は通常の生き方をして、国民航空の労務担当取締役に至った堂本の現在と、過去の経歴を重ね合せ、恩地は複雑な思いがした。

おそらく、会社側は、昨年の十一月闘争で、組合が、ほぼ全面的な勝利をかち取ったことに自信をつけて、今年の春闘に、新たな要求を突きつけるであろう動きを警戒し、それに対抗し得る労務担当として、曾て闘士の経験をもつ堂本信介を出して来たのであろう。恩地は、そこに会社側のなみなみならぬ布陣と、外部からの介入を感じ取った。

黙り込んでいる恩地の肩を、行天が軽く叩いた。

「堂本取締役の登板とは、会社側は考えたものだな、組合員の絶対的な信頼を受けている恩地委員長を相手にして、互角に戦える切り札として、出して来たのだろうね、だが、曾ての闘士といっても、転向者だからな」

半ば、侮《あなど》るように云ったが、恩地は、その転向組ならばこそ、手強《てごわ》い——、転向者なるが故《ゆえ》に、労使対決の〝踏み絵〟を踏み、会社への忠誠心を披瀝《ひれき》しなければならぬ立場におかれるからだった。

おそらく堂本自身は、〝転向者〟という烙印《らくいん》を拭《ぬぐ》い去りたい思いで、今日まで用心深く労務畑から離れた部署につくことに腐心し、実行して来たのであろう。それが、突如とした何らかの事情で、再び転向者の烙印を白日のもとに曝《さら》して、組合と対峙《たいじ》することになったのかと思うと、恩地は、強い警戒心を抱いた。


新年の初顔合せ以来、はじめての本格的な団体交渉の席は、これまでと異る緊迫感が漂っていた。

桧山《ひやま》社長を中心にして、堂本労務担当役員、大野労務部長、八馬労務課長が並び、その後《うしろ》に事務方が数名、坐《すわ》っていた。

恩地は、堂本労務担当の顔をまじまじと、見詰めた。殆《ほと》んど表情のない顔だちの中で、眼だけが異様なほど光を帯び、瞬《まばた》きが少い。視線を合せると、あまり瞬かない眼光が、不気味に見え、つい、眼を逸《そら》した。窓外には、霙《みぞれ》まじりの雨が降っている。

桧山は、いつもの村夫子《そんぷうし》然とした対し方で、

「いよいよ、海外渡航の自由化と、東京オリンピックを控え、今年あたりから、航空業界の本格的な需要が予測される、こういう時こそ会社と組合は協調し、労使一丸となって、世界各国の航空会社に伍《ご》して行ける体力づくりを、大きな目標にしたいと思っています」

と云《い》った。

「社長のお言葉は、私たちも同感であります、昨年は他企業なみの年末手当を呑んで戴《いただ》きましたが、今春は、インフレが急激に進んでおりますので、それに見合うベースアップを考えて戴きたいと思います」

恩地が切り出すと、八馬課長が、さっと身を乗り出した。

「去年の十一月に、諸君らの要求を、社長の大英断でほぼ一〇〇パーセント回答されたというのに、この上まだ要求があるというのかね」

「失礼ですが、私は労務課長に申し上げているのではありません、社長に申し上げているのです」

前委員長として恩地の坐っている側から、会社側の席に移り、臆面《おくめん》もなく牽制して来る八馬の厚顔無恥を軽蔑《けいべつ》し、恩地は、桧山の顔をまっすぐに見た。

「今期の要求事項は、第一が全員一律定額四千円プラス基本給二〇パーセント・アップ。第二は現行の残業手当の割増率一〇パーセント及びシフト（変則交替）勤務者の日・祭日勤務、深夜勤務の割増率二〇パーセント・アップ。第三はシフト勤務者の早期増員です、昨年の団交では十ヵ月後に実施という話合いで、終りましたが、増便に次ぐ増便で、深刻な過重労働になっていますので、実施を早めるようお願いします。同時に懸案の長期臨時職員の正規採用を要求します」

恩地は、昨年末に受け取った長期臨時職員の悲願を記した葉書を思いうかべた。

「組合員でない者のことを、性急に要求するのは、おかしいのではないかね」

「いえ、彼らは臨時とはいえ、シフト勤務に組み込まれ、五年も六年も正規社員と同等の仕事をしています」

恩地が云うと、桧山はそれ以上、答えず、

「まず、諸君らの全員一律定額四千円というのは、どういう意味かね」

「端的に申しますと、上に薄く下に厚くということです、ベースアップだけの場合、もともと給料の高い中堅管理職とヒラの社員との格差は、広がるばかりですので、公平を期すために一律定額金を要求する次第です」
「ふうむ、上に薄く、下に厚くか――」
ヘビースモーカーの桧山は、たて続けに二、三服喫《す》い、
「次に残業手当の割増率一〇パーセントの他に、日・祭日、深夜手当の割増しまで要求するのは、過剰要求ではないかね」
「いえ、人が体を憩《やす》めなければならない休日、あるいは睡眠をとらねばならない深夜、体のリズムを無視して働かねばならない者への健康維持の補償とお考え下さい」
「日・祭日、深夜勤務は、何もわが社だけではない、電車、バスなどの交通機関や、溶鉱炉の火を落せない製鉄の現場も同じで、入社時から、その職務を承知の上じゃないかね」
「入社時と、現在では勤務状況が全く異ります、再三、申し上げるように、増便につぐ増便で、著しい過重労働になっている分についての、相当の補償をお願いしているのです」
「委員長ねぇ、君たちの要求を呑んでいたらきりがない、今、運転手の時間外手当が

増え、車のうしろに乗っている者より、前に乗っている者の方が、高給という珍現象が起っているのだよ」

「それは役員の夜の宴会、二次会、三次会、休日はゴルフなどで、運転手をいかに酷使しているかの表れです、彼らとて手当より、休息、家族団欒《だんらん》を望んでいることをお考え下さい」

桧山が口ごもると、堂本労務担当がはじめて、口を開いた。

「組合側の要求を全部、まとめると、五〇パーセントものアップになります、そんな過大な要求を、まさか本気で呑めというつもりではないでしょうね」

抑揚のない口調で、聞いた。

「毎日、日曜・祭日の深夜勤務ならともかく、そんなことはあり得ないのですから、平均三五パーセント止まりです」

「おかしいね、三五パーセント止まりという試算を書面で出して貰《もら》いたい、同時に組合の要求に応じようとすれば、相当数の人員削減をしなければ出せない数字です、にもかかわらず君たちはシフト勤務者の早期増員の実施を要求し、その上、臨時職員の正規採用まで、とどまることがない、これでは交渉の接点すらない」

堂本は、突き放すように云った。桧山社長は、

「会社側が譲りに譲って即答出来ることは、一律四千円の支給ぐらいだ、新入社員にも四千円、支払うのだから、会社にとってかなりの英断だと思ってくれたまえ」

「一律四千円は、あくまで不公平感を正す配慮です、また、ベースアップ二〇パーセントは、他企業の平均賃上げ率内で、突出した要求ではありません、そして再三、申しているシフト勤務者への手当の積み増しは〝安全運航〟のためです、飛行機の離発着が二倍、増えれば、そのための心身の疲労は、他企業の現場と比べものにならないものであり、万一の時は事故に繋《つな》がるものであることを考えて下さい」

現場の不平等を正そうとする若い委員長の声に、熱が帯びた。桧山が返答に窮しかけると、堂本は瞬きの少ない眼で、恩地の顔を捉えた。

「労務担当として申し上げたいのは、あくまで現実に即した要求を出し直して戴きたいということです」

「それでは、われわれの要求が非常識だと云われるのですか」

「――言葉通りです」

木で鼻を括《くく》るように、答えた。団交は中止となり、桧山は助け舟を得たように、席をたった。

恩地は、容易に正体を見せない堂本を、手強い相手だと思った。そして曾て弱い者の味方であった堂本が、聞く耳を持たぬ類《たぐ》いに転じたことに、警戒心を募らせた。

組合事務所へ帰って来ると、ただならぬ気配に包まれていた。出発便の整備で事故があり、死亡者が出たらしいというのだ。

整備部門の桜井書記長は、みるみる顔色を失った。恩地は桜井と共にすぐに羽田へ向った。

雨は小止《こや》みになっていたが、空港には寒風が吹き荒れ、作業衣の上に雨合羽を着た整備士たちが、慌《あわただ》しく行き来している。

「どうした、何が起ったんだ！」

桜井が人垣をかき分けるように前に進み、たち竦《すく》んだ。

駐機している飛行機の翼の下に、雨合羽で掩《おお》われた遺体が、担架にのせられている。

警察の検死は既に終っていた。

「原因は、何です！」

桜井は、作業班長を摑《つか》まえた。

「燃料タンクのガス抜き中の事故です、うちの班の中川君です」

班長は、体を慄《おのの》かせた。一旦《いったん》、止んでいた雨がまた降り出した。

「中川君も寒いだろう、ともかく、遺体は格納庫に移そう」

班長をはじめ、同僚たちが、遺体をのせた担架を担《かつ》いだ。事故を知って、いち早く駈《か》けつけて来た運航管理部の若い部員も、桜井や恩地たちのあとに続いた。

格納庫の中には数日がかりで点検、修理する飛行機が入っていたが、一隅に台座をしつらえ、遺体を置くと、天井の高いがらんとした大きな空間に、遺体がぽつんと置かれ、一個の小さな物体のように見えた。寒々とした気配が、集った人々を襲った。

桜井は、遺体を掩っている雨合羽をそっと、はずした。二十六、七歳の若い男の顔は、雨の中の作業で髪がべっとりと濡《ぬ》れ、額に貼《は》りついている。

桜井は、深々と合掌《がっしょう》し、

「事故の経緯を、中川君の遺体の前で詳細に話してくれませんか」

と云うと、三十四、五歳の班長は、まだ肩を震わせながら、話しはじめた。

「機材は、ホノルルから帰って来たDC8です、ログブック（航空日誌）に、機長からの申し送りとして、コックピットの燃料圧力計で、主翼のナンバー3の燃料タンクの開閉バルブに異常ありと記されていたので、直ちにライン整備士三名が、燃料タンクの点検に取りかかりました、中川君は、タンク内作業をするために、窒素ガスで燃料蒸気を除去し、バルブ結合部の修理に取りかかり、他の二人は部品と作業車を運航課へ取りに行くことになったのです、中川君に、一人で大丈夫かと聞くと、早く戻ってくれと云ったので、二人は急いで取りに行き、引き返してタンクを覗《のぞ》くと、中川君がうつぶしたままで、慌《あわ》てて外に出したのですが、既にこと切れ……」

班長の言葉が、途切れた。

「その二人は、どこです」

「ひどい錯乱状態ですが、空港警察で調書を取られています」

「燃料タンクのガス抜き作業は、ハンガー（格納庫）で、酸素マスクをかけてやることになっているのに、なぜ外でやったんですか」

「この飛行機は、ホノルルから十七時十五分に到着し、二十一時三十分に出発する折り返し便です、到着時作業と出発時作業時間を除くと、ステイタイムは正味、二時間ほどで、一刻の猶予もなく、おそらく充分なガス抜きが出来ないまま、中川君がタンク内の開閉バルブの修理に取りかかり、二人はそれぞれ部品と作業車を取りに行き、燃料タンク内を見張るウォッチマン（監視人）がいなかったことが、怖《おそろ》しい事故に繋がった、限られた時間内で、人員不足から三人の作業員が目一杯働く——、誰もが中川君と同じ運命になっても不思議ではないのです」

と云うと、今まで押し殺していた感情が堰《せき》を切ったように、号泣した。遺体を囲む整備士たちの間からも、嗚咽《おえつ》が洩《も》れた。多くは、国民航空創立以来の若い整備士だが、戦前の大東亜航空、陸海軍の飛行機整備を経験して来たらしい初老の整備士の姿も見られた。現在の国民航空の天翔《あまがけ》る飛行機は、こうした恵まれない整備士たちの働きによって支えられているのだった。

再び降りはじめた雨が、格納庫の屋根を叩いている。先刻まで共に言葉を交し、働いていた仲間の突如とした悲惨な死に誰一人、たち去る者はない。

恩地は、静かに遺体に近寄って、合掌し、死者に問いかけるように、

「今日の事故は、一人のウォッチマンがおれば、避けられた事故でしょうか」

と云うと、傍らにいる班長が、頷《うなず》いた。すると一人の整備士が、恩地の前にたった。整備一筋で叩き上げて来た実直そうな人柄を感じさせた。

「委員長、私たち整備士は、一日三交替の勤務とはいえ、飛行機が入って来れば、どんな時間帯でも点検にかかり、飛行機が出てから三十分の休憩時間に食事をかき込む。ナイト時間（二十一時から翌朝九時）に、二機、三機受け持ち、機体にトラブルがあれば、徹夜で修理する。しかも長い間、低賃金に甘んじて油塗《まみ》れで働いているので、私たちのことを油虫という人もいるそうです。その油虫が、国民航空の飛行機を安全に飛ばす苦労をしているのです。その上、厳しい資格試験が課せられ、一等整備士は

四発以上、二等整備士は双発機以下、三等整備士は小型機と資格が区分されているので、整備士たちは、日常業務を果しながら、資格試験に追われています。亡《な》くなった中川君も、一等整備士の資格試験を受けるために、人一倍真面目《まじめ》に働き、勉強していたのに、現場の人員不足と、整備時間の余裕のなさが、事故死を招いた——、各職種間の不平等の是正と云われるなら、整備はその最たるものです。そして社員の人命の軽視は、いつの日か、乗客の人命軽視に繋がるのではないかと思います」

整備士の声が、格納庫の高い天井に切々と響き、恩地の胸を衝《つ》いた。

狭い社宅の一間に、遺体を納めた柩《ひつぎ》が、置かれている。

祭壇に作業衣姿の中川の遺影が掲げられ、二等整備士のライセンスが、壇の前に置かれている。

五歳の男の子は、父の死の深刻さが解《わか》らず、柩の前で顔を伏せている母を不思議そうに見上げている姿が、通夜《つや》に訪れた同僚たちの涙を誘った。

「おじちゃん、ぼく、幼稚園でお絵描きが一番だったんだよ、父ちゃんといつも一緒にかいてたんだもん」

無邪気に云ったが、遺児の云うお絵描きとは、一等整備士の資格を得るために、子供と机を並べて、赤、青、緑と色塗りの図面を書いていたことらしい。

「坊や、お父さんのは、お絵描きじゃなくて、飛行機を飛ばすためのお仕事の絵だったんだよ」

整備士は、遺児の頭を撫《な》で、若い未亡人の前に膝《ひざ》をすすめ、

「中川君は、忙しいライン整備をしながら、一等の資格試験に追われていたのですね」

袖口《そでぐち》で、涙を拭《ぬぐ》った。未亡人は、言葉もなく嗚咽した。

乗員組合の平井機長と副操縦士の姿もあった。袖口に四本の金筋が入った制服姿の機長は、焼香をし、未亡人にお悔みを述べた後、

「われわれが安心して飛べるのは、整備士がきちんとしたチェックをしてくれるからです、中川君は、ステイタイムが短い時でも、目一杯、やってくれ、いつも飛行機が離陸するまで見送ってくれたのです、礼を云うと、私は地上に残るけれど、パイロットはずっと空を飛んで行くのですからと、そんな風に云ってくれる整備士だった――」

と惜しんだ。書記長の桜井は、

「昨年の十一月闘争でも、今回の団交でも整備の現状を訴えて、増員を要求している

にもかかわらず、いまだに実現出来ず、私たちの力不足が、こんな惨事になったのです」

と云うと、先刻から誰とも口をきかず、独り、胡座《あぐら》をかいている男が、

「今さら悔んでみてもはじまらない、事故が起らない現場にすること以外、何もないよ」

ぼそりと云った。

「志方《しかた》さんも来てくれたんですね、彼は運航技術のあんたの〝信奉者〟だったからね」

整備士長が、思い入れするように云ったが、志方は、それ以上、何も答えない。恩地は、志方のことについては、よく耳にしていた。

彼は国民航空へ入社した翌年の昭和二十七年（一九五二年）、大島三原山に激突し、全員死亡した飛行機墜落事故の調査に駆り出され、二十四歳にして、人間の形を残さない空の惨事を目撃した。にもかかわらず当時、日本の空は米軍の管理下にあり、機長が米国人パイロットであったため、機体の一片たりとも持ち帰れず、交信記録の提出をも拒否され、事故の真相は、明らかにされなかった。以来、志方は、職場では用件以外、殆《ほと》んど口をきかない男になったということであった。

恩地は、志方の横顔に視線を注いだ。故人を偲《しの》び合う通夜の席にあっても、志方だけは誰とも語らず、まだ三十三、四の齢《とし》に似合わず人を寄せつけないうそ寒さを漂わせている。

突然、人の気配がした。八馬労務課長が、厚生課長と課員を引き連れ、大きな花籠《はなかご》を運び込んで来た。社名と社長の名前が記された大きな札がついている。質素な通夜の席にそぐわない豪華さであった。八馬は、まず焼香をすませた後、未亡人の前に手をつき、

「この度の事故、会社として心から哀悼の意を表し、社長の代理で私が弔問に参りました、葬儀の手はず一切は、厚生課長が致しますので、ご遠慮なくお申しつけ下さい」

と云うと、厚生課長はすぐ手帳を広げ、

「早速ですが、祭壇、飾りもの、幔幕《まんまく》など一式、どのように致しましょうか」

慇懃《いんぎん》に段取りを進めると、未亡人に代って、親戚《しんせき》が応対した。それを見計らうように、八馬がそそくさと席をたちかけると、恩地は呼び止め、玄関の外へ出た。

「なんだい、こんな薄暗い玄関横で、たち話など——」

八馬は、細い眼を光らせた。

「会社側の月並な弔問ではすみませんよ、中川君の事故死については、組合側としても早急に調査委員会を組織して、調査にあたります」

「事故の経緯は、既に燃料タンクのガス抜き作業中の事故ということが、明らかになっているじゃないか」

「いや、この事故が起った原因に遡《さかのぼ》らねばならない、ウォッチマンがいなかったという人員配置の不足に加えて、過重労働が確認されています、現場のシフト表によれば、中川君は、夜勤明けで、さらに残業三時間という勤務だった、明らかに会社側の人員配置不足、労働協約違反によるものですから、当然、殉職扱いにして、遺族に充分な補償を行って戴《いただ》きたい」

「殉職扱いについては、非常に厳密だから、即答できないが、事故死の補償はきちんとするよ」

「それはどういう意味です？　本人が勤務している会社の構内で、勤務時間中に起った事故ですよ、まさか本人が注意を怠ったからというんじゃないでしょうね」

「いや、そんな意味ではないが、実は以前、殉職扱いにしかけたところ、調査の結果、本人の注意義務怠慢が明らかになったケースがあるのでねぇ」

「いやしくも一人の人間の死です、そのような考えは到底、罷《まか》り通りませんよ、堂本取締役とよく相談して、誠意をもって対応しなければ、この事故を、労働協約に違反するものとして、団交で問題にします」

恩地が云うと、八馬は、

「団交については、ほどほどな妥協点を探ろうじゃないか、その方が組合のためだよ、解っているだろうが、今度の堂本さんは、手強《てごわ》い相手だぞ」

「人の通夜の場を、裏取引に使うなど何たること――、組合は殉職した整備士の死を悼《いた》み、明日から三日間、喪に服します」

恩地は哀しみと怒りをもって、通告した。

深夜、恩地は家に帰りつくなり、がくりと肩を落し、妻が用意した夜食にも手をつけなかった。

母も起きて待っていた。

「事故のことは、社宅の方々から聞きましたよ、人手が足りなかったことで、人が命を落すなど、なんという痛ましいこと――」

「整備の現場の事情が解っていながら、早く解決できず、私の力不足のせいだ――」

委員長の自分に責任があると云うと、妻のりつ子は、熱いお茶を注《つ》ぎながら、

「あなただけのせいじゃありませんわ、毎晩、遅くまで、日曜祭日も、組合のために尽しているあなたが、そんなに自分だけを責めないで」

力づけるように云い、

「亡くなられた方の奥さんは、お若く、お子さんも幼《ちいさ》いとか——、これからが一番、辛《つら》いでしょうね」

同じ幼子《おさなご》を持つ母親の立場で、声をくぐもらせた。

「お父さんの戦死で、未亡人になった時、お前は十一歳になっていたけれど、女手ひとつで子供を育てることは、人に云えぬ苦労があるものだよ」

「通夜に来ていた会社側に対して、遺族への補償を充分するように申し入れ、組合は心からの弔意を表して、三日間、団交を中止して、服喪することにしました」

「そう、服喪とは、いいことをしなさったね、この間、社宅の近くの公園へ克己《かつき》をつれて行った時、恩地さんのお母さんですかと、声をかけられ、委員長のおかげで、うちの息子も大学へ進学させられます、私は役員付きの運転手ですと、感謝されましたよ」

母は静かに話した。恩地は湯呑《ゆの》みをおき、

「そうですか、やっと彼らも報われるようになったのですね」

はじめて顔を和ませた。りつ子が、

「あなたは、いつも組合の委員長は、働く人の職場をよくするための世話役だとおっしゃるけど、少しは自分のことや、うちのことを考えて、休みの日ぐらい、子供と遊んでやって下さいな」

控え目ではあるが、頼むように云《い》うと、

「組合の役員たちは、大なり小なり、家庭を犠牲にしてやっている、それでなければ出来ない、何も私だけではないのだよ」

恩地は、妻を窘《たしな》めた。

喪明けから、延々、十二回に及ぶ団交が続いていた。

会社側は、本年度の経営予測、ジェット機大量購入、無線通信設備などの大幅な投資計画をびっしり揃《そろ》え、組合側は、急激なインフレと、物価上昇による家計の支出増加の資料を提出し、基本給二〇パーセントのベースアップで、一歩もひかなかった。

普段は、穏やかな桧山社長も、苛《いら》だちの色を見せている。

「君たちの要求を呑んでいると、人件費が嵩《かさ》み、この調子で行けば、わが社は数年間、黒字を出せない状態になる、したがって、十二回に及ぶ団交の結果として、一律定額四千円プラス、基本給の一三パーセント・アップがぎりぎりの線だ」

「われわれの要求の二〇パーセント・アップは、常に実態を下廻っていると指摘されている政府統計の二〇・五パーセントさえ切っており、残業手当をはじめとする諸手当も、〝空の安全〟を守るための必要最低限の要求です」

「これら諸手当については、来期、業績実数が出てから、その数字にリンクさせて話し合うこととする、今回の春闘で一挙に、すべての要求を達成するのは、性急すぎる」

「今までの労働条件が、あまりにも劣悪すぎたために、性急とお感じになるのです、繊維同盟、鉄鋼総連の要求額と比べれば、まだ手控えており、決して非常識な要求ではありません」

恩地は、実例を挙げて説明した。堂本労務担当は、瞬《まばた》きの少いよく光る眼で、

「戦後、政府出資で創立された特殊法人のわが社と、戦前からの基幹産業とを同列に考えること自体、無理があり、そんな法外な要求は論外です」

言下に、退けた。

「整備関係の日・祭日、深夜手当のようなごく限られたケースのみを強調して法外とは、こちらこそ心外です、世間の人が休日に体を休め、眠りにつく時間に、手当を積

み増すから働けと云われたら、堂本取締役はどうなさいますか」

恩地が、切り返すと、

「私は、手当なしで、あなた方とつき合っています」

しらっと、答えた。平然と人を蔑《ないがし》ろにする言葉であった。恩地は桧山の方を見た。

「堂本取締役には、通じないお話のようですから、桧山社長のお考えをお伺いしたいものです」

「この間から春闘ではベースアップ一本に絞って、諸手当は来期以降にしてくれと云っている、今期は、君らが譲歩する番だ」

桧山は、もうもうとした煙草《たばこ》の煙に、むせるように咳払《せきばら》いして、云った。

「ここまでお話しして、呑んで戴けないのなら、通告してあるようにスト権を確立していますから、その権利を行使せざるを得ません」

組合にとっては、最後の切札を口にした。

「委員長ねぇ、ストと脅される度に、わしの血圧は上り、寿命は縮むのだよ、それだけは云わんでくれ」

泣き落しにかかったが、堂本は、いささかも動ぜず、

「わが国の航空会社、はじまって以来のストを決行した場合、どんな厳しい世論の非

難を受けるか、覚悟した上でのことですか」

　抑え込むように云ったが、恩地が、

「空の安全を守るために、労働条件の改善を求めるストと、人災による事故発生時の世論、どちらが深刻な事態になるか、取締役のお考えを聞かせて下さい」

　と云うと、堂本は押し黙った。過去十数回の団交で、都合が悪くなると、沈黙してしまうのが、堂本の術《て》であった。視線を上げるでもなく、かといって、下を向いているわけでもない。戦前、治安維持法違反で検挙、拘置され、十ヵ月に及んで完全黙秘を通しながら、転向した堂本信介の亡霊を見るような不気味さであった。

　〝完黙〟は十分以上に達した。沈黙されることは、攻める側として、心理的な圧迫感があり、焦《あせ》って下手に発言すれば、思うツボに嵌《はま》る。

「堂本取締役、返答をして下さい」

　行天副委員長が、痺《しびれ》を切らすように促したが、堂本の〝完黙〟は続いた。

「桧山社長、ご回答がないようなら休憩にして、お考えをまとめられては如何《いかが》でしょう」

　もはや、堂本を相手にせずの態度で恩地は、云った。桧山社長も二十分間の陰々とした空気から解き放たれるように、息をついた。

「そうだな、お互い腹ごしらえでもしてから、再開としよう」

「どのくらい、お待ちすればいいのですか」

「二時間後としよう」

桧山社長は、椅子《いす》からたち上った。

会社側は、二時間後の再開を一旦《いったん》、引き延ばし、午後八時半から再開となった。予定の開始時刻を延ばしたからには、譲歩が期待されたが、席に着いてからの、会社側の回答は、
一律定額四千円及びベースアップ一三パーセント。春闘につき、その他の要求は来期廻し。

という、一歩の譲歩もないものであった。

恩地執行部は、四月九日午前六時以降のスト決行を、通告した。

時計の針が午前零時をかちりと廻り、スト当日となった。

暗闇《くらやみ》の中で、羽田ビルの組合事務所だけは、明るい蛍光灯が点《つ》き、各支部から布団《ふとん》持参で駈《か》けつけた委員たちが、受話器にかじりつき、それぞれの現場との連絡、指令に声を嗄《から》している。

「いや、そうじゃない、スト決行中の貼《は》り紙は組合名で出すんだ」

「なに、今から飛行機のエンジントラブルの修理？　六時までに済まない？　それじゃあスト破りになる、応援を頼んで六時までに済むよう、万全を期して終了してくれ」

はじめてのストに、誰もが戸惑い、興奮し、声が大きくなっていく。

午前一時半、八馬労務課長から、団交再開が伝えられた。

羽田ビルの会議室に姿を現わした桧山社長は、目が落ち窪《くぼ》み、頬がそげ、疲労困憊《こんぱい》の様子だった。労務担当のみならず、人事、総務担当役員らも成り行きを懸念《けねん》する表情であったが、堂本は妙に落ち着き払っている。

桧山社長は、机に体をのり出した。

「ともかくストは回避してくれ、去年の団交でも、紆余曲折《うよきょくせつ》はあったが、円満妥結したただろう、最後まで話合いで解決しよう」

「社長がこうまでおっしゃっているのだから、話合いを継続したらどうだね」

副社長も、宥《なだ》めるように云った。

「社長、三千人の組合員は、忍耐の挙句、もはやこれまでと、スト突入の準備を完了していますスト四時間前になって、中止を要請される以上、それ相応の案をお持ちでしょうね」

恩地が、はっきり云うと、

「そのつもりで来ている」

「そうですか、しかしここまで結束し、ストにたち上った組合員に対して、小手先だけの譲歩は、かえって火に油を注ぐようなものです、私たちの要求に沿った回答をお聞かせ下さい」

「ベースアップ、諸手当については、昨夕来、試算させているが、まだ完了していない、満額は出せないが、最大限の努力はする」

「具体的な数字なしに、スト中止は出来ません、団交らしく数字で回答して下さい」

恩地が迫ると、

「六時までに数字が出なければ、何が何でもスト決行というのなら、残念ながらわしの誠意が通じなかったというわけか」

がくりと肩を落し、副社長以下、役員たちも、国民航空創立以来の事態に色を失った時、

「恩地委員長——」

堂本労務担当の醒《さ》めた声がした。何事かとその方を向くと、

「ストは本日午前六時から、何時間の予定ですか」

と聞いた。

「それは申し上げられません」

「そうですか、では保安要員の人数について、話し合いたい」

と云った。桧山社長以下役員たちが、スト回避に向って、説得し、宥めすかしている中で、堂本だけは、他人《ひと》の十歩先を読み、やるならどうぞという構えだった。

スト突入は、決定された。


早朝から動き出す空港に、機影は見当らず、整備の車も、人影もない。

平常なら、始発便のために、運航、整備に携わる人たちの慌《あわただ》しい動きが、今朝は停まり、国民航空の飛行機も、滑走路を離れた駐機場に列《なら》んで、翼をやすめている。

スト直前の空港の静けさであった。

午前六時、スト突入と同時に、空港の静けさは破られた。搭乗カウンターで騒ぎが起った。

始発、羽田—大阪経由福岡行きの乗客たちが、カウンターの前で大声で怒り出した。

「国民航空がストをやるとは、何事だ！　飛行機は速いから、高い料金を払っているんだ」

「午前中に大阪へ戻らんと、大事な商談が潰《つぶ》れ、不渡りが出るかもしれんのや！　倒産したらどないしてくれる！」

「申しわけございません、ラジオ、テレビでお報《しら》せしておりますが――」

「阿呆《あほ》！　商売にラジオもくそもあるか、飛行機を出せ！」

乗客の罵声《ばせい》と怒りが飛び交っているのが、カウンターから離れたところにたっている恩地の耳にまで聞え、騒ぎは次第に大きくなった。ダスターコートを着た男がカウンターに上り、顔面を引き攣《つ》らせた。

「チチキトク　スグカエレの電報だ、ヘリコプターでも、何でも一便、飛ばしてくれ、頼む！」

「誠に申しわけございませんが、このような次第でございますので――」

カウンターの〝スト実施中〟の貼り紙を示した。

「親の死に目に会うのだ、何とかしろ」

「新日本空輸に振り替えご搭乗の手続を致します、七時十五分ですので、空席待ちのお手続を致します」

「なに、七時十五分出発？　それでは大阪から鳥取行きの列車に乗り継げん、俺は親《おや》爺《じ》の死に目にも会えんのか！　このスト、一生恨むぞ！」

と云うなり、人目も憚《はばか》らず慟哭《どうこく》した。

乗客は、殺気だち、

「君ら給料いくらで不満なんだ、うちの会社じゃ勤続十年で五万だが、働いてくれているぞ、利用客に迷惑かけてでも、赤旗振って賃上げ要求など、親方日の丸の腐った連中だ、恥を知れ！」

口々に罵《ののし》った。

恩地は、航空会社のストライキが及ぼす大きな影響、乗客一人一人にかける迷惑を身に刻みながら、空港ビルに隣接する羽田ビルへ、踵《きびす》を返した。

国民航空・羽田ビルの玄関には赤旗が林立し、腕章を巻いた組合員が互いに腕を組んでピケを張り、スチュワーデスの姿も混っている。その中で一際《ひときわ》、目だつのが、美《び》貌《ぼう》の三井美樹であった。赤旗の下でピケを張るスチュワーデスの姿が絵になるせいか、新聞、テレビのカメラが向けられている。恩地の傍に、三井美樹が駈《か》け寄って来た。

「委員長、やりましたね、私たち団結すれば、飛行機が止まるんですね」

「しかし、勝手にピケの戦列を離れてはいけませんよ」

恩地が窘めると、

「さっき、平井機長が、恩地さんはと聞いておられたので、お報せしに来ただけですわ」

三井美樹はそう云い、ピケラインへ戻って行った。

恩地は、もう一度、飛行場の様子を見るために、飛行場が一望のもとに見渡せる運航管理部へ向うと、長い廊下の向うから平井が歩いて来た。ソフトなスーツ姿であっても、肩のあたりに、機長の肩章《けんしょう》を感じさせる人物で、乗員組合の委員長であった。

恩地と顔を合せると、

「遂《つい》に止めましたね」

新日本空輸の滑走路からは、飛行機が飛びたっているが、国民航空の飛行機は静かに駐機している。

「乗員組合のご支援があればこそです」

恩地が、スト実施を機長、副操縦士、航空機関士などで構成する乗員組合へ連絡に行った際、日頃は〝殿様乗員と足軽地上職〟という給与格差から、連帯することがなかったにもかかわらず、委員長の平井は、「地上職の待遇が、こんなにひどいとは知らなかった、支援しますよ」と協力を約束してくれたのだった。

「ストは、予定通り十二時間ですか」

「そうです、肚《はら》を括《くく》って決行したストですが、重圧で五体が金縛りにあったようです」

「だが、今の会社を相手にしては、ストを打つしか、打開の道はないじゃないですか、われわれも、外人パイロットと同じ仕事をしながら、給料はその半分、しかも基本給をうんと抑え、一飛びいくらの勘定だから、時差と闘って飛び続けないと、世間で云われている高給にはならない、実に体がきつい仕事ですよ」

平井が云い、ふと、思いを籠《こ》めるように、

「この間の中川君、気の毒なことをしたね」

「あのような事故がありながら、会社はまだ早期の人員増強を呑まないのですよ」

「だからこそ、今日のストは意義がある、空の安全を守る大きなチャンスですよ、スト解除になればいつでも飛びたてる待機態勢を取っているから、焦らず、君がしっかり舵《かじ》取りして下さい」

平井は、厳しい表情で云った。

組合事務所へ戻って来ると、組織部長が待ち受けていた。

「委員長、一人、スト破りが出て困っているのです」

「一体、誰なんだ」

「空港支店の〝宮様《みやさま》〟ですよ」

政府要人、外国人賓客をはじめとするＶＩＰ応対係の一人で、元皇族の息子である社員のことだった。

「いつも通りご出勤、明後日《あさって》、来日のベルギーの公爵《こうしゃく》の日程確認を外務省やあちこちへ連絡するので、スト中ですと云っても、聞き入れません、委員長から説得して下さい」

恩地は、厄介なことだと思ったが、統制を乱さぬために、受話器を取った。

「こちらは組合の恩地ですが、只今《ただいま》、スト中ですので、日常業務は直ちに中止して下さい」

と云うと、おっとりとした声が返って来た。

「私は、労働組合などという下賤《げせん》な団体に加入しておりません、労働者というのは鶴《つる》嘴《はし》などを持つ者です、私は労働者ではありません、どうしてもとおっしゃるなら、せめて職員組合と名称を変えて下さい、労働組合のストライキなど、私と何ら関わりがありません」

　恩地は、唖《あ》然《ぜん》とした。スト決行中の貴重な時間を、こんな相手に割きたくなかった。同時にそういう人物が、正社員であることの不条理を思った。

　スト突入五時間後、国民航空の桧山社長は、運輸大臣の呼出しを受けて、大臣の個人事務所があるホテル・ジャパンに車を走らせていた。

　桧山は車を降りるなり、足早に運輸大臣の事務所へ向った。奥まった部屋の扉を押すと、大臣は、執務机越しに、不機嫌な顔を向けた。

「スト突入に至り、誠に申しわけありません、まさか本気でストを打つなどとは――」

　桧山は、深々と頭を垂れた。

「そこが甘いんだよ、国民航空といえば国家機関も同然だ、そこでストが打たれたということは、どういう意味を持つのか、君、解《わか》っているのかね」

　威丈高に、云《い》った。

「今朝の閣議は、専《もっぱ》ら国民航空のストに論議が集中し、首相以下各大臣らが口々に、国民に迷惑をかけるストは政府の迷惑、ひいては国家に迷惑をかける由々しき問題だと非難した、ここで対応が遅れると、国家の治安に関わる問題に発展しかねない」

大臣はがんがんと響く声で云い、

「ストの首謀者は誰だ」

と聞いた。

「首謀者と申しましても……要は組合執行部でして——」

「委員長の恩地元《はじめ》の身元は、洗ってあるのかね」

「採用時の型通りの調査以外、特別のことは……」

「恩地元が、共産党の秘密党員であることを知っているかね」

「まさか、恩地が——、そんなことはあり得ないと思います」

桧山は否定した。

「何をもって、否定するんだね、昨年の十一月闘争あたりから目をつけ、実は、これまでの国民航空の組合委員長とタイプが違うので、警察庁の官房長と相談し、警備局警備課に調査を依頼していたんだ、結果は、東都大学時代、メーデー事件の皇居前デモで、丸の内署に一晩、留置されており、東都大の学生細胞だった危険人物と判明した」

「学生細胞など、それは労務担当の堂本と情報が混同されているのではないでしょうか」

「彼は、戦前の治安維持法で、逮捕、勾留《こうりゅう》されているから間違えようがない、社長たる方がそんな杜撰《ずさん》さでは、話にならん！　で、もう一人の副委員長の行天四郎は、どうなんだ？」

「恩地同様、快男子で、合理的なものの考え方をする男ですが……」

「書記長の桜井均は？」

「理工系の頭脳優秀な奴《やっ》で——」

桧山が云いかけると、

「いい加減にし給え、そんな調子だから、組合をのさばらせたんだ」

大臣は、癇癪《かんしゃく》を爆発させるように、ソファの肘《ひじ》を叩《たた》いた。

「桧山社長、堂本を労務担当にした狙《ねら》いは何だったか、忘れたわけじゃないでしょう？」

云われるまでもなく、昨年の十二月、日経連専務理事から、労務対策の手ぬるさを指摘され、組合執行部を制するには、毒を以《もっ》て毒を制すの術《て》で、転向者の堂本信介の登用を示唆《しさ》されたのだった。

「世の中に〝所得倍増〟が流行語のようになって、労働運動は激しくなる一方で、秘密党員を放置しておくと、再び安保騒動の二の舞になり、国民航空が、共産党に牛耳られかねない深刻な事態に陥るやもしれないと、関係各省庁は真剣に憂慮している」

「まさか、もうすぐオリンピックが東京で開かれるというこの時代に……」

「桧山さん、安保騒動で、岸内閣が倒れた時、自衛隊が密《ひそ》かに出動のため待機していたことをご存知ないでしょうねぇ」

「いえ、はじめて伺うことで——」

「航空会社は、外国との折衝上、リベラルであろうとしていますが、現実はそんな甘い、口当りのいいものではないのですよ、一度、ストに成功した組合は、必らず二度、三度と打ってくる、共産党シンパがネズミ算式に増え、闘争至上主義になって、止まらなくなる」

「では、今日のストは……」

桧山は俄《にわ》かに、怯《おび》えるように聞いた。

「十二時間ストは絶対、阻止するんだ！　特に海外路線はたとえ一便でもやりくりして、飛ばすことだ、そのためには直ちに団交再開だ」

「しかし、組合の要求を、丸ごと呑《の》めないのが実情です」

「呑まなくても、団交を再開すれば、相手の情況を探ることができる、より威丈高になっているか、及び腰になっているのか、情報が取れるじゃないか、それも出来なければ、今後、任せられなくなるよ」

運輸大臣は、人事権をちらつかせた。

午後二時半、会社側から団交再開の申入れがあった。

申入れを受けるか、受けざるべきか、直ちに中央闘争委員会が開かれた。

二十名の委員たちは、緊迫した空気の中で、慎重論と強硬論とに分れた。

慎重派の委員が、最初に発言した。

「私たちの今の要求は、これまでが低賃金であったため、正当なものであるが、一気に、一律定額四千円プラス、基本給二〇パーセントのアップ、諸手当の最大割増率二〇パーセントの要求は、世間から見れば、非常識の謗《そしり》を免れないと思う。現在、国内各便と国際線二便が止まっただけでも、大混乱になり、予想以上の厳しい世論の非難を受けている、これ以上、ストを続けると、逆効果になることを懸念します」

と云うと、強硬派の札幌支店の委員が反撃した。

「会社の脅しに屈するのか、ストは、何日間も職場討議にかけて、民主的に話し合った結論だ、シフト(変則交替)勤務者の深夜、日・祭日手当の割増率が二〇パーセントになっても、あのきつい労働の報酬としては正当なものであり、いたずらに世間の思惑を気にしていたら、安全運航を旗印にしている労働条件をかち取ることは出来ない」

「そうだ! ここで話合いに応じれば、会社の思うつぼだ、要求貫徹で結束しよう」

「空の安全を目指して断固闘争! 団交再開反対!」

強硬論が大勢を占めはじめた。慎重派の委員たちが、恩地の方を見た。

「委員長のお考えは、いかがですか」

全員の視線が集ったが、恩地は暫《しば》し、沈黙してから、

「われわれの要求は、妥当なものだと思う、しかし、報道では、われわれの要求が誇大に取り上げられて、誤解を生んでいるのも事実だ、また航空会社初のストということで、想像しなかったほど周囲の目は厳しい、闘いはこれで終るわけではないのだから、柔軟な姿勢で論議すべきだと思います」

冷静に客観情勢を分析すると、強硬派の委員たちが、気色ばんだ。

「委員長! スト決行というなみなみならぬ決断をし、たち遅れている現場の労働条件の改善をかち取らねばならぬ時、そんな優柔不断な態度では、足もとを見られて、

今後に悔いを残すことになります、飛行機を止め、国内線のみならず、国際線をも欠航させざるを得なかったわれわれの決意を、きっぱり会社側に示すべきです」

　決断を迫るように云うと、黙って双方の意見を聞いていた副委員長の行天が、口を開いた。

「その決意は、確かにりっぱだ、だが、今、会社側の団交再開の申入れを蹴《け》った場合、会社側がどう出て来るか、それに対してわれわれはどう対応するか、さらに二十四時間スト、四十八時間ストの覚悟ができているか、それは君一人だけでなく、三千人の組合員が、全員随《つ》いて来るという確信があってのことか、明確に答えて下さい」

　強硬派の委員は、口ごもった。

「そうだろう、私が怖《おそ》れるのは、そこだよ、三千人の組合員の中の、たとえ、十人でも、脱落する者が出た時のことを、最も懸念《けねん》する」

　行天が盲点を衝《つ》くように云うと、一同はしんと静まりかえった。だが、強硬派の一人が、

「では、委員長の最終的なご意見を伺いたい」

　と迫った。

「私の考えは、いみじくも行天副委員長が云った通り、三千人の組合員の一糸乱れぬ

団結を、最も重要な判断基準にする、その前提にたつと、会社側から申入れて来た団交再開は、この際、受け入れた方がよいと、判断します」

構えのない口調で恩地が云うと、書記長の桜井が、

「委員長決裁で一任したい」

と云った。強硬派は瞬時、躊躇《ためら》ったが、慎重派が一斉に、

「委員長に一任！」

と賛同すると、強硬派もようやく同調し、恩地に一任された。

再開された団交には、桧山社長をはじめ、副社長、堂本取締役以下、労務担当者が出席し、スト中止へ向けての誠意を示したが、回答には、僅《わず》かな進展しか見られなかった。

一律定額四千円、ベースアップ一五パーセント、諸手当割増率は、前回回答の通り。恩地は直ちに拒否し、スト続行やむなしと通告した。だが、その三時間後、中央労働委員会から職権斡旋《あっせん》が、労使双方に申入れられた。

中央労働委員会は、通常、労働組合に有利な斡旋をするのが通例であった。それを会社側が受け入れた以上、会社側の意を酌《く》み、組合側も、スト中の賃金カットを行わ

ず、処分者を出さないという条件を出して、受入れを諒《りよう》とした。
三週間後、中労委の斡旋案が提示された。
一、全員一律定額四千円及び基本給一七パーセント・アップとする。
二、諸手当の割増率は各一〇パーセントとする。
三、その他は来期、労使双方で協議して取り決めるものとする。
恩地は、中労委の斡旋案を見て、組合の要求貫徹は道遥《はる》かと、覚悟した。

第四章　クレーター

キリマンジャロの頂きは、雲に掩《おお》われて見えない。濃いブルーの空に、雲が乱舞するように動き、地表に影が走るが、くっきりとした雲の切れ目はない。

キリマンジャロ山頂を目ざす恩地《おんち》たちのパーティは、一昨日、登山基地のマラング・ゲート（一八六〇メートル）を出発して、登山を続け、三日目の今朝も七時過ぎにホロンボ・ハットの山小屋（三七五〇メートル）を出た。

タンザニア政府の観光省が、観光客誘致のため、英、米、独、仏、日の大手旅行会社の山岳担当者を招待し、体験登山を企画したのだった。

十六名の招待客は、二班に分れ、恩地は、新日本旅行公社の谷口と共に、第一班に加わっていた。

灌木帯《かんぼくたい》の山道を、ガイドを先頭に八人のパーティに、十二人のポーターがつき、一列になって登って行く。灌木の間に巨大なシャボテンのようなジャイアント・セネシオや白い花穂が枯れたロベリアが垣間見《かいま》られる。

坂道を登りきると、視界が展《ひら》けた。その向うに雪を冠《かぶ》ったキリマンジャロのキボ峰が見え、右手には鋸《のこぎり》の目のようにきりたった側峰のマウェンジ峰が望まれた。登山三日目にして、ようやくキリマンジャロの峰々を目にして、一行は歓声を上げた。

途中、ところどころの湿地に可憐《かれん》な小花をつけた高山植物が群生している。湿原を横切ると、LAST WATER POINTと記された木の標識がたっている。最後の水場であった。地面から一本の鉄管が突き出て水が溢《あふ》れている。ここで一旦《いったん》、休憩となった。一行は思い思いに腰を下し、水を飲んだ。あまりきれいではないが、口の中にしみ入るように冷たく、美味《おい》しい。ガイドたちも水を飲み、水筒を一杯にした。

キリマンジャロは変化に富んだ山だった。サバンナから、なだらかにたち上る宏大《こうだい》な山裾《やますそ》は、鬱蒼《うっそう》とした樹林帯、次いで灌木帯となり、休憩後からはじまるのは、乾ききった砂礫帯《されきたい》である。

ガイドが出発を告げ、この先はゆっくり歩くようにと注意した。

赤茶けた砂と石ころだけの荒涼とした地面が、果しなく拡《ひろ》がる。陽ざしが容赦なく照りつけ、正面から風が吹きつける。時折、陽光が翳《かげ》ると、一面、灰色の死の世界のようになり、吹きつける風の音すら不気味であった。遠くから仰げば、クイーン・エリザベスのように気高く、優美なキリマンジャロは、登山となると、容易に人を寄せつけない。

砂礫帯は、山頂から側峰に至る稜線《りょうせん》のいわば鞍部《あんぶ》に当るところで、平坦《へいたん》な道をただ黙々と歩くのみであるが、遅れる者が出て来た。四千メートルを越え、酸素が希薄になっているから、頭痛や吐き気をもよおす高山病に襲われる。恩地の同行者の谷口も遅れはじめ、ガイドが助けて歩いた。

ようやく山頂に近いキボ・ハット（四七三〇メートル）に着いた。トタン屋根に石造りの山小屋には、二段ベッドがならび、先に着いた者が下段を占め、恩地たちは上段になった。四千七百メートルの高地では上段に上るのさえ、体が重く、辛《つら》い。

ガイドたちは、すぐにポーター小屋の炊事場で、夕食の支度にかかった。

タンザニア観光省の職員は、招待客と共に食卓についた。食事はじゃが芋がたっぷり入ったカレーとパンだが、高地のため食欲がなかった。

「皆さん、明日はいよいよ山頂への登攀《とうはん》です、成功した方々には登山証明書を発行しますから、頑張って下さい、アフリカ最高峰の頂上を極める成功者は、そう沢山いませんから、皆さんの一生の誇りとなります」

観光省職員は、社会主義国家の役人らしく、重々しく告げた。

食事が終ると、恩地はベッドに横たわったままの谷口のところへ戻った。持っている衣類をすべて着込み、持参の寝袋に入っている。

「谷口さん、具合はいかがですか、せっかく日本から来られ、残念でしょうが、高山病で命を落す人もありますから、夜明けと共に、一刻も早く下りられた方がいいと思います、フランスとアメリカ組にも、下山する人がいるので、アシスタント・ガイドが付き添って下りるそうです」

高山病は、高度を下げる以外に治す方法がない。

「それでは私も、そうします、お世話をかけてすみませんでしたね」

力なく、答えた。

恩地は、ほっとし、寝袋に入った。頂上には日の出前に到着する予定であったので、出発まで仮眠をとっておかねばならないが、三日がかりでここまで登り、いよいよとなると、昂《たかぶ》りを抑えられない。誰も同じ気持らしく、寝つけないのか寝袋の音がする。

午前零時、起床。熱い紅茶とビスケットで朝食をすませ、完全装備に、ヘッドランプをつけて出発した。

登頂者は、八人のパーティの中で五人であった。登るのは、四千七百メートルから五千七百メートル、標高差千メートルであるが、空気がいよいよ薄く、じぐざぐの砂と石ころの道を一歩、登ると、半歩、ずり落ちしながら、ヘッドランプだけを頼りに、登って行く。

高度五千メートルを越えたあたりから、若いドイツ人が脱落しはじめた。恩地も息苦しく、呼吸を整えながら、半歩ずつ、ゆっくり登り続けた。常時、標高千七百メートルのナイロビで生活し、高度順応が出来た体であることが、幸いした。それでも、一時間半ほどすると、頭痛に悩まされ、ガイドに随《つ》いて行くのがやっとであった。

午前五時五十分、遂《つい》にキリマンジャロのクレーター（火口）の頂き、ギルマンズ・ポイントに登頂した。クレーターには階段状の氷河が連なり、壮観であった。

薄暗い空の彼方《かなた》に、ぽつんと紅《あか》い点のようなものが浮かんだかと思うと、みるみる丸く膨らみ、側峰のマウェンジ峰の背後から、オレンジ色の光輪を放った。雲海を押し分け、空一面を紅く染めて、太陽はぐいぐいと昇って行く。荘厳な日の出の一瞬であった。登頂者たちはガイドに促され、登頂記念に今日の日付と名前を記して、近くの木製の箱に入れた。高山病のためにまっすぐ字が書けないのが、残念であった。

頂きから二百メートルほど上に、キリマンジャロの最高峰であるウフル・ピークが望めた。五人のうち恩地とイギリス人だけが、ガイドに随いて、クレーターの縁を時計の針方向（西方向）に、雪稜を登った。なだらかな雪道であるが、倦怠感《けんたいかん》が募り、先を歩くイギリス人の足跡に目を凝らして歩き、ようやく登り詰めた。

眼前に、頂上のクレーターが拡がり、その反対側に、巨大なビルディングのような氷壁がそそりたって、蒼白《あおじろ》く燦《きら》めいている。キリマンジャロの頂上は、雪と氷に閉ざされ、神秘で壮大な世界であった。

イギリス人がその景観を8ミリカメラに収めようとしたが、高山病のせいで手が思うように動かせない。頂上には僅《わず》か十数分いただけで、すぐ元の道を引き返した。往復二時間半の道程《みちのり》であった。

頂上から、キボ・ハットまでは、富士山の須走《すばしり》のように一気に滑り下りる。ギルマンズ・ポイントから先に下りていた一行が、拍手して迎え、ウフル・ピークの景観を驚愕《きようがく》と羨望《せんぼう》を混えて聞いた。話しながら、温かい食事を摂《と》ってから、一行はホロンボ・ハットに向った。

午後二時、ホロンボ・ハットに着くと、恩地は、高山病で先に下山した新日本旅行公社の谷口の様子を聞いた。元気を取り戻して、無事に到着していることを知って安心した。

一行はここで宿泊するが、恩地は二時間、仮眠をとって、夕刻、出発するのだった。予《あらかじ》め、自分の余儀ない日程を、タンザニアの観光省職員に報《しら》せておいたから、単独で出発する恩地のために、ポーターをつけてくれた。

明日の正午、ナイロビの日本大使館公邸で、新任の駐ケニア日本大使の就任パーティがあり、航空会社にとって欠席できない行事であった。

登山基地のマラング・ゲートまで六時間あれば、車を預けているホテルまで帰り着ける。そこからタンザニアとケニアとの国境の町、ナマンガを通りぬけて、深夜の路をナイロビに向えば、間に合う。

恩地は、ポーターを連れて、樹林帯の道を下りはじめた。陽が暮れ、夕方の空に淡い星影が浮かび、やがて夜道になったが、一本道の下りであったから、恩地とポーターの歩く足音だけが、ひたひたと鳴った。空には満天の星が埋まり、さそり座の右手に南十字星が輝いている。星明りの道を急ぎながら、恩地は、ふと、日本にいた頃、白馬岳から星明りの山道を独り、歩いた時のことを思い出した。

*

会社の山岳部の仲間と年次休暇を取って白馬岳に登り、北アルプスの景観を楽しんで、白馬小屋に戻ると、下から恩地宛《あて》に電報が入っていた。

『シキュウカエラレタシ　ギョウテン』という電文であった。一体、どんな緊急事が起ったのだろうかと、恩地は、直ちに下山にかかった。

昼間なら、稜線から劔岳《つるぎだけ》が望まれるが、夜の闇《やみ》の中に雄々しい山容を消し、恩地は、星明りを頼りに、健脚で鳴らしたその脚で、八方尾根に向ったのだった。

その時も、今夜と同じように無数の星が燦めいていた。人類が生れる以前から光を放つ星空を仰ぎ見、何事かも解《わか》らず、電報一本で山を駈《か》け下りて行く自分の存在が、俄《にわ》かに微小で、はかないもののように思えたのを覚えている。

そして列車を乗り継いで、夜行で新宿駅に向ったのだった。

列車が新宿駅に到着すると、恩地はすぐ構内の赤電話から、行天の自宅へ電話をした。

「もしもし、僕だ、電報を見て急ぎ山から下りて来た、今、新宿駅だが、何があったんだ」

急込《せき》むように、聞いた。

「すまん、会社では話しづらいことなので、その足でうちへ来て貰《もら》えないか、朝食を用意しておくから」

「しかし、こんな朝早くに、奥さんに迷惑だろう」

会社の話は、人の家庭でしたくなかった。

「ワイフなら、何もかも承知だから、気にしなくていいよ、僕が駅の喫茶店へでも出向くべきだが、騒々しいし、人目もあるし……」

「じゃあ、そうしよう」

恩地は電話をきると、新宿から近い市谷《いちがや》の行天の家に向った。市ヶ谷駅から、十数分の距離だった。

半年前まで、行天も社宅住いだったが、建築会社を営む行天の妻の実家の援助で、市谷に一軒家を構え、新築祝いに一度、訪れたことがあるから、道順は解っていた。

緩い坂道を、牛乳配達の自転車が通って行くだけの静かな住宅街の中で、白い壁の瀟洒《しようしや》な行天の家は、際《きわ》だっていた。

ベルを押すと、蔓《つる》ばらが咲いている前庭に面した玄関のドアが開き、長身で、華奢《きやしや》な妻の麗子が、出て来た。

「あら、登山姿の恩地さんをはじめて拝見しましたわ、お疲れでしょ、どうぞ」

と内へ招じ入れた。国民航空の国際線を早くから飛び、辞めた今も、現役スチュワーデスの憧《あこが》れの的となっている洗練された雰囲気を身につけている。

「こんな早朝に、ご迷惑をかけます」

恩地が、リュックサックを玄関脇《わき》に置き、登山靴を脱ぐと、

「ご遠慮など、ご無用ですわ、洗面なさって下さい、その間に、朝食を作りますから」

と云《い》っていると、ポロシャツ姿の行天が、二階から降りて来た。

「ともかくさっぱりさせて貰おう」

恩地は、手早く顔を洗い、髭《ひげ》を剃《そ》ると、朝食のテーブルに、行天と向い合った。

食器棚には、麗子がスチュワーデス時代に買い整えたらしいローゼンタールの洋食器一式が並んでいる。

食卓にトマトジュース、フランスパン、マーマレードとバターが整えられ、いい匂《にお》いのプレーン・オムレツが、二人の前に運ばれた。

「奥さんの早業にはかないませんね」

「国民航空の客乗部で仕込まれただけですわ、美樹たちは、元気かしら」

麗子は、コーヒーを沸かしながら聞いた。

「ええ、いつか組合事務所へ手作りのクッキーをさし入れてくれた時、行天君に、奥

さんによろしくと云っていましたよ」

「あら、あなた、そんなこと話してくれなかったじゃないの」

美しいが、やや険《けん》のある眼を、ちらっと夫に向けた。

「単なる挨拶《あいさつ》など、いちいち覚えていられないよ、そう云えば、君が退屈しているから、たまに遊びに来てほしいと云ったかな」

「あら、私が退屈しているなんて、よくおっしゃるわね、あなたが組合一筋だから、太郎や利々《リリー》の幼稚園の送り迎えだけでも大へんで、ベビー・シッターに来てほしいくらいなのに」

転居と同時に、二人の子供はミッション系の幼稚園へ入れ、何かと大へんだということは、恩地も聞いていた。

「コーヒーは、応接間へ運んでおきますわ、おかわり用に電気ポットを持っていらして」

「解った、手間をかけてすまんな」

行天は、会社での振舞いとは別人のように妻の云うままに、席を応接間に移した。

「じゃ、恩地さん、ごゆっくりなさってね」

麗子は、こぼれるような笑みを見せ、子供たちの世話のために、二階へ上って行った。

「あいつには肩が凝る、僕は結婚前まで、朝食は味噌汁《みそしる》にあつあつの納豆ご飯だったのに」

嘆息した。恩地は、コーヒーを一口、飲み、

「大至急というのは、一体、何なんだ」

と促した。

「この間、依頼された君の後任の委員長立候補の件だ、心苦しい限りだが、あの話はなかったことにして貰いたい」

行天はそう云い、頭を下げた。

「なんだって？　何時間も話し合い、よし解ったと引き受けた、その舌の根も乾かぬうちに、前言を翻《ひるがえ》すとは、どういう理由《わけ》なんだ」

恩地は、詰問《きつもん》した。

恩地の任期は、この六月末日で一年の満期となるため、投票日の一週間前には、後任委員長の候補をたてねばならなかった。恩地は迷うことなく、この一年、副委員長として行を共にしてくれた行天に托すつもりで、登山前にさしで話をし、行天は「解った、僕も三千人の組合の委員長として、全力を尽すよ」と意欲的に立候補を、承諾

したのだった。

「今さら君らしくもない話だな、まさか会社側、堂本体制に弱腰になったのじゃあないだろうな」

恩地が、行天を見据えて云うと、

「親しき仲にも礼儀ありだ、言葉を慎んで貰いたい」

むっと、気色ばんだ。

「じゃあ、一体、理由は何なんだ」

「健康上の問題だ、このところ疲労感が一向にとれないので、君らが山へ行った日、会社の診療医の病院で診て貰ったら、どうも肝炎らしい、血液検査の結果はまだ出ていないが、医者が云うには、安静にして、気長に治すほかないらしい」

恩地は、妙な気がした。

「疲労困憊《こんぱい》しているのは、解るよ、しかし――」

「そうだろう、山で足腰を鍛えている君にして、最近、二晩、徹夜の会議が続くと、足腰がたたず、若い連中の手を借りて歩いているじゃないか」

確かに、恩地は疲労の極に達すると、筋肉が硬直したようになり、若い執行委員の肩を借りたことが、一度ならずあったが、管理職や役員と擦れ違う時は、歯を喰いしばって一人で歩き、いささかも弱みを見せなかった。

「行天君、検査結果も出ていないのに、肝炎らしいからと退《ひ》き下るのは納得し難い」

恩地が、はっきり云った時、ドア越しに麗子の、子供たちの名前を呼ぶ声が聞えて来た。

「実は云いにくいことだが、もう一つ、辞退の理由があるんだ」

行天は、ドアを眼で指し、

「ワイフがね、委員長に立候補すると話したら、組合活動は一年だけという約束でしよと、凄《すご》い剣幕でそれ以来、冷戦状態だ、その上、ついに離婚すると云い出した」

「まさか――、さっきだって、いつもと変らぬ行き届いた気遣いと笑顔だったじゃないか」

「そこが、スチュワーデス上りの外面《そとづら》の良さだ、立候補すれば、あいつは、本気で子供を連れて離婚する、普通の家庭なら、妻が出て行くところだが、うちの場合は、僕が建てた家じゃないから、どうなるか」

自嘲《じちよう》気味に、云った。

行天の妻の性格は、恩地も承知しており、健康上の理由はともかく、離婚云々《うんぬん》の話は真実味があった。恩地もさすがに黙り込んだが、時計は七時半を過ぎている。

「事情は解った、健康上の問題のみならず、家庭の事情があるのなら、何が何でもとは云えない、今日、書記長の桜井君らをまじえて、話し合おう」

恩地が云うと、

「頼む、是非、そうしてくれ」

行天は、面目なげな中にも、ほっと救われたように云った。

その夜、新橋駅近くの鰻屋《うなぎや》の小部屋で、会合がもたれた。

恩地、行天、桜井と、組織部長の沢泉の四人が坐《すわ》ると、狭苦しくなり、薄い壁越しに、酔いの廻った騒がしい声が聞えて来る。

「お待ちどうさま――」

鰻重と、肝吸いが運ばれて来た。

食事をすませると、恩地は今夜の本題に入った。

「委員長選の投票日を真近にして、行天君が立候補出来なくなったことは、会社側に知られてはならないし、組合員に知れても動揺が起りかねない、何としても今晩中に、打開策をたてよう」

と話を進めると、若い組織部長の沢泉は、

「今、組合の下部組織は、恩地体制が築いた民主路線を、さらに前進させようという積極性に乏しいですね、年末手当やベースアップの要求の時だけは、熱心に職場討議に参加し、スト権確立の投票でも九〇パーセント台の支持率が出ますが、要求獲得後は集会を開いても、参加者が少い、特に春闘のストの後は、水面下で会社側の懐柔工作が進んでいるのか、会社あっての社員などと、経営者のようなことを口にする者が出て来ています」

シビアな情勢分析をした。

「だからこそ、次期委員長の人選は大切だ、行天君がどうしてもたてないというのなら、桜井君、君しかいない」

恩地が、云った。桜井は現場の信望が篤《あつ》く、組合の仕事にも精通している。

「それは甘いです、私は地道で手固い書記長には向いてますが、三千人の組合をまとめて、引っ張って行く器量はありません」

技術者らしく、現実に即して、直截《ちよくせつ》に断った。沢泉組織部長は誠実で有能だが、入社七年で若い。

「行天君、今から新しい候補をたてるのは、無理だ、今日、明日に、入院治療というわけではないのだから、ここのところはやはり君が引受けてくれ、僕らで全面的に支え、負担をかけないようにする、これしか策はない」

今朝、行天の家で聞いた離婚話云々の家庭の事情も、曲げて頼み込むように恩地が云うと、

「僕が立候補を降りることで、迷惑をかけ、責任は痛感している、だが肝炎というのは表見《おもてみ》には解りづらいだろうが、厄介な病気で、委員長の激務には到底、耐えられない、そこで恩地君、たってお願いする、もう一期続投してくれ、あの手強《てごわ》い堂本労務担当に対抗するには、君をおいて他にない、この通り」

行天は、そう云うなり、畳に手をついて頼んだ。鼻っ柱の強い行天が、土下座せんばかりの姿であった。

「行天君、よせよ、僕は無断で、無投票当選の貼《は》り紙を出され、引っ込みがつかなくなり、一年だけという約束で、がむしゃらに働き過ぎた、その上、委員長に就任する直前に、希望していた予算室へ配属されたばかりで、職場にも迷惑をかけて来た、山へ登る前に、予算室長に、これからは仕事に専念しますと、挨拶したばかりだ、職場に戻り、仕事をしたい」

一年間、組合活動に明け暮れ、一日として気持の休まることがなかった恩地の、悲鳴に近い声であった。

長い沈黙が続いた。桜井のがっしりとした肩が動いた。

「恩地さんの気持はよく解ります、ですが、私たち技術者にとって、日進月歩の航空工学、整備の分野での一年の空白は大きいものです、私はそれに耐えて来ました、そして組合が危機にたちつつあることを知って、もう一年、耐える覚悟をしています、恩地さん、今、組合にとって、あなたの指導力と求心力が、不可欠なのです」

桜井の、技術者にとって一年の空白は大きいと云った言葉が、恩地の胸を衝《つ》いた。暫《しばら》く思い悩んだ後、顔を上げた。

「では私は続投する、桜井君、書記長として君の力を借りたい、そして行天君、君も副委員長に留任して貰いたい」

行天は、不満を押し殺し、致し方なさそうに頷《うなず》いた。

恩地は、予算室の仕事に心を残しながらも、二期目の委員長候補としてたつ羽目になった。

目黒《めぐろ》の恩地の社宅の玄関が、開いた。

「今晩は――、恩地君はいますか」

食後のあと片付けをしていたりつ子は、エプロンをはずして、玄関に出ると、曾《かつ》て同じ社宅に住んでいた労務課長の八馬忠次《はちうま》であった。

「まあ、お久しぶりでございます、主人はまだ帰っておりませんが」

「夕方、会社を出る時、予算室と組合事務所を覗《のぞ》いたんですが、今日はお帰りと聞いたので、ちょっとお寄りしたんですよ、たまたま、近くに用事がありましたんでねえ」

と云うと、のそりと上り込んだ。

「久しぶりに、ご母堂にご挨拶を——」

「姑《はは》は、主人の妹のところへ出かけておりまして」

りつ子は、八馬の馴《な》れ馴《な》れしさに、困惑するように云った。

「それなら、ちょうど恩地君に話しやすいですよ、帰るまで待たせて戴《いただ》きますよ」

と腰を据えた。りつ子が、紅茶を出すと、

「奥さん、咽喉《のど》が渇いていましてね、ビールの方が有難いんですがねぇ」

「すみません、主人は飲まない方で、置いておりませんの」

「そう云えば、そうでしたね、いや、失礼——、ところで恩地君も、やっと今期一杯で委員長の大任を果し、よかったですね」

「ええ、三百六十五日、組合、組合でしたから、ほっと致しておりますわ」

隣りの部屋から、二人の子供の声が聞えて来ると、

「これからお宅も、教育費や、何やかやで大へんですな、しかし今後は予算室へ復帰し、仕事に専念することになるのですから、楽しみですよ、もともと東都大学卒のエリートコースの人だから、後は課長、部長と、人並み以上に早く出世し、将来は役員間違いなし、奥さんも重役夫人というわけですね」

持てあまし気味のりつ子をよそに、独り喋《しゃべ》っていると、玄関の戸が開いた。

「やあ、恩地君、遅かったね、どこかで会合でもあったのかい？」

りつ子より先に、八馬が声をかけた。

「何か、お急ぎの用件でもあるのですか」

「近くに用事があったので、寄ってみただけだ、この一年、ご苦労だったね、これでやっと重荷を降して、仕事に打ち込めるわけだからねぇ、私は君に委員長を押しつけた責任を感じて、気にしていたんだよ」

社内の掲示板に、恩地に無断で執行委員長候補の貼り紙を出し、抜きさしならぬ結果を作った張本人でありながら、八馬は平然として云い、

「ところで、次の立候補者は、誰に決まりそうなのかね」

細い眼を、ぴかりと光らせた。やはり八馬は探りを入れに来ているのだった。

「さあ、どうでしょうか、体力のいる役目ですから、若いリーダーが出てくれることを期待しているのですが」

「ほう、そういう候補が出現したというのかね」

体を乗り出した。

「そうあればと、云っているだけですよ、先週末から山へ登り、今日、出社したばかりですから、どうなるのか、解《わか》りませんよ、課長はそれを聞きに、わざわざおいでになったんではないでしょうね」

恩地自身が立候補せざるを得なくなった結果など、気振りにも出さずに、八馬を見《み》遣《や》ると、

「まさか、労務課長たる私が、なんでそんなことを——、先輩として、ご苦労さまと犒《ねぎら》いに寄った気持が解らんのかねぇ、久々に、うち解けて話でもしようと思ったが、遅いことでもあるし、失敬しよう」

八馬は、そう云い繕《つくろ》い、そそくさと帰って行った。

りつ子は、玄関の戸締りをすると、

「あなた、やっとゆっくり出来るようになるのね」

夫のスーツを、ハンガーにかけながら、笑顔を向けた。

「いや……実は、もう一期やることになった」

「えっ、一年だけという約束だったじゃありませんか」

りつ子の表情が、曇った。

「だが、万止《や》むを得ざる事態が起ったんだ、我慢してくれ」

と云い、行天の立候補辞退の顚末《てんまつ》から、自分がもう一期、務めねばならぬ事情を説明すると、

「健康なら、あなただって、随分、悪いじゃないですか、いつも人の幸せとか、家庭の団欒《だんらん》を口にしながら、うちの家庭はどうなの、日曜日も休めず、子供の運動会だって行ってやれないじゃないの、あなたは口先ばかり！」

日頃は、姑《しゅうとめ》がいる手前、耐えていたものが、爆発するように詰《なじ》った。

「いい加減にしろ！　委員長を降りたいのは、誰よりもこの俺だ！　黙れ！」

りつ子を怒鳴りつけるなり、裏庭に出た。母のささやかな趣味の鉢植が並んでいる。

学生運動で母を心配させただけに、入社して十年間は仕事に専念するという自身の誓いを、八馬忠次によって潰《つぶ》され、一期のみという約束の委員長を、ついさっき、引受ける羽目になった。行天のように、何故《なぜ》、徹頭徹尾、辞退出来なかったのか。再び団交、団交で、あの不気味な鵺《ぬえ》のような堂本労務担当と対決する日々が続くのかと思

うと、大声で喚《わめ》きたい衝動に駆られた。

高く澄みきった空に、鱗雲《うろこぐも》が浮かび、秋風がたつ季節になった。

国民航空では、年末に向けての団体交渉がはじまり、既に半月が経過していた。労使双方、主だったメンバーは変らず、互いに相手を熟知している。

この一年で、桧山《ひやま》社長はめっきり白髪が増えていたが、相変らずのヘビースモーカーで、新しいピースに火を点《つ》けながら、

「君らも、これだけ団交を重ねていると、会社経営の難しさは解ってくれると思うがねぇ、どうしていつも無理無体な要求で、団交を長びかせるのだ」

長嘆息し、

「今年度の赤字は、国内線はともかく、ヨーロッパ南廻りの国際線が足を引っ張り、三十億もの欠損の見込みで、一方、政府に七十億の補助金を要請している、その時期に、年末手当四・二ヵ月など不可能で、前回の回答通り二・五ヵ月が、譲りに譲った線だ」

頭から云《い》ってのけた。

「会社側が組合の要求を値切る口実は、いつも赤字と国の補助金云々というきまり文

句です。年末手当四・二ヵ月の要求に対して、二・五ヵ月という回答はあまりに組合を見縊《みくび》ったもので、到底、承服できません」

恩地は、強い語調で云った。組合要求の半分程度の二・五ヵ月という回答は、会社側の組合への挑発であると思えた。桧山社長の考えというより、堂本労務担当の戦術で、不満を唱える組合側をストの方向に走らせて、どの程度、スト権を行使できるかを、見定めようと意図していることが、この間の団交で、読めた。

その堂本労務担当は、桧山社長と恩地とが話している間は、まるで他人事《ひとごと》のように、天井を見上げている。

「労働協約の延長については、どうお考えなのですか」

挑発に乗らぬよう、恩地は、鉾先《ほこさき》を労働協約に転じた。昨年の十一月闘争では、組合は圧倒的に有利な協約を締結したが、有効期限は一年間であった。そこを会社側は見逃さず、去る九月十日に、労働協約の改訂を申し入れて来たのだった。組合側は諒承《りょうしょう》し、改訂案なるものを待ったが、何の音沙汰《おとさた》もないまま、有効期限の十月三十一日が過ぎ、目下、無協約状態が続いているのだった。

桧山社長に代って、堂本労務担当が、徐《おもむ》ろに口を開いた。

「労働協約は、大事な問題ですから、慎重にやろうということです」

「大事な問題だというご認識があるなら、組合側が延長を要求すれば、速やかに合意されれば、いいではないですか」

恩地は、迫った。

「現在、検討中ですから今暫く、お待ち願いたい、一年もかかりません」

「会社側が改訂したいと云われるからには、どこをどう改訂したいのか、具体案があるはずです、九月十日に申し入れられたのですから、一つや二つの具体案はお持ちでしょう」

「そう云われると、申しわけないが、具体案はまだ出ていません」

「また話がそこへ戻って来るわけですか、労働協約は、会社と組合の権利、義務を定めている以上、一方の権利が強くなれば、他方が弱くなることは明らかですね」

「それはそうです」

堂本の答えは、素っ気なく短い。

「会社が改訂したいと云われるのは、組合の権利を大きくしたくないということでしょう」

「まあ、出してみないと解らない……」

「それも出していないのですか」

「そんなわけでもありません」

どこまでも、人を喰った生返事であった。

「堂本取締役、いい加減にして下さい！　無協約状態は、昨年、労使双方で労働協約を締結した時の精神に悖《もと》るものです、可及的速やかに現行の労働協約の延長を受け入れられるべきです」

「――」

「黙っておられては解りません、受け入れられるのか、拒否されるのか、お答え下さい」

「まあ、お断りするというわけです」

抑揚のない語調で云った。

恩地は、腸《はらわた》が煮えくりかえった。行天以下の執行委員たちも、憤《いきどお》った。

「今日の団交は、これまでとします」

恩地は、打ち切った。

その後の団交でも、遅々として進まなかった。組合事務所で一同は、いきりたっていた。

「このままでは、堂本暗黒政治だ！　ストをやれるものなら、やってみろと云わんばかりの態度だ、黙って引っ込むことはない」

「そうだ、スト権確立の全員投票をやれば、支持率一〇〇パーセントだ！」

「静かに――」

恩地は一同を抑え、行天副委員長と桜井書記長に、

「どう考える、ここのところは」

と聞いた。

「直ちに各支部で職場集会を開いて、今日の団交の経緯を説明する、ストしかないだろう」

行天は、強気に出た。桜井書記長も、

「相手の術《て》に乗りたくはないが、私もやはり、スト権行使による正面突破しかないと思います、それとも恩地さんは、格別のお考えがあるのですか」

「ストを決行しないで、理不尽な会社に打撃を与え、要求を勝ち取れないものかと考えている」

春闘で、十二時間ストを打った時の影響を、恩地は考えていた。

航空業界初のストは、一糸乱れず突入したが、ストの後に一枚岩だった執行部に、少なからぬ痼《しこり》を残したことも事実だった。自分が二期目の委員長を引き受け、その痼

の修復に全力を傾けて来たが、会社側の挑発にのって、スト突入の事態になれば、どこで巧《うま》く決着をつけるか、容易に見通せない。今度、ストに突入すれば、中途半端《はんぱ》なところで退《ひ》くわけにはゆかず、第二波、第三波とさみだれ式に打って行かねばならないことは、目に見えている。会社側の回答が、あまりに要求とかけ離れすぎていることを考えれば、堂本労務担当が〝泥沼スト〟に誘導しようとしていることは明らかであった。

「ストなしで、どうやって要求を勝ち取るのです？」

桜井書記長が云った。一同も答えを待つように恩地を凝視した。

「首相フライトを戦術として使うのだ」

恩地が云うと、一同は、息を呑《の》んだ。池内首相は、十一月六日に欧州七ヵ国の訪問の旅に出発している。

「つまり、池内首相が五日後の二十五日に帰国する機を止めるというのか」

行天が、昂《たかぶ》った声で云った。

「凄《すご》い発想だ、首相が乗った特別機を帰せなくするのですね、そんなことになれば、桧山社長の首は飛び、堂本も同様だ」

沢泉組織部長も、昂奮《こうふん》して云った。

「そのかわり、私及び執行部も同罪だよ」

恩地は、一同を見廻し、

「首相フライトに、ストをぶつけて交渉するのは、あくまで戦術なのだ、もし、ほんとうに首相フライトを阻止すれば、世論の指弾を受けるのは、会社側ではなく、組合だ、そんな自ら墓穴を掘るようなことは、絶対、してはならない」

恩地の一語一句に、全員が耳を欹《そばだ》てながら、〝自ら墓穴を掘るな〟という言葉が、強く響いた。

午後からの団交を前に、恩地は組合事務所で、新聞を読んでいた。

〔ローマ発〕池内首相は二十一日午前十時三十分、バチカンを訪問、法王ヨハネス二十三世と会見した。午後は来月開館予定の日本文化会館を夫人、令嬢らとともに訪れ、夕刻、国内外記者団と会見の予定。これでローマにおける一切の行事を終り、二十二日、最終訪問国であるオランダのアムステルダムに向う。

「あら、素敵ですね、首相令嬢」

お茶を運んで来た女性職員が、掲載されている写真を、覗《のぞ》き込んだ。ヨハネス二十三世をまん中にして首相夫妻、大使、令嬢が正装で写っている。振袖《ふりそで》姿に、頭から白いヴェールをかむった首相令嬢は、華麗だった。

「うむ、きれいだね――」

恩地はお茶を啜《すす》り、新聞を閉じた。

団交は、険悪な空気に包まれていた。組合側の要求である年末手当四・二ヵ月、労働協約の一年延長の二本柱が、前回同様、拒否されたのだった。

「前回の回答に、何とか上乗せしたかったんだが、政府に多額の補助金を申請している状態では、不可能だ、来年は喜んで貰《もら》えるようにするから、今年は一つ、これで収めてくれ」

桧山社長が、云った。

「年末手当四・二ヵ月の要求に対して、二・五ヵ月、労働協約の延長も拒否では、話し合う接点すらありません」

恩地は、組合に対する挑戦的ともいえる低額回答に、怒りを籠《こ》めた。

「そう云うな、管理職に、前年度より抑えた額で納得させているのだから」

「管理職を下げて欲しいなどと、云っておりません、一歩たりとも譲歩して戴けないのでしたら、スト権を確立していますので、明後日、ストに突入します」

ずばりと云うと、

「え、明後日というと、二十五日——」

桧山の表情が、動いた。

「二十五日は、池内首相が欧州各国の歴訪から帰国される日だ——、それは避けてくれ」

「避けろといわれましても、会社が組合を、ストをやらざるを得ない方向へ、追いやっているのです」

「だが、何もわざわざ、首相フライトがある日に、ストをぶつけることはないだろう、要求が通らないからといって、首相フライトを狙《ねら》って、ストを打つなど、卑怯《ひきょう》極まる」

桧山は、強い口調で詰《なじ》った。居並ぶ労務部関係者も、一斉に非難の眼《まな》ざしを向けたが、堂本労務担当は、恩地たちの動きを予見していたように、動じる様子もなく、黙り込んでいる。

「お言葉ですが、われわれの組合活動は、会社側の回答以外のこととは一切、関係ありません、明後日のスト決行は、会社回答があまりにもわれわれの要求とかけ離れた不誠実さによるもので、首相フライトと重なったとすれば、偶然という以外ありません」

「何が何でもストを構えて、首相フライトを止めるつもりか、君らはそれがどんな由々しき重大事か、解っているのか」

重ねて桧山が云うと、黙り込んでいた労務担当の堂本が、不意に発言した。

「どうしても首相フライト到着日に、ストを決行するというなら、致し方ありません、やればいいでしょう、管制塔は運輸省直轄《ちょっかつ》、着陸誘導をはじめ、お出迎え態勢は、各部署の管理職を総動員すれば、スト決行中であっても、首相フライトは恙《つつが》なくお迎え出来ます」

堂本は、落ち着き払って云った。

「そうですか、それを伺って安心しました、私たちは首相フライトを阻止するなど、本意ではありませんから、当日はよろしくお願いします」

堂本と恩地の応酬が、火花を散らした。

「二人とも、待て」

桧山が、割って入った。

「飛行機が無事に着陸する、しないの問題ではない、赤旗が林立する空港に首相一行を迎えられると思っているのかね、冷静に考え給え」

社長である自分の責任問題に直結する重大事だけに、桧山の顔は紅潮しはじめた。

「それほど社長がおっしゃるのでしたら、われわれの要求を真剣に考慮して下さるべきです、目下の会社回答は、異常な低さで、ここまでくると、悪意でもあるのかと疑念を持つほどです」

「邪推だ、今後の長期計画に備えて、正真正銘、会社は苦しいのだ、だが、君らの要求にもっともな点も認められるので、ここはもう一度、考え直してみよう、しかし年末手当四・二ヵ月は到底、出せんぞ」

「では、何ヵ月なら、可能なんですか」

「それは計算し、いろいろ折衝しなければ、即答出来ん」

「しかし、われわれが要求を出して、既に相当、日数が経過しているのですから、おおよその見当はつけられるはずです、団交を長びかせないためにも、この場で回答して下さい」

恩地は、ここぞとばかりに、押した。

「――そうだな、何とか三ヵ月の線に持って行けるように、努力はしてみよう」

桧山の額に、汗が滲《にじ》んでいた。

「次に労働協約については、一年延長をお認めになりますね」

「そう一度に云われても、困る、労働協約は、別の機会に話し合うことにしよう」

労働協約の話になると、桧山はぬらりと逃げをうった。

「しかし、この件は、会社側から九月に改訂したいという申し入れがあったのですよ、改訂したいと申し入れられた以上、具体案はあるはずで、それを先日来の団交の席で伺っているのに、検討中と繰り返されるだけでは、本気で改訂するおつもりなのか、あるいは去る十月三十一日で期限切れになり、無協約状態になっている事態を、この先もずるずると引き延ばして行くのが狙いなのかと、考えざるを得ません、もし無協約状態を引き延ばして行くためだとすれば、労働協約は、労働者のいわば憲法ですから断固、闘います」

恩地が、覚悟をもって迫ると、

「それは諸君らの考え過ぎだ、昨年十一月の交渉で、時間切れのせいもあって、組合側の言い分を一方的に呑んでしまったことに対する反省があるから、会社側にも考えさせてくれと云っているんだ、必らず納得のいく回答を用意するから、信頼してくれ」

と云った。恩地は、

「解《わか》りました、そこまで云われるのでしたら、われわれは社長の今のお言葉を信じ、次回の回答をお待ちします、明日、お返事戴《いただ》けますね」

池内首相一行が帰国する前までに、回答を得ておきたかった。

「明日は、航空特別審議会で航空三社の社長が呼ばれているから、時間はとれん、明後日、二十五日でどうだ」

「当日は、首相が帰国される日ですが、社長はお差し支えないのですか」

念を押すと、

「首相フライトの到着時間は、午後八時の予定だから、正午までなら体が空けられる、早目に、団交を開くことでどうだ」

恩地は、行天、桜井、沢泉らと顔を見合せた。三人とも複雑な表情を浮かべながらも、頷《うなず》いた。

「では、当日は正午で時間切れということにならないよう、午前八時からお願いします」

桧山社長の提案を、受け入れた。

〔ハーグ発〕オランダ訪問中の池内首相は、ドケイ首相と会見し、相互貿易の促進、および日本と西ヨーロッパ諸国の経済関係の強化が、両国にとって有益であるとの合意に達し、共同声明を発表した。その後、スーストダイク宮でユリアナ女王に謁《えつ》見《けん》、女王主催の昼食会で、ベアトリクス王女の日本訪問が話題となり、両国間の友好関係が深められることとなった。なお首相一行は、二十四日午後、アムステルダム空港を出発し、帰国の途につく予定。

新聞各紙に池内首相の訪欧の成果が報じられている日、国民航空では早朝から、団交が開かれていた。首相フライト到着時刻は午後八時と予定通りであるから、労使双方が席に着くなり、桧山社長が口を開いた。

「会社側回答をお伝えします、年末手当は二・五ヵ月プラス一律八千円。諸君らが常日頃、口にする、上に薄く、下に厚くというモットーに沿って、一律八千円を上乗せしたことで、会社側の誠意を汲《く》んで貰いたい、労働協約の改訂は首相フライトの多忙な時期なので、具体案を出すに至らなかったが、引き続き検討する」

スト予定日を、団交に切り替えたこれが回答なのか——。恩地の、堪忍袋《かんにんぶくろ》の緒が切れた。

「社長、われわれを謀《たばか》ったのですか!」

「謀るとは、聞き捨てならん、失敬じゃないか!」

桧山は、大声で切り返しながらも、表情に落ち着きがなかった。

「前回、社長は年末手当は三ヵ月の線を努力し、労働協約は納得のいく回答を示すから、信頼してくれと云われたので、本日のストを回避して団交に臨みました、にもかかわらず、会社はわれわれの信頼を裏切り、欺《あざむ》きました、今日の団交は、ストをさせないための方便だったのですか」

「まあ、そういきりたつことはないだろう、堂本君、誤解のないように説明してやってくれ」

狼狽《ろうばい》をおし隠し、堂本を促した。

「年末手当二・五ヵ月プラス一律八千円の上乗せは、実質的に三ヵ月を超える回答です、社歴の浅い組合員の場合では三・二〜三・三ヵ月分となり、組合側の要求とそれ程、隔りのない回答だと思います」

堂本は、素っ気なく答えた。

「詭弁《きべん》は止《や》めて戴きたい、ここまで侮《あなど》られては、午後からでも、スト決行を申し入れたいところですが、報道各社を通して今日はしないと言明した以上、乗客の迷惑を鑑《かんが》み、控えます、明日、二十四時間ストに入ります」

恩地は、宣言した。

明日のスト決行が、直ちに全国各支部へ通達された。

昨年より一ヵ月低い回答のまま、進捗《しんちょく》しない団交に、歯嚙《はが》みしていた各支部は、直ちにスト準備に入った。

桜井書記長は、空港支部の組合員たちに、

「明日のスト準備にばかり気を取られず、今夜、到着の首相フライトに細心の注意を払ってくれよ、些細《ささい》なミスでも、会社側から意図的だと取られるから、万全を期してくれ」

と注意すると、組合員たちは、

「よく解っていますが、警察庁、警視庁挙げての厳重な警備体制で、動きづらいといったらありません」

「その上、公安の私服刑事らしいのが、関係者以外立入り禁止の区域にまで入り込んで、迷惑この上ないですよ」

空港周辺のものものしさを伝えた。

恩地の前の電話が鳴った。受話器を取ると、

「八馬だ、即刻、団交を再開したいから、会議室へお集り願いたい」

八馬労務課長が、昂奮した甲高い声で云った。

「三時間経《た》つか、経たずで、即刻とはどういうことなんですか」

「国家的重大事発生だ、社長以下会議室へ向われたので、そちらも急いでくれ給え」

と云うなり、電話を切った。

「国家的重大事――」

恩地は首をかしげ、

「即刻、団交を再開したいという申入れだ、何か見当がつくかい」

行天と桜井に云うと、

「一体、何事が――」

二人とも驚いたように云った。しかし、八馬の昂奮しきった声を思うと、何事か、異常な事態が起っている様子であった。

再び、電話のベルが鳴った。

「桧山社長がお待ちかねだから、急いでほしい」

慌《あわただ》しく、八馬が告げた。既に、社長が団交のテーブルについていると云《い》うからには、よほどの事に違いなかった。恩地は、行天と桜井と共に、急いで出向いた。

「え？　首相フライトが、明日に延期――」

恩地は、桧山の言葉に、絶句した。

「私も、驚いている――」

桧山は、ふうっと大きな吐息をついた。

「つい先程、アムステルダム空港が濃霧のため使用不能になったと、連絡が入って来た、予想もしなかったことだから、明日の二十四時間ストは、中止にして貰いたい」

まだ驚愕《きょうがく》が醒《さ》めぬように云った。恩地の胸に怒りが、こみ上げて来た。行天も、桜井も、気色ばんでいる。

「スト指令を出して三時間になります、桧山社長の言葉を信じて、われわれは、今日、予定されていたストを中止して、団交に臨みました、その結果が、先程のような全く誠意のない回答で、やむなく、スト決行の指令を出し、今また首相フライトの到着が明日に変更のため、再びストを中止せよなどとは、到底、受け入れられません」

「天候によるフライトの変更だ、航空会社の組合らしい良識と理解を示して貰いたい」

　桧山は、当然のことのように云った。

「われわれに譲歩を求める前に、会社側の誠意を示されるべきでしょう、いかに天候が原因とはいえ、誠意ある回答を示さず、一方的に組合に譲歩を求める会社側に対し、われわれはこれ以上、譲れません」

　恩地が、腹を決めて云うと、堂本労務担当は、

「では、本気で首相フライトを止めると云うのですか」

　いつもと同じ抑揚のない語調で云った。

「再度、答えます、首相フライトを止めることが目的ではありません、会社側回答を不満として、予定通り、明日、午前零時から二十四時間ストに突入します」

　恩地は、凄《すさ》まじい形相で云った。

*

　桧山社長は、運輸省の次官室に呼びつけられていた。

　小暮《こぐれ》次官は、細身で華奢《きゃしゃ》な体つきに似合わぬ実力次官であった。航空局長も同席していた。桧山の姿を見ると、

「濃霧で、首相が帰国されるのが、明日に延期と決ったにもかかわらず、組合がストを打つという情報が入っていますが、事実ですか」

と質《ただ》した。

「実は、二十四時間ストを通告して来ています」

桧山が体をすくめて答えた。

「現在、首相官邸を中心にして、外務省、警察庁まで事態を深刻に受け止め、当の運輸省は身のおき場もない、うちの大臣は顔を青くして、この間、あれほど桧山社長に、組合を甘やかすなと注意したばかりなのにと、顔色をかえておられますよ」

「重々、承っておりながら、組合を抑えられず、申しわけありません」

「今さら申しわけないも、何もないでしょう、ストを回避する手段を講じることです、その目算は、おありでしょうね」

一語一語が、突き刺るように鋭い。桧山が口ごもると、

「一国の首相が、自らのナショナル・フラッグ・キャリアのストのため、帰国できないということになれば、現内閣の問題として重大事になることは、御承知のはずです、一刻も早くストを中止させることです」

「早速、団交を再開して、明日の二十四時間ストを回避するべく、全力を尽します」

「万一、回避できない場合は、官邸からアムステルダムへ、一日、滞在を延長して戴きたい旨《むね》、連絡を入れねばならず、そんなことになれば、事態の重大さは測り知れない、桧山さん、何としてもストを止めることです、組合の要求する年末手当でも、何でもまる呑《の》みして、電光石火に中止、そのためには、運輸省は、年末手当の予算がオーバーしても認めます、いかなるバックアップもするから、絶対、ストを止めて貰《もら》いたい」

迫るように云い、同席している航空局長に、

「君ぃ、日頃の監督が甘いよ、直ちに打開策の相談にのって、事態を収拾することだ」

厳命した。

十一月二十六日、午前零時から決行されたストは、正午で打ち切られた。労働協約に関しては、時間切れだったが、年末手当は、昨年を下回らないとの確約を得たからだった。

直ちに組合の旗も、組合員の腕章姿も消えて、通常の空港に戻った。

首相を乗せた特別機は、定刻通り、16番ＶＩＰスポットに、到着した。直ちにタラ

ップが付けられ、毛氈《もうせん》が敷きつめられた。

扉が開き、池内首相が姿を現わすと、待機していた臨時首相代理、政府、与党首脳をはじめ、ヨーロッパ七ヵ国の駐日大使が出迎え、国民航空の桧山社長も何事もなかったように列に並んだ。

池内首相は、同伴の夫人、令嬢と共に、タラップの上で手を振ってから、降りて来、出迎えの一人一人と握手をした。特に訪問国の各国大使とは、鄭重《ていちよう》な挨拶《あいさつ》を交した後、専用車で、空港ビルのVIPルームへ向った。

二階のVIPルームには、共同記者会見用のテーブルがしつらえられている。首相就任後初の渡欧で、記者たちは五十人以上、集っている。

カメラのフラッシュの中、池内首相は、トレードマークの鼈甲《べつこう》縁の眼鏡を光らせ、マイクの前に坐《すわ》った。

「今回の訪欧は、各国首脳と忌憚《きたん》のない意見を交換し、〝ヨーロッパへの道づくり〟をするという、所期の目的を達成することが出来ました。フランスで、ドゴール大統領と会見し、日仏共同コミュニケを発表した成果は、大であります。これまで不平等であった日仏経済関係の門戸を開き、日本のOECD（経済協力開発機構）への加盟の支持を得ました。また各訪問国で、トランジスター・ラジオ、カメラ、オートバイなど日本製品に対する評価は極めて高く、今後の貿易促進に寄与すると信じます」

自信に満ちた口調でまくしたてた。毎朝新聞の名物記者が、手を挙げた。

「首相、失礼ですが、向うの新聞によると、ドゴール大統領は、首相のことを〝偉大なるセールスマン、トランジスター首相〟と評したそうですが、その点、いかがですか」

と質問した。同席している政府首脳たちは、困惑の表情を浮かべたが、池内首相は、

「就任以来、高度成長、貿易振興を促している私は、自ら各国の首脳にトランジスター・ラジオを手土産に持って行って売り込んだのだから、〝偉大なるセールスマン、トランジスター首相〟と云われるのは、大いに有難いことだよ、それだけ成功したということじゃないかね、あっはっはっ」

長途の疲れも見せず、上機嫌で次々と質問に応じていた。

首相の上機嫌と、記者会見の盛り上りを眼にした桧山は、胸をなで下した。午前零時から、正午までのスト中は、万々一、首相フライト到着の午後四時までに収拾がつかなければ、どうなることかと、はらはらし通しだったが、正午で解除となったため、無事に首相を迎えることが出来たのだった。

ぽんと肩を叩《たた》かれ、振り返ると、運輸大臣が眼で合図し、目だたぬように廊下へ出

た。桧山も後に続くと、

「近くに、空き部屋は？」

小声で聞いた。斜め向いにもう一つ、ＶＩＰルームがある。桧山がその扉を開けると、大臣は滑り込むように入るなり、

「社長たる者、なぜ、首相フライト阻止のストを止めさせられなかったのだ！」

頭から、一喝した。

「え？　ストは正午で解除され、首相はこのように恙《つつが》なくご到着になりましたが――」

「当日、ストを打つなど阻止したも同然だ、昨夜から、警察庁、警視庁は厳戒態勢で空港周辺、所沢、羽田の管制塔を警備し、運輸省幹部も国鉄や、海運の担当問題を棚上げにして、首相フライトにかかり切りになっていたんだぞ！」

大臣は、怒声を放った。その剣幕に桧山は返す言葉もなく、

「ご迷惑をおかけし、申し訳ありません」

と、謝罪した。

「明日になれば、首相の耳にも入り、容易ならざることになるだろう、この四月、私の事務所に呼んで、君の労務対策の甘さを注意したのに、この様《ざま》だ、もう君には任せ

られん」

叩きつけるように云うなり、記者会見場へ戻って行った。

年が明け、三月中旬に、国民航空法が改正され、政府の人事介入が強化された。運輸省から小暮次官が顧問として天下り、前年、郵政省、大蔵省から天下っていた取締役が常務に昇格した。

一方、日本経営者連合会から〝財界の労務部長〟と云われ、労務対策のベテランである呉植《ごうえ》専務理事が、送り込まれることに決った。

五月二十六日、国民航空本社で株主総会が開かれ、新任取締役の就任が議決されると、直ちに役員会が開かれた。

天下り役員四名を含む十七名の役員たちは、広い会議室のテーブルを囲んだ。生え抜きの役員たちにとって、天下りを迎えることは、咽喉《のど》にものが支《つか》えるような違和感を覚えたが、桧山社長はいつもと変らぬ飄々《ひょうひょう》とした表情で、

「只今《ただいま》、株主総会が無事に終了し、不肖、私が社長に留任しましたので、私から新しい役員の紹介を致します」

と云い、小暮顧問と呉植専務を紹介し、次いで取締役から常務に昇格した三名を紹

介した。そこには、堂本信介も入っていた。

「新役員を代表して、〝財界の労務部長〟の名を馳《は》せておられる呉植さんから就任のご挨拶を一言——」

桧山が云うと、呉植は、ゴルフ灼《や》けした真っ黒な顔に、白い歯を見せて、体を乗り出した。

「乗る側とばかり思い込んでいた私が、航空会社へ入るとは、思ってもみませんでしたが、本音で挨拶させて戴きます。私が日本経営者連合会から、国民航空入りをしたのは、池内首相のみならず、心ある財界人も、眉《まゆ》を顰《ひそ》めているストライキを防ぐためです。替りのない空の交通機関であるにもかかわらず、電力、ガス、水道のように公益事業と明記されていないのをいいことに、ストを打ち、首相フライト阻止をもくろむ過激派の組合は、次は天皇フライト阻止をも辞さず、闘争を激化させて来るに決まっている。要求のために、ここまでやる組合は共産党系であり、放置しておくことは断じてならんのであります——」

弁じたてるほどに、声に熱が帯びた。三年前の五池炭鉱の大争議で、左翼系組合を潰《つぶ》し、御用組合を勝利に導いた実績を持っている呉植だけに、役員たちは、しんと聞き入った。

「しかし、呉植さん、うちの組合は共産党系ではありません、これだけ組合が一気に強くなったのは、元を正せば、給与水準が低過ぎたせいで、一部、過激分子もいるでしょうが、今のところは賃金闘争の範囲内だと思いますよ」

桧山は、自身の保身を籠《こ》めて、やんわり反論した。

「ですが、国民航空は今では、一部上場会社の平均給与と遜色《そんしょく》がないのに、まだ不満でスト戦術を強行するのは、どういうことです？　社長の立場上、うちは企業内組合と云いたいお気持は解《わか》りますが、三十億の赤字が出ているにもかかわらず、聞く耳持たずで、取れるだけ取ろうという姿勢は、会社の将来など考えない典型的な共産党系組合ですよ、堂本君、どうだね」

呉植が云うと、労務担当の堂本は、

「すぐにというのは、得策ではない気が致します、暫《しば》く様子を見られてからというのではどうでしょう」

「そうだな、じゃあ当分はじっくり観察し、その時を待とう」

首実検を、娯《たの》しむように云った。

「まさに、政官財あげての介入ですね」

「全くなりふり構わぬ露骨な労務体制を敷いたものだな」

組合事務所で、執行委員たちは、新経営陣の顔ぶれに見入っていた。

「私が委員長候補で、こんな強力な経営陣と対峙《たいじ》して、太刀打ちできるでしょうか」

恩地執行部で二期、組織部長を務めた沢泉正夫が、呟《つぶや》くように云った。浅黒い顔に、眼元が涼しく、清廉《せいれん》な人柄が滲《にじ》み出ている。

「確かに大へんな事態だが、君が次期委員長候補にたたずして、誰がたつのだ」

恩地は、自分の後継者としてこの一年、育てた沢泉を力づけるように云った。

「そうだとも、執行部の全員が、君を支持しているのだから、大いに自信を持って貰いたい」

桜井書記長も、力強く励ました。

「それはよく承知していますが、組合の中には、運輸省の小暮次官や日本経営者連合会の呉植専務理事が、役員として乗り込んで来、これからどうなるのだと不安に駆られ、もう一期、恩地体制でなければ乗り切れないという声が、強いのです」

「それを云ってたら、組合執行部は、いつまでも成長ということがない、後継者をつくるのが、現執行部の責任でもあるのだ、われわれが御用組合から脱して、民主的な組合を目指した初心を忘れず、組合員の団結を図るためには、常に〝清新〟であることが大事なんだよ」

恩地はそう云い、

「今度の経営陣のやり方は、われわれを、首相フライトを狙《ねら》ってスト・スケジュールを組み、首相フライトを阻止したと、でっち上げ、そんな闘争至上主義のアカ組合は、断固排除すべしと攻撃をかけて来るだろう、一旦《いったん》、アカ、革命分子というレッテルを貼《は》られると、それを標的にしてどんどん、攻撃して来るのが、彼らの術《て》だ、したがって、沢泉君をたてて、新路線を打ち出すことが、向うの攻撃を躱《かわ》し、目論見《もくろみ》を挫《くじ》くことになる」

沢泉新執行部体制の必要性を説いた。教宣部長は、

「なるほど、恩地委員長の云われる通りだ、曾《かつ》て日本経営者連合会の〝戦う労務部長〟と云われた呉植は、五池炭鉱の争議の際、組合に〝共産党分子のアカ組合〟というレッテルを貼り、組合員の嫌気を誘って、殲滅《せんめつ》した実績の持主だ、まんまと、その術《て》に乗らぬことだ」

と云うと、恩地は頷《うなず》き、

「沢泉君、怯《ひる》まず、予定通り、委員長に立候補してくれ」

決意を促すように云《い》うと、他の執行委員たちも、同じように励ました。

「あれ？　行天副委員長は、まだですね」

賃金対策部長が、はじめて気付いたように云った。

「そう云えば、昨日も姿を見かけなかったなぁ、どうしたんだろう」

「実は、行天君は入院したんだ、本人の希望で黙っていたんだが――」

恩地がやむなく云うと、

「え？　入院、一体、どうされたのですか」

「過労で、肝炎の再発らしい」

「へえぇ、つい一週間前、新聞記者相手に、予想される新経営陣について、彼流のユニークなコメントをしていたばかりなのに」

執行委員の一人が、首をかしげるように云った。

「過労といえば、恩地委員長の方が、よほどきついはずですよ、徹夜が続くと、歩くのがやっとという状態を隠しておられるし、皆、心配しているのですよ」

沢泉が案じるように云った。

「僕は元来、風邪一つひかない頑健な質《たち》で、酒は飲まないから、二、三日体を休めれば、すぐ回復するんだよ」

「酒のことを云われると、耳が痛い」

集っている執行委員たちは、苦笑した。

「じゃあ、沢泉君、次期委員長に立候補の肚《はら》は固ったろうから、明朝、貼り紙を出すよ」

桜井書記長が云うと、沢泉は決意するように姿勢を正し、用意された立候補届け出の用紙に、署名、捺印《なついん》した。

恩地は、自分は、桧山社長と堂本労務担当を相手にすればよかったが、沢泉は、政府が労務対策強化のために送り込んで来た経営陣と対峙しなければならぬ立場に曝《さら》されることに、心が痛んだ。

沢泉は、印鑑を内ポケットにしまうと、

「恩地委員長、お願いがあります」

ひたと、恩地の顔を見た。

「何だい、急に改って――」

「何分にも若輩の私ですから、恩地さんと桜井さんに、評議員として、執行部に残って戴《いただ》きたいのです」

「そんな肩書など無用だよ、こんな重大な時期に、君に委員長を任せる以上、今後も陰から桜井君と共に、君を支えるよ」

恩地が云うと、傍らの桜井書記長も、

「当然のことだ、肩書などにこだわるな」

と、頷いた。

「いえ、形式的な肩書にこだわっているのではありません、現執行部の三役は、評議員の肩書で、ひき続き、執行部に留って戴かねば……、何といっても、目下、無協約状態ですから」

と云い、あとは口を閉ざしたが、恩地は、沢泉の云わんとすることが、すぐ呑み込めた。

労働協約は、昨年十月三十一日で、有効期限が切れ、未《いま》だに、無協約状態が続いている。

昨年の年末闘争では、首相フライトの後遺症で、再び労使双方の話合いがつかず、中労委斡旋《あっせん》となり〝年末手当三・五ヵ月、労働協約は、会社側が十二月三十一日までに改訂事項を組合側に提示すること〟という勧告であったが、労働協約に関し、会社側は、中労委の勧告を無視して今日に至っている。

労働協約を締結している状態では、会社側は、組合役員の人事異動を相談なく出来ないが、無協約であれば、就業規則を楯にとって、動かすことは可能だった。だが実際問題としてそこまで踏み込んで来ることは、あり得ない。

沢泉は、思慮深く、そこまで読み取り、恩地たちの身辺を気遣っているのだった。

「沢泉君、君の云う通りにしよう」

恩地は、後事を托すに充分の資質を備えている沢泉を、改めて頼もしく思った。

*

病院のベッドで、行天は、看護婦がつけ替えた二本目の点滴の瓶にうんざりしていた。

注射針の入った右腕静脈のあたりを動かさないようにし、行天は、ぽとり、ぽとりと、腹だたしいほど遅い点滴を見やりながら、この時期に入院できたことに安堵《あんど》していた。

予想以上の強力な労務対策が敷かれた現在、肝機能検査の数値が悪くても、入院していなければ、次期委員長候補の沢泉が力倆《りきりよう》不足ということで、また恩地の次に、副委員長の自分が担《かつ》ぎ出されかねなかった。

このところ、組合主催のハイキングや、地方支部との交流会などの行事に、積極的に出席して、酒を飲み過ぎたせいか、会社の健康診断で、肝機能の悪化を示すγ《ガンマ》-

のだった。


GTPが正常値の倍以上あるから入院して精密検査を受けるようにと、勧められたのだった。

会社の提携病院である帝都医大の入院手続の際には、四人部屋とされていたが、妻の麗子がどういう手を廻したのか、当日、個室になっていた。

妻の声がした。眼を上げると、シックだが、細くくびれたウエストラインを強調したスーツ姿に、ボストンバッグと、カーネーションの花束を抱えている。

「ああ、今日も来てくれたのか、子供たちは大丈夫かい」

「ご心配なく、読みたい本を持って来ましたわよ」

麗子は、スーツの上衣を脱いで、カーネーションを手際《てぎわ》よく活《い》けた。行天は、サーモンピンクの美しい花を見ながら、

「入院して安静にすれば、過労や精神的ストレスから解放され、アルコールも抜けるからと、主治医が云ったのに、こう頻繁に点滴をやられると、疲れて、安静どころじゃないよ」

こぼすように云った。

「でも、うとうと出来るでしょう、私が入って来ても気付かなかったのは、何か考えごとでもしてらしたの」

「いや、別に、何も……」

「組合のことなら、今度、入院したのは、不幸中の幸いよ、いくら恩地さんでも病院まで押しかけて来ないはずよ」

麗子が新しいライトブルーのパジャマを出しかけると、扉をノックする音がした。

「どうぞ、お入りになって」

看護婦が検温に来たのかと思うと、堂本常務だった。

行天は驚愕《きょうがく》のあまり、上体を起すと、点滴の針が抜けた。元スチュワーデスの麗子は、

「これは、これは恐縮でございます、いつも何かとお世話になりまして――」

素早く挨拶《あいさつ》をしたが、それには応《こた》えず、堂本は、ベッドの上の行天を瞬《まばた》きの少ない眼でじっと、見入った。

「あの……常務、何かご用向きがございましたら――」

行天が、ベッドから降りようとすると、

「いや、この階上《うえ》の病人を見舞に来た帰りに、ちょっと寄っただけだ、黄疸《おうだん》は出ていないようだな」

たった一言、そう云うと、すっと踵《きびす》を返した。麗子は、玄関まで見送るために、急

いであとを追った。

階上の特別室に、池内首相の首席秘書官が入院していることは、行天も聞き知っていた。昨年十一月の首相フライトの到着日、スト決行中の組合に、官邸から「ストは、午前中に必らず中止なんですね」と、直接、聞いて来たのが、首席秘書官であった。それを考えると、背筋が寒くなり、ベッドにもぐり込んだ。

「お車までお見送りして来ましたわ、でも、なぜ、堂本常務があなたをお見舞に？」

麗子は、思案をめぐらすように云った。行天は黙って、毛布を顎《あご》までひき上げた。

「あなた、額に汗がびっしょり――」

「うむ、どういうわけか、寒気がして来た」

と云いながら、行天は、六月にもかかわらず、濃いグレーのスーツを着、影のように入って来て、影のように帰って行った堂本信介の姿を思いうかべると、不気味で、熱が出て来た。

第五章　影

予算室に復帰して半年ほど経《た》ち、恩地《おんち》は計算機の扱い方、統計の取り方にも慣れ、手際よく仕事をこなしていた。

東京オリンピックの年に当る来期は、需要の大幅増加が予測され、増収が期待される。

積算した数字の奥から、実際の動向を緻密《ちみつ》に分析し、来期の予算をたてる仕事は気骨がおれるが、自分の性《しょう》に合い、やり甲斐《がい》を感じる。

広い部屋に、収入管理課と支出課の二課が机を並べているが、相変らず選り抜きの少数精鋭主義で、ぴりっとした空気に包まれている。恩地が組合委員長を二期、務めている間に変ったことと云《い》えば、「君が委員長になるのなら、採らねばよかった」と云いつつも、理解を示してくれた清水室長が、フランクフルト支店へ転勤になったこと と、十名の室員が十三名に増え、年齢層が若くなったことであった。

三時を過ぎ、女性社員がタイプライターの手を休め、お茶を配りはじめると、ほっと寛《くつろ》いだ雰囲気が流れた。

「恩地君、ちょっとお茶でも飲みに行こうか」

直属の上司である収入管理課長の柳が、欠伸《あくび》を嚙《か》み殺しながら、誘った。

珍しいこともあるものだと、恩地は後に続いた。

エレベーターで地下へ降りると、二つある喫茶店は、丸の内界隈《かいわい》の勤め人たちで、かなりたて込んでいた。テーブルに見積書を広げて商談している者もいれば、社内では出来ない話を、ひそひそとしている者もいる。

柳課長は、空いたばかりの隅のテーブルを素早く見つけ、コーヒーを注文した。

「師走《しわす》ともなると、こんな時間帯なのに、客が多いなぁ」

右眉《まゆ》の上に、黶《ほくろ》のある柳課長は、煙草《たばこ》に火を点《つ》け、店内を見廻した。色白、小肥《こぶと》りで、一見、柔和に見える。

「あっという間ですね、あと二週間で年の瀬とは——」

恩地は内心、何の用件かと訝《いぶか》りながら、当り障《さわ》りなく、相槌《あいづち》をうった。

「この正月休みも、君は冬山をやるのかい？」

「ええ、山岳部で槍《やり》ヶ岳に登ろうという計画になっています」

「相変らずだねぇ、気をつけたまえよ」

運ばれて来たコーヒーにミルクを入れながら、

「ところで君も予算室勤務が、足かけ三年になるね、そろそろ出る時期じゃないかな」

軽い口調で、切り出した。

「ですが、組合の仕事で席を空けることが多かったので、上司や同僚に迷惑をかけた分、これから一生懸命、勉強しながら、頑張らねばと思っています」

「だけど、この半年、充分過ぎるほど、働いてくれたと思っている、実は転勤話があるのだ」

柳は、黶のある右眉を動かして云った。恩地は内心、はっとしたが、

「せっかくですが、私は転勤したくありません、勉強しなければならないことが山ほどありますし、この仕事にやり甲斐を感じています」

「君がそう思っているのは勝手だが、会社はそう思っていないのだよ」

いきなり、ばさりと斬《き》り捨てるように云った。恩地は返す言葉がなかった。

「まあ、世の中にはいろいろと、うるさいことを云う人がいるんだ、おとなしく従った方が、身のためだ」

柳は、恩地が震え上ったと見て、語調をもとに戻した。

「うるさく云うとは、どなたのことでしょうか」

「だから、いろいろと云っているだろう、予算室は会社の中枢《ちゆうすう》部門だ、そこに、君のような者を置いておくことについて批判がある、といって、君にふさわしいポストは、おいそれとないので、困っていたら、ちょうど海外支店に空きが出て来た、海外は栄転だから、栄転人事に対しても、異論があるがね」

「海外支店で、どんな仕事をするのですか」

「総務主任だ」

「総務主任といえば、人事、労務畑出身者とほぼ決っています、私はそういう仕事は未経験ですので、その任ではありません」

恩地は、きっぱりと断った。海外支店は確かに栄転であるが、赴任地を伏せて、ただ海外だと云う言葉には、うかうかと乗れない落し穴があるはずだった。

「君の年代は、次々と仕事を覚えていく時期で、未経験は理由にならない、決った人事だから行って貰《もら》う、赴任先はカラチだ」

カラチ――、恩地は、それがどこの国の支店であるのか、すぐに思い至らなかった。

「そら、パキスタンのカラチ支店だ、そんな大袈裟《おおげさ》に考えなくても、あそこには君がこなせないほどの、たいした仕事はないと思うがねぇ」

柳は、薄笑いを浮かべた。やられた、という思いが、突き上げて来た。

「私がカラチ支店へ配転される理由は、何でしょうか」

「カラチの総務主任が、二年の勤務を終え、帰国するに当って、後任を必要とするからだ、さっき云ったはずだろう」

「私も、先程来、申し上げているように、予算室の仕事を中途半端《はんぱ》でなく、きちんと覚えたいのです、カラチ支店の総務主任は、私より適任者がいるはずです」

「すると君は、カラチ支店赴任の業務命令に従えないと云うのかね」

「納得が行かないと、申し上げているのです」

「しかし、サラリーマンたる者、納得が行かないから、行きたくないなんて通らんよ、国民航空にカラチ支店がある以上、誰かが行かねばならんだろう、今度はそれが君の番なんだ」

と云い、苛《いら》だたしげに、コーヒーをスプーンでぐるぐるかき廻した。

「会社の中枢部門に置いておくのは、問題だから、カラチ支店へ配転とは、あまりにも露骨すぎます、組合活動をした者への報復人事ではないのですか」

柳の言葉に耐えて来た恩地は、腹に据えかね、はっきり云うと、

「課長の私に対して、えらく大上段なもの言いをするじゃないか、団交の席でも、君は気に入らないことがあると、そうやって社長や役員に対して、威丈高にものを云って来たんだろうが、君はもう組合の委員長でも何でもない、一社員なのだ、心得違いをするな」

押し殺した声で叱《しか》りつけ、ウエイトレスがお冷を注《つ》ぎ足して、去って行くのを見すましてから、

「カラチ支店が存在し、週に二便、国民航空の国際線が飛んでいるのに、言を左右にして拒むのは、カラチ支店で働いている者に対する蔑視《べっし》じゃないのかね、ともかくこれは業務命令なんだから、従って貰いたい」

と命令すると、伝票をひっ摑《つか》み、先に出て行った。

恩地は、暫《しば》し茫然《ぼうぜん》としたまま、腰かけていたが、コーヒー茶碗《ちゃわん》を下げられると、たち上り、ビルの外に出た。

どこに行くという当てもなく、恩地はビルの谷間を歩いた。師走の風がビルの間を

音をたてて吹き抜け、街路樹の落葉が足元を、かさかさと舞って行く。

いつか、こういう日が来ることを、漠然と恐れながら、そうならないように仕事に邁進《まいしん》して来た自分であったから、突然、カラチ支店へ転勤命令が出るなど、夢想だにしなかった。

後任の委員長に、アカのレッテルを貼《は》られていない沢泉を推し、沢泉執行部の中で、評議員という形で残っていれば、労働協約が昨年から切れたまま、無協約状態になっていても、まさか会社は手出し出来まいと思っていたのが甘かった。

寒い。恩地はスーツの衿《えり》をたて、〝カラチ赴任〟という理不尽な業務命令に打ちのめされ、すぐに会社へ踵《きびす》を返すことが出来なかった。

「どうしたんだ、蒼《あお》い顔をして」

会社の屋上で、行天《ぎょうてん》は心配そうに恩地の顔を覗《のぞ》いた。小一時間ほど、丸の内のビルの谷間を彷徨《ほうこう》した後、会社へ戻って来た恩地は、玄関脇《わき》の内線電話で、営業本部業務課の行天を呼び出したのだった。

「実は――」

云いかけた恩地の咽喉《のど》に、あとの言葉が支《つか》えた。

「なんだ、いつもの君らしくもないじゃないか、離席がやかましくチェックされているので、郷里の親戚《しんせき》が突然、訪ねて来ましたと、課長に云い繕《つくろ》って出て来たんだ、早くしてくれよ」

そう急《せ》かされ、恩地は冷静さを取り戻した。組合活動家と見なされている者に対しては、殊《こと》の外、職務中の離席が厳しくチェックされているのだった。

「実はつい先程、上司の課長からカラチ支店勤務の内示を受けたんだ」

「なに、カラチ？　中近東地区のあのカラチか」

行天は、信じ難い顔で聞き、あとは押し黙った。

風当りの少ない場所で、二人はたち尽していた。夕陽が眼下のビル街をぼんやりと照らしている。今しがた恩地が通り抜けて来たビルの谷間には、その時、眼に入らなかった車や人の列が、まるで決められた流れのように、一定方向に動いている。

「カラチとは、まさしく左遷《させん》人事じゃないか、もちろん君のことだから、断っただろうな」

「断ったよ、だが課長はこれは業務命令だと、強引に押して来た」

「そりゃあ、課長は室長に、君に因果を含ませろと云われているのだから、必死なんだ、だが、こんな不当な配転に、黙っていることはないぞ」

行天は、力《りき》んで云った。

「うむ、そのつもりで、まず君に話したかったんだ、課長は、僕の人事は、世の中にはいろいろなことを云う人がいてねぇと、妙にもって廻った言い方をしている」

「やはり——、沢泉執行部に衣替えして、執行部は一新されたのに、こういう人事が出て来るのは、首相フライトを戦術に使ったことが響いているんだろうな」

「濃霧で、フライトが一日延期になったことを、まんまと会社側に利用された形だ、だが、今さら、そんなことを蒸し返してもはじまらない」

「だが、やり過ぎたのかもしれないという反省は、僕自身、なきにしもあらずだ、首相フライトが、小暮《こぐれ》、呉植《ごうえ》の外様《とざま》役員につけ入る隙《すき》を与え、そこに堂本編笠がぐるになって、報復に出て来たのだ、前委員長の君が、カラチ支店へ見せしめの配転なら、副委員長だった僕は、さしずめボンベイ支店あたりへ配転命令が出るに違いない」

「まさか、そこまで……」

「いや、実は今まで話しづらくて、黙っていたんだが、この六月に肝炎で入院していた時、堂本常務が突然、影のように現われ、僕の顔をあの眼で、穴のあくほど見入っただけで、帰って行ったんだ、予定より入院が長引いたのは、それ以降、原因不明の熱が出たからなんだ」

行天は、はじめて入院中の話をした。

「そんなことがあったのか」

恩地は、驚いた。

「恩地、ここは間違っても、堂本常務にねじ込むな、かえって逆効果で、下手すれば、そんなに気に入らない人事なら、会社を辞めて貰うしかないと、云い出しかねない」

確かに、行天の云う通りだった。カラチ転勤は、辞めよがしの悪意に満ちた人事であった。

「かくなる上は、桧山《ひやま》社長に直訴という非常手段しかないのだろうな」

恩地が云うと、

「同感だ、団交では、その場しのぎの弁解で、何度も煮え湯を飲まされた人物だが、情にもろいところもあるから、懐《ふところ》に飛び込んで行って直訴すれば、活路が開けるかもしれない、この足ですぐ社長に面会を申し込んで来いよ、にっちもさっちも行かなくなってからでは、手遅れだ」

行天は、我が事のように、恩地を促した。

「よし、行って来る」

恩地は力を得て、頷《うなず》いた。

屋上から階段を降り、十階の役員室の重厚なガラス扉の前にたつと、その向うに赤い絨毯《じゅうたん》を敷き詰めた廊下が、真っすぐ奥へ延びている。恩地は瞬時、足が止まった。労使の団交と異り、一介の社員が、社長に面会を求めるなど、ともすれば重圧感に、押し潰《つぶ》されそうになる。

秘書課の机の前に、三人の美しい女性秘書が並び、恩地を見詰めていた。恩地が名乗るまでもなく、秘書たちは知っているらしく、丁寧に応対したが、社長への面会と聞くと、社長付きの秘書役に替った。

「お待たせしました」

ぴしっとしたスーツ姿の年配の秘書役が、出て来た。

「まことに恐縮ですが、桧山社長のお手すきの時に、お目にかからせて戴《いただ》きたく参りました」

「突然で、驚きましたね、桧山社長のご予定は、このところ格別に多忙を極めておられ、とても時間などありませんよ、用件を伺っておきましょう」

「いえ、直《じか》にお話を致したいことですので——」

恩地が云うと、

「社長に代って、用向きを伺っておくのが、私の職掌なのは、ご承知でしょう、それが伺えないということなら、書面で申し入れて下さることですな、忙しくしているので、これで失礼」

秘書役はそう云うと、恩地の言葉など、もはや聞く耳を持たぬ態度で、足早に奥へ歩み去った。


飲めない酒を飲みたい気持で、恩地は目黒《めぐろ》駅から、夜の家路を辿《たど》っていた。まだ七時過ぎで、商店の灯りも点いているが、家並みが途切れると暗くなり、社宅方面に行くバスが、追い抜いて行った。

カラチ支店への赴任——、柳課長に内示を云い渡されて数時間は、茫然自失の状態だったが、時間が経つにつれ、会社側のあまりに悪質な労務攻勢に、心の底から憤怒《ふんぬ》が湧《わ》き上って来た。会社側が、〝財界の労務部長〟や、監督官庁の運輸次官を役員に受け入れる一方、自分を海外へ追いやろうなどという魂胆なら、断じて意のままにさせない。

だが、撤回させるには、どうすればいいのか。行天にハッパをかけられ、桧山に面会に行ったのは、確かに非常識過ぎたが、秘書役の冷笑が、恩地を一層、惨《みじ》めにしていた。

神社の前を通り過ぎると、社宅が五棟、並んでいる。わが家の玄関前で、恩地は一呼吸して、普段と変らない様子で、扉を開けた。

「お父さん、お帰りなさい」

長男の克己《かつき》が、飛んで迎えに来た。

「何か小学校で嬉《うれ》しいことでもあったのかい」

子供の笑顔が、心を和ませた。エプロンで手を拭《ふ》きながら、妻のりつ子が出迎え、着替を手伝いながら、

「克己が今日、図画のコンクールで優等賞を貰って来たんですよ」

弾んだ声で云った。克己ははにかみながらも、得意そうに賞状を見せた。

「ほう、東京都の小学一年の部で優等賞とは、よくやった、多摩川で描いたあの絵だろう」

「うん、お父さんも褒めてくれたよね」

克己が、嬉しそうに頷いた。

「お父さん、じゅんこも、いい、いい」

おかっぱ頭に、つぶらな瞳《ひとみ》で父親の膝《ひざ》にのって来た。

「よしよし、純子にも、絵本を買って来ようね」

と抱き上げた。四歳になる純子を抱き上げるのは久しぶりだが、体重が増え、日に日に成長しているのが、感じられる。

「おや、お帰り、元《はじめ》も、お父さんらしさが戻って来たねぇ」

襖《ふすま》が開き、茶羽織を重ねた母が、眼を細めた。

「このところ急に寒くなって来たけど、血圧の方はどうです?」

高血圧症の母の体調を、聞いた。

「用心しているから、大丈夫ですよ、今日は揃《そろ》って食事が出来るねぇ」

母は二人の孫に、笑顔を向けた。

茶の間から、りつ子が食事ですよと呼ぶ声がした。二年間、組合委員長の夫の不規則な生活に振り廻され、窶《やつ》れが見えていたりつ子も、このところ若返り、明るくなっている。

恩地は、食事の前に手を洗いにたち、ようやく戻った団欒《だんらん》を思うと、胸にしまっている内示が鉛の塊のように、重くのしかかって来た。

「あなた、会社で何かあったんじゃありません?」

りつ子が耳もとで、聞いた。いつも通りを心がけていたのに、妻の勘というものだろうか。恩地は石鹼《せっけん》を泡だてながら、カラチ転勤の内示を知らせるべきか、見通しがつくまで伏せておくべきか、心が揺れた。

トレンチコートの衿をたて、ラッシュアワーの人の流れに押されて、東京駅の丸の内改札口を出た途端、恩地の足は、釘《くぎ》づけになった。

不当配転反対！　国民航空労組

鉢巻きと腕章を巻いた十数人が、白い息を吐きながら、出勤途上のサラリーマンたちにビラを配っている。ポケットに手を突っ込み、急ぎ足で無視して行く人もいれば、足を止めて受け取り、その場で目を通す人もいる。

ビラ撒《ま》きの中に、沢泉委員長の姿があった。恩地が歩み寄ると、

「ご心配なく――、出勤時間に遅れないよう、あと十分で切り上げます」

と云《い》い、ビラの一枚を手渡した。

不当配置転換に抗議する！

国民航空労組の恩地元　前委員長は、二期の任期を終えて、職場復帰するや、理由もなく、業務上の必然性もなく、去る十二月二十日、海外への配置転換を命じられた。これは明らかに民主的な組合を指導して来た前委員長に対する報復人事であり、組合活動の破壊を狙《ねら》うものに他ならない。ここに会社側の不当な処遇に抗議し、広く世論に訴えて、支持をお願いする次第です。

恩地の胸に、熱いものがこみ上げて来た。事前に、自分には報《しら》せず、組合が自分を守るためにたち上り、出勤前に抗議ビラを撒いてくれているのだった。恩地に気付いた若い組合員が数人、寄って来、

「恩地さん、頑張って下さいよ、羽田の空港ビルでもやっています」

張りきった声で、励ました。

「有難う、だが、私個人のことで、組合に迷惑をかけるのは、心苦しい」

と云い、恩地は手にしたビラをポケットに入れ、丸の内の本社ビルに急いだ。入社以来、遅刻、欠勤のない恩地であったが、こうした時期は、よけいそうあらねばならなかった。

正面玄関を入って、エレベーターを待っていると、呼び止める声がした。振り向く

と、堂本の昇進と同時に、課長から労務部次長に昇格した八馬《はちうま》忠次が、突ったってい
た。
「話がある、ちょっと――」
エレベーター横の柱の陰へ引き込むなり、
「師走の朝っぱらから、東京駅の前でビラ撒きするなど、みっともない限りだ、すぐ
に止《や》めさせろ、君の指金《さしがね》だろう」
頭から、きめつけた。
「とんでもない、組合の自主的な支援活動で、改札口を出たところではじめて知った
次第で、既に委員長を降りた私が、組合にやれとも、止めろともいう権限はないこと
くらい、ご承知のはずです」
恩地が云うと、八馬は細い眼を光らせ、
「屁理屈《へりくつ》を云うんじゃない、君が転勤を不服として組合に持ち込んだから、組合が騒
いでいるので、身から出た錆《さび》を、組合に尻拭《しりぬぐ》いさせるのは止《よ》せ、社内の掲示板のビラ
も剝《は》がさせろ、こんなことをして君の配転が撤回されると思うのか、逆効果にしかな
らんよ」
吐き捨てるように、云った。恩地は腹に据えかねたが、腕時計を見、

「せっかくですが、勤務時間に遅れますので、失礼します」

くるりと踵を返し、足早にエレベーターに乗り込んだ。四階のホールの掲示板にも、「不当配転反対！」のビラが貼《は》られている。その前を横切り、予算室へ入ると、いつもと異るしらっとした空気が感じられたが、コートを脱いで、机に向いかけると、

「恩地君――」

室長が呼んだ。半年ほど前に替った室長は、エリートコースを歩んで来た人独特の余裕と自信に満ちている。室長の机の前にたつと、

「君ぃ、困りますよ」

「はぁ？」

「これ、これは何ですか」

机の上に、ビラを広げた。

「転勤命令を、不当配転だとして、駅前や空港ビルでビラを撒くなど、どういう神経なんです？　しかも組合の前委員長という表記のみならず、現在、予算室勤務とまで書いてある、これは予算室の品位を傷つけかねない、予算室はじまって以来の事件です、早急に事態を収拾して貰《もら》いたい」

冷やかに云った。恩地に直接、内示を云い渡した柳課長は、室長の傍らの課長席で

表情を硬《こわ》ばらせている。恩地は背後に、自分に集中している室員たちの視線を感じた。

「事態の収拾とおっしゃられても、組合の自主的な活動ですから、私の一存でどうこうするわけには参りません、それに品位と申されましたが、社員であり、組合員である者が、労働組合として許された行動をすることは、品位を落すことにならないと思います」

恩地が落ち着いて、きちんと答えると、

「そこまで云うのなら、私もこの際、君に云っておきたい、予算室は、社内でも純粋培養で育って来た秀才を選りぬいて揃え、社の枢要な仕事を司《つかさど》っているところだから、組合の、何のと、妙な黴菌《ばいきん》を持ち込んで貰いたくない、したがって、君がいること自体、好ましくないのです」

室長として、会社が好ましくないと思う者を使いたくない。一点でも、マイナス点をとりたくないという保身が、あからさまであった。

「私の云いたいことはそれだけだ、よく考え給え」

と云うなり、恩地に発言の機会を与えず、会議の時間だからと、席をたった。

恩地は、席に戻っても、すぐには仕事が手につかなかった。満座の視線を浴びながら、あからさまに云われたことに対する屈辱と痛憤の思いがこみ上げて来た。

組合の執行委員会は、静かな中にも、白熱した意見が交されていた。沢泉委員長をはじめ、十二人の執行委員と評議員の桜井、恩地自身も加わっていた。

組織部長が、発言した。

「われわれが自主的に行ったビラ撒きや、署名活動を、恩地前委員長の指金だと、会社側は云いふらし、何が何でも配転を強行しようとしている、組合員の中には、前委員長にしてここまでやられるのかという不安を募らせる者もいますが、大部分は恩地さんを守るべしという意見です、会社側が配転を撤回しない場合は、あくまで恩地さんを守って結束し、法廷闘争も辞さずの構えで行きたいと思います」

はじめて、〝法廷闘争〟という言葉が持ち出された。

地方支部を代表する委員も、

「これを前例に、国内でも不当配転の問題は起って来ると思います、本人の意向も聞かず、家庭の事情も無視して、会社側が好ましくないと判断したら、どこへでも飛ばす暴挙に出るかもしれません、恩地さんの不当配転は、各地方支部でも注目していま す、今回、会社が不当配転を強行し、恩地さんが不服として従わず、解雇された場合、われわれは、会社側を不当労働行為として、提訴し、法廷闘争すべきだと考えます」

と云うと、一同、賛成したが、沢泉委員長は、

「各委員の気持は解《わか》る、だが、長い法廷闘争の期間、恩地さんの生活を支え、且《か》つ、弁護士に支払う報酬などを、組合がきちんと責任を持ってやって行けるのかどうか、その点を見極めてからでなければ、簡単に、法廷闘争と決められないのではないだろうか」

直面する現実問題を、懸念した。

「そんな弱腰では、恩地さんに申しわけないではないか、今日の民主的な組合の基礎作りをし、大幅な労働条件の改善をして下さったのは、恩地委員長です、その委員長が、〝首相フライトを阻止したアカ〟だと、でっち上げられ、あげくの果てに、労働協約が棚上げされている時期を狙ってカラチ転勤とは、明らかな懲罰人事です、これを現委員長は、黙って見過せるのですか」

詰め寄るように云うと、さらに一人が発言した。

「会社側は、明らかに恩地さんさえ放逐してしまえば、組合は容易に懐柔、或《あ》るいは潰せるものと考えている、恩地さんが赴任を命じられたカラチは、日本から週に二便しかない不便なところで、連絡もとりにくい、会社はそれを狙って、恩地さんとわれわれ現執行部の間に楔《くさび》を打って来たのです、今、恩地さんを守れなければ、われわれの

敗北です！」

悲痛な声で云い、もはや法廷闘争やむなしの気運が盛り上った。恩地は黙って一同の意見を聞き終えると、

「諸君、有難う、私のためにここまで抗議運動を続けて下さったことに、感謝します、だが、私が配転を拒否して解雇され、組合が法廷闘争に持ち込むようなことになれば、組合潰しを狙っている会社の思うつぼです。今、組合が厳しい労務管理下にあることを考えると、私個人の問題にかかわることは好ましくない、ここから先は、私独りで考え、決断させて貰います」

組合を守るために、恩地は心に決めるように云った。

東京駅構内の喫茶店の扉を押しながら、恩地は、奥のテーブルに坐《すわ》っている妹の紀《のり》子《こ》の姿を見つけた。

「おう、どうした？　会社へ電話をかけて来たりして、珍しいな」

「昨日、うちの人が、お兄さんの配転に抗議するビラを持って帰ったの、驚いたわ、すぐ電話をしたかったのだけど、お母さんの血圧が上ってはと思って、買物かたがた会いに来たのよ」

眉《まゆ》と眼がくっきりした顔を、曇らせた。三つ齢下《としした》の紀子は、小学生で父を亡《な》くしているせいか、何かにつけて兄を頼り、兄を思う妹であった。紅茶とケーキが運ばれて来た。

「紀子、心配することはないよ、だが秀雄君に迷惑をかけていないかい」

重電機メーカーの技術者である義弟の様子を聞いた。

「あの人のことなら、大丈夫よ、東京駅で何気なく手渡されたビラに、義兄《にい》さんのことが出ていたと驚いて、持ち帰ってくれたの、カラチ支店へ配転って、ほんとうなの」

「ビラの通りだよ」

「お母さんや、お嫂《ねえ》さんは、何ておっしゃっているの」

「内示のあった時点では、私自身が不当配転だと云って拒否し、その後、組合も支援してくれた、どうなるか解らないので、お母さんにはまだ話していない、りつ子にはむろん話しておいたが」

「お嫂さん、さぞ驚かれたでしょう」

「うん、さすがに云い出しにくかったよ、二年間、委員長を務め、苦労のかけ通しだったのが、このところようやくまともな家庭生活に戻ったばかりだからね、組合が支援して下さっているのなら、最終的にはまずいことにならないでしょうと、信じているらしい」

「で、お兄さんの考えはどうなの」

紀子は、心配げな眼《まな》ざしで、聞いた。

「組合には感謝している、しかし、これ以上、私のことにかかわっていては、組合本来の活動に支障を来《きた》すので、自分で進退を決めようと思っている」

恩地が答えると、紀子はショートケーキを口にして、

「でも、万一の時、家族はどうするの、うちの人は、カラチは気候、風土とも厳しいところだからと、心配しているわ」

と云った。

「秀雄君の気持、有難いよ、万一の場合は、家族同伴の赴任だが、お母さんは無理だから、もしそうなれば、改めて秀雄君に頼みに行くよ」

「そうならないように祈るわ、女手一つで私たちを育て、中でもお兄さんには期待をかけているから——、それに学資を出して下さった叔父さんにも、肩身が狭いでしょうし」

叔父のことを思うと、恩地は、心が暗くなった。「元《はじめ》をアカにするために、学資を

出したのではない」というのが、昨今の叔父の口癖になっていた。

そうならぬためにも、恩地は自ら、活路を開かねばならなかった。

年が明け、雪が降る日、築地《つきじ》の料亭で、恩地は、桧山社長が現われるのを待っていた。

料亭ということで、恩地は気がすすまなかったが、人目につかぬ場所ということで、指定して来たのだった。

中庭の灯籠《とうろう》に、雪が綿帽子のように白く積っている。奥まった座敷へ、女将《おかみ》自身がお茶を運んで来た。

「どうぞ、お楽に――、ここは桧山社長に気軽に使って戴《いただ》いているところですから」

と云っているところへ、襖が開いた。

「やあ、待たせたな、この雪で車が難渋してねぇ、女将、酒と料理だ」

松の内の軸を掛けた床の間を背に、いつもと変らぬ村夫子《そんぷうし》然とした様子で坐った。

「久しぶりだな、君の委員長時代には、苦労をさせられ通しで、正直いって、命が縮む思いだったよ」

と云い、運ばれて来た銚子を女将のお酌でぐいと飲み、人払いをすると、俄《にわ》かに厳しい表情になった。

「君ぃ、ビラを撒いたり、署名活動をしたり、どこまでやれば気がすむのだ、年も改ったのだから、少しは考えを改めろ、今夜、君を呼んだのは、君の転勤について、私自身がはっきり話すためだ、世話をやかせるな」

「社長、お言葉を返すようですが、私には、私なりの一人の人間としての言い分がありますので、お聞き戴きたいのです」

背筋を正して云うと、ヘビースモーカーの桧山は、煙草《たばこ》を喫《す》いながら頷《うなず》いた。

「君の云わんとすることは解っている、カラチ転勤の件だろうが、海外転勤というのは、何といっても栄転なんだ、ともかく外国へ出られるのだからな、だから君を海外へ出すについては、反対の意見もあったのだ、だが、このままでいるより、この際、海外へ出た方が君のためだよ」

「実は、私は入社後、十年間は社務に専念する志をたてていましたが、思いがけないいきさつから、組合の委員長を引き受けざるを得ない羽目になりました、止むなく、一期だけと区切って引き受けたのが、二期に及び、このほど任期を終えて、ようやく本来の職場である予算室へ戻り、仕事に集中していた矢先に、突如として海外転勤です、今暫《しばら》く、現在の仕事を続けさせて戴きたいのです」

正直に心情を披瀝《ひれき》すると、桧山は、

「それは、君一人が思っていることで、予算室に、君をおいておけない社内事情がある」

と云った。

「そのおっしゃり方は、先日、上司から伝えられた内容と全く同じです、社長が同じお答をなさるとは心外で、納得がいきません」

「すぐきっとして、理屈っぽい口のきき方をするのが、君の欠点だよ、ともかく君については、いろんな意見があり、中には極めて強硬な意見もあるんだよ」

「極めて強硬な意見と、云われますと？」

桧山は、粉雪が舞う中庭へ眼をやり、盃《さかずき》をふくんで、言葉を継いだ。

「はっきり云って、何とか君を馘《くび》にしたいと考えている者がいる、そのため君の入社時に遡《さかのぼ》って、勤務状態を調べたところ、無遅刻、無欠勤、勤務成績良好とあって、目的を果せなかったという話まで聞いている、私はそんなことにならぬように、海外勤務に賛成しているのだ」

「しかし、海外支店の総務は、経理、財務、調達、人事などで、その中のどれ一つとして、経験したことがなく、必然性が、全く感じられません」

と云うと、桧山は、みるみる顔色を変えた。

「君は一体、何を考えているんだ！　ことの起りは、すべて君自身にある、いかに午前零時から正午までといっても、首相帰国の当日、ストを打てば、首相フライト阻止ということになり、君は〝首相フライトを止めたアカ〟というレッテルが貼られ、それが会社にも影響した、運輸省から小暮次官が天下り、日本経営者連合会から労務対策のベテラン呉植専務理事が送り込まれたこのわしの立場が解らんのか！　その上、呉植専務が、株主総会から一ヵ月ほどして、組合の前委員長に会いたいと云った時、君は〝首実検はご免だ〟と断ったそうじゃないか、何という馬鹿《ばか》げたことをしたんだ、会って話せば、君は理屈っぽいが、職場の不平等の是正を求める理想主義者で、アカとは無縁だということが解って貰えたのに、その機会を蹴《け》った、何もかも、君自身がぶち壊してしまったんだぞ！」

　桧山は、吸殻のたまった灰皿を投げつけんばかりに激怒した。さすがの恩地も、言葉に詰った。

「どうだ、成行きが解ったろう、カラチという土地柄は不満かもしれんが、自らの失態を反省して、二年間、勤めて来ることだ」

「まるで懲罰のようなおっしゃり方ですね」

恩地が云《い》うと、

「どう取ろうと、君の勝手だが、ともかく、二年で帰す」

桧山は、徐《おもむ》ろに、怒りをおさめた。

「それが社長の動かぬお気持ですか」

確めるように聞くと、ふと桧山の顔が、躊躇《ためら》うように動いた。恩地は、桧山の背後に強大な力が働いていることを感じ取った。

「ほんとうに、二年というお約束ですね」

「私が保証する」

と答えた。恩地はようやく、カラチ赴任を承諾した。

日曜日の昼下り、横須賀線の電車の座席で、行天四郎は浮かぬ顔をして坐っていた。労務担当の堂本常務の北鎌倉の自宅を訪れるためだった。

一昨日の夕刻、八馬労務部次長に呼び出され、「去年、肝炎で入院していた君を、堂本常務が見舞われたのに、君は御礼に伺っていないのじゃないかね」と詰《なじ》られ、「日曜日にでも、ご自宅へ伺うべきだ」と強く勧められたのだった。半年以上も経《た》った今になって、何故《なぜ》、突然、そんなことを云い出すのか、行天は狐《きつね》につままれるようだったが、従わないわけにはいかなかった。その上、八馬が堂本夫人について「ただの奥様じゃない、戦前のブルジョワのお嬢さんで、左翼かぶれして、新劇活動をしたお人だよ」とつけ加えたことが、気を重くしていた。

北鎌倉の駅で降りると、行天は妻の麗子が手土産に選んでくれたブルゴーニュ産のワインの包みを抱え直した。

緩やかな山間《やまあい》に沿って、鎌倉幕府以来の名刹《めいさつ》が点在している静かな町並みを歩き、目印の松林を折れると、周囲とそぐわないコンクリート塀の堂本信介の家に辿《たど》り着いた。

鉄平石《てっぺいせき》の門構えのインターホンを押し、出て来た若いお手伝いの案内で、玄関に入ると、行天は緊張して待った。しんとした家内《やうち》から、重低音のピアノ曲が聞えて来る。

「お待たせしましたわね、堂本の家内でございます」

眼鏡をかけた二重顎《あご》の肥《ふと》った夫人が、着物姿で現われ、式台の上から行天を見下した。愛想はいいが、口調がきりっとし、確かに普通の主婦と異る威圧感がある。

「休日に伺い、失礼の段を——」

行天が、恭《うやうや》しく挨拶《あいさつ》しかけると、

「まあ、よろしいじゃございませんか、主人は在宅していますから、お上りになって」

夫人は、あくまでにこやかだが、自分の部下に対するような物腰で、

「肝炎、でしたかしら？　その後、お加減はいかがですの」

「はっ、お蔭《かげ》さまで、完治致しました、常務直々《じきじき》に御見舞戴き、恐縮しております」

行天はそう云い、手土産の包みを差し出した。夫人はもの慣れた態度で受け取ったが、その時、左薬指に光る三カラットぐらいの大きなダイヤの指輪に気付いた。

「主人の部屋でよろしいかしら、どうぞ」

夫人が、廊下の突き当りの扉を開けると、ピアノの大音響が溢《あふ》れ出て来た。

「一区切りつくまで、待って下さいな、お楽に――」

夫人は、そのままたち去った。

行天は音の渦の中で、呆然《ぼうぜん》として、突ったっていた。庭に面したガラス戸以外の三面は、天井から床まで本棚と、レコード棚で塞《ふさ》がれて薄暗く、堂本はセーター姿で、肘《ひじ》が擦り切れたソファに体をもたせ、豪華なステレオ・キャビネットの前で、ピアノ曲に魂を奪われるように、聴き入っている。クラシックに詳しくない行天は、陰鬱《いんうつ》で、不協和音が入り混ったピアノ曲に聴き入っている堂本に、組合の団交の席以上の不気

味さを感じた。曲が終ると、

「ああ、君か——」

堂本は、さして驚くふうもなく、レコードをかけ替え、音量を絞った。

「せっかくお寛《くつろ》ぎの休日に、お邪魔を致します」

行天が詫《わ》びると、堂本はそれには応《こた》えず、

「ショパンのノクターンだ、演奏はルービンシュタイン、どうかね」

「はぁ、ショパンですか、ショパンはもう少し軽快と思っておりましたので——」

返答に窮すると、堂本はそれにも応えず、重厚なステレオ・キャビネットを指し、

「半年前、イギリスから取り寄せた『デッカ』だ、日本にはそうざらにない」

「はぁ、わざわざイギリスから」

行天は感心してみせたが、デッカがステレオマニアにとって垂涎《すいぜん》の的で、一式百万円以上などとは、知る由《よし》もなかった。

若いお手伝いが、紅茶とクッキーを運んで来、その後から夫人が顔を覗《のぞ》かせた。

「ご造作をおかけし、恐縮です、すぐ失礼致しますので」

「今日はよろしいのよ、私、これから古巣の新文芸座の観劇に参りますので、主人の相手をしてやって下さいな」

三カラットほどのダイヤの指輪と、左翼系の新文芸座――、やはり八馬が云ったように、堂本夫人は〝ただの奥様〟ではない。

ステレオの音量は絞っているが、『夜想曲《ノクターン》』とはおよそかけ離れたがんがん頭痛がしそうなフォルテのピアノ音が鳴り、行天は紅茶も咽喉《のど》を通らない。堂本はクッキーを口に入れ、

「君、恩地とは長いのかね」

ぽつりと、聞いた。

「大学はゼミこそ違いますが、同じ学部、入社後の研修は空港カウンターと、ずっと一緒です」

「で、君は、彼を信用しているのかね」

「信用といいますか、心の許せる友ではあります」

「彼のカラチ赴任の人事で、組合は派手に騒いでいるが、君はどう思う」

「……それは、同情しています」

行天は、用心深く、短く答えた。

「だが、恩地はカラチへ赴任する」

「そうでしょうか、私は、彼から行くとは聞いておりませんので」

「ほう、恩地は桧山社長と料亭で会って、赴任を呑《の》んだことを、話していないのか」

冷笑するように、云った。行天は信じられなかった。

「仲間にはビラ撒《ま》きの街宣活動をさせたり、法廷闘争も辞さずと、カンパの心配までさせておいて、自分は料亭で社長と直取引《じかとりひき》とは、恩地もしたたかな男だよ」

行天の胸に、ふっと疑念が、湧《わ》いた。カラチ赴任の内示が出た日、恩地は蒼白《そうはく》な顔で自分を屋上へ呼び出し、顛末《てんまつ》を告げた。義憤のあまり、桧山社長へすぐ直訴しろと、ハッパをかけたが、結果は秘書役に鼻先であしらわれたと、涙を呑むように話しておきながら、桧山社長と料亭でこっそり直取引し、カラチ赴任を決めたとなると、もっての外だった。

「二期、恩地委員長、行天副委員長でやって来て、恩地は英雄のようにもてはやされているのに、君は哀れなほど、人望がないな」

「観念論に対して、現実論で反駁《はんばく》すると、日和見《ひよりみ》とか、憎まれ役になるのが組合の常ですが、不徳の致すところです」

行天は、堂本の手前、そう云い、唇を嚙《か》んだ。

「恩地は、自分と同等の能力を持つ者に対して、牽制《けんせい》する術《すべ》をよく心得ている、君に関しては、目端は利《き》くが、全幅の信頼がおけないという情報を、巧妙に流している、

「共産党のセオリー通りのやり方だ」

行天は、凝然と堂本を見た。眼が据わり、能面のようだった。

レコードはいつの間にか、終っていた。

「恩地君に関しては、一体、何を以《もっ》て、アカというレッテルが貼《は》られたのでしょう、常務は確たる証拠をお持ちでしょうか」

「秘密党員だから、党籍は確認出来ない仕組みになっている、ただレッテルだけで、国民航空に小暮や呉植が送り込まれて来ると思うかね」

そう云われれば、一理ある。

「一昨年十一月の首相フライト到着の日、当初の二十四時間ストを、正午で解除したのは何故なんだね、それで組合要求が貫徹されたのならともかく、交渉はその後に持越され、とどのつまりは、中労委斡旋《あっせん》に委《ゆだ》ねられたのは、君も承知のことだ、首相フライトには何の支障もなく、組合にとっても何の実効もないストを、敢《あ》えて打ったのは、政治スト、即《すなわ》ち共産党の指示だ、恩地のやり方は、君らには解《わか》らなくても、私には手に取るように解る」

暗い声で、云った。戦前、治安維持法違反で逮捕され、獄中で転向した堂本ならではの言葉だった。

「もし、恩地君が、云われるような人物だとすれば、私は体《てい》よく彼に利用されていたわけですか」

行天は、半信半疑で聞いた。

「まあ、そうだな、正体を隠す煙幕に使われていただけだ」

堂本が云った。行天の胸に、許し難い怒りが火を噴いた。

「今、恩地を支えている執行部は、あれに引きずり廻され、早晩、死屍《しし》累々《るいるい》だ、君はどうするつもりだ」

「本日は、全く思いがけないことを伺ったばかりで、よく考えます……」

「そうか、ま、そうし給え」

堂本は、それだけ云うと、レコード棚から、ぼろぼろのジャケットを取り出し、プレーヤーにかけて、音量を元に戻した。

いきなり脳天を打つような大音響が、轟《とどろ》いた。ベートーベンの交響曲第五番『運命』だった。行天にも解る『運命』をかけることによって、この先を暗示しているように思えた。

カラチ出発を三日後に控えて、恩地の家では、夕食をすませて、荷造りをしていた。

あらかたの荷物は、船便で送り、飛行機に積み込む当座の衣類と必需品を詰めたトランクと、機内持込み用のバッグを点検しているのだった。

雑然と散らかった部屋の中で、妻のりつ子は会社から受け取った「特別地域」と記された、リストを見直した。特別地域は、生活条件が劣悪で、日常の衛生に注意しなければならぬ地域であるから、抗生物質、下痢止め、風邪薬、ビタミン剤などの常備薬を、手製の大きな薬袋にびっしり詰めたのだった。

「あなた、天然痘、コレラの注射を証明したイエローカード、ちゃんと持ってらっしゃるわね」

「うむ、パスポートにホッチキスで留めたよ、予防接種は、大人でも熱が出る場合があるから、子供たちの時は気をつけてやってくれ、これがないとパキスタンへ入国できないからね」

と云うと、小学一年生の克己は、

「お父さん、学校でカラチといっても、みんな知らなかったよ」

不満そうに口をとがらせた。

「この間、地図を見て教えただろう、もう一度、持っておいで」

克己が地図を持って来ると、卓袱《ちゃぶ》台《だい》に広げた。

「ここが東京、ずっと下って、ほら、ここがパキスタンのカラチで、この国には世界一高いヒマラヤ山脈があるんだよ」

「僕、登りたいな、世界一高い山に」

「よし、連れて行ってやるから、お母さんと純子と三人で、あとから来るんだよ」

「僕は、お父さんと一緒に行きたいよ」

だが、会社の規則で、任地への赴任は、はじめの半年間は単身で、仕事と生活に馴《な》れてから家族を呼び寄せることになっている。

気落ちしたように先刻から、ぽつねんと坐《すわ》っている母は、純子を膝《ひざ》に抱き上げ、

「お父さんは、とても忙しいの、さあ、おやすみの時間ですよ」

と、二人の孫を寝かしつけてから、息子の前に戻った。

「ついこの間まで、会社の運転手さんが、恩地さんのおかげで息子が大学に行けるようになりましたと、感謝して戴《いただ》いていたのに、どうして急に、そんな遠い国へ行くことに……」

顔を掩《おお》った。高血圧の母の気持を昂《たかぶ》らせ、泣かせたことが辛《つら》かった。

「お母さん、心配しないで、二年だけのことですから、我慢して下さい、社長が直接、約束して下さったのですからね」

「解ってますよ、でも、二年もねぇ」

「二年ぐらい、あっという間ですよ、妹のところは割合、家も広いし、秀雄君もいい人で、この間、頼みに行ったら、近所に診《み》たてのいい医院もあるから安心して下さいと云われましたよ」

「心配なのは、元《はじめ》、お前のことだよ、向うで皆さんと円満にやっておくれよ」

息子の身を案じるように云った。

「お姑《かあ》さん、それなら大丈夫ですわ、お体にさわりますから早くお寝《やす》みになって」

姑《しゅうとめ》の体をいたわるように云った。

二人きりになると、りつ子は、まじまじと夫の顔を見詰めた。

「家庭の事情が解っていながら、中近東の特別地域に行かせるなんて、ほんとうに会社は、ひどいことをするわね、あなたが組合のために、体をこわすほど働いたことは、決して間違っていないわ、組合が不当配転、懲罰人事だと抗議したのは当然のことですわ、なぜ、あなたに対して、こうも苛酷《かこく》で、執拗《しつよう》な仕打ちをするのか、私には許せなくて……」

りつ子は、体を震わせた。

「すまない、苦労ばかりかけて――」

恩地は、わななく妻の肩を抱いた。一家の哀《かな》しみが、堰《せき》を切ったように胸を押し潰《つぶ》した。

羽田空港の国際線出発ロビーの一角に、異様な雰囲気がたち籠《こ》めていた。カラチへ出発する恩地を見送るために、国民航空の組合員たちが百名ほど、集っているのだった。他の搭乗客の邪魔にならぬよう、恩地に寄り添っている家族を遠巻きにしながらも、眼だけは、恩地を喰い入るように見詰めて、無言の別れを惜しんでいる。

誰もが口をきけば、涙になることを知って、話しかけない。そんな中で、桜井と沢泉の二人だけが、恩地に近寄った。

「何の力にもなれず、恩地さん一人に背負わせてしまって――」

桜井は、口ごもってしまった。沢泉は、

「恩地さん、無念です、あとはご心配なく」

と云い、唇を嚙《か》んだ。

見送る組合員たちも、見送られる恩地も、互いに耐え難い無念と、惜別の思いに駆られていた。だが、恩地は感情を抑え、見送ってくれている組合員たちに、微笑を見せていた。

ただ一つ、心残りは、行天が姿を見せないことであった。カラチ赴任を決意して、行天に組合の後事を頼むために会おうとしたが、多忙を理由に断られ、組合事務所へも、ぷっつりと姿を見せなくなっていた。

カラチ転勤の内示を受けた時、あれほど憤《いきどお》り、桧山社長に直訴すべしとまで云った行天が、がらりと豹変《ひょうへん》した真意は、どこにあるのだろうか。営業本部の業務課へ再度、足を運んだ時、行天はたち上って廊下へ出、「君とは歩む道が、どうやら違ったようだ」と云い放ったが、理由については、言を左右にして明らかにしなかった。

恩地が委員長を務めた二期目あたりから、行天は組合活動にやや消極的になり、沢泉委員長になってからは、殆《ほと》んど関わりを持たなくなったとはいえ、恩地と志を同じくしていた行天が、離反するには何らかの力が働いたと、考えざるを得ない。恩地は、二人の間に、楔《くさび》を打ち込み、自分をカラチへ赴任させた黯《くろ》い影の存在に、はっと思いを致した。

「あなた、あの方、お知り合いでは――」

妻のりつ子が、囁《ささや》いた。遠巻きにしている組合員たちとは離れて、独りたっている男の姿が見えた。その辺りの照明が鈍く、誰なのか、判別できないが、その男は恩地に近付いて来た。

運航技術部の志方《しかた》であった。事故死した中川整備士の通夜《つや》で、はじめて顔を合せたが、誰とも口をきかず、人を寄せつけないうそ寒さが、恩地の印象に残っていた。

「恩地君、流罪《るざい》に等しい」

志方は、一言そう云《い》い、見送りはせず、去って行った。

やがて十七時三十五分発、機材変更のため、四時間の遅延《ディレイ》設定がされていた南廻りロンドン行きの搭乗案内が流れると、恩地は二人の子供の方を向き、克己の頭を撫《な》で、純子を抱いた。妻と母、妹夫婦が傍に寄り添った。

「あなた、無理をしないで――」

りつ子が云うと、妹夫婦は、

「お母さんのことは心配なく、万事、お引き受けします」

と云った。母は、りつ子に支えられて、啜《すす》り泣いた。恩地は、母の肩に手を置き、

「達者でいて下さい、二年ぐらいすぐですよ」

笑いをうかべて、別れを告げると、組合員たちの方へ足を向けた。

「寒い中を有難う、私はどこにいても、諸君らと共に歩みます」

言葉少なに一礼して、出国管理《イミグレーション》へ足を運びかけると、遠巻きにしていた組合員の輪

が崩れ、一斉に恩地を取り囲み、耐えかねたように手をさし出した。恩地は、一人一人と握手した。誰の眼にも、涙が滲《にじ》んでいる。

恩地は、溢れそうになる涙を辛うじて抑えた。税関を通り、出国管理を通らねばならない。ぐっと堪《こら》えて出国カードにスタンプが捺《お》されてから振り返った。

税関のガラス扉を隔てて、両手を振る者、顔を歪《ゆが》めて涙を堪える者、人目も構わず男泣きする姿もある。恩地の足が、釘付《くぎづ》けになった。

搭乗者たちは、すべて乗ってしまい、恩地が最後になった。恩地を促し、荷物を持つ者がいた。旅客係の一人であった。

「恩地さん、残念ですが、お別れです」

と云い、先にたってタラップの方へ向った。

タラップまで来ると、陽が落ち、夕闇《ゆうやみ》に包まれた空港に、運航部、航務部の係員や整備士たちが、ずらりと並んでいた。恩地を見送るためであった。何も云わなかったが、一人一人、恩地と眼を見合せると、別れの目礼をした。

恩地の眼から、もはや人目も憚《はばか》らぬ涙が、滂沱《ぼうだ》と滴《したた》り落ちた。飛行機が動き出し、滑走路へ向いはじめたが、寒風の吹きすさぶ中で、整備士たちは、いつまでも手を振り続けた。

第六章　カ　ラ　チ

　飛行機の窓の下に、ぽつん、ぽつんと灯りが見えはじめた。カラチ時間、午後十一時五分——、だが、着陸間際《まぎわ》というのに、一国の首都が存在するとは思えない暗さであった。

　昨日、羽田を出発し、香港《ホンコン》、バンコク、カルカッタを経由し、ようやく辿《たど》り着いたカラチ、遥《はる》けき中近東の国パキスタンへ赴任して来た実感が、恩地の胸を衝《つ》いた。

　ターバンを巻いたインド人、麻のスーツを着た欧米人、パキスタン人たちの乗客の中で、タラップを降りた日本人は、恩地元一《おんちはじめ》人であった。

　モルタル塗りの小さな空港建物の中は薄暗く、むっとする異様な臭気がたち込めている。国際線の到着で、空港関係者らしき係官、作業員は多いのに、働いている人数は僅《わず》かで、他はぶらぶらしている。

入国管理の前に列が出来た。管理官は、審査に時間をかけ、パスポートの頁《ページ》をめくる動作一つ、質問一つが遅い。恩地は列の最後尾に並びながら、国民航空の駐在員の姿を探したが、見当らない。インドのボンベイ空港と並んで、パキスタンのカラチ空港は悪名高い難所であるから、支店の誰かが出迎え、入国の煩雑《はんざつ》な手続の面倒を見てくれることになっていたのにと思っているうちに、ようやく順番が来た。

パスポートの顔写真と、恩地とをじっくり見比べてから、記載事項と予《あらかじ》めパキスタン政府に申請して取得していたワーク・パーミット（就業許可書）に、不審な記載でもあるかのように、いろいろ質問して来るが、ナンバーが〝ナンバル〟と巻き舌の何語か解《わか》らないほどの英語に、冷汗が出た。

税関検査では、生活必需品を雑貨屋よろしく両手に持っているだけに、一層、緊張した。

恩地の前のインド人は、紐《ひも》でぐるぐる巻きにした手荷物を、ナイフで乱暴に開梱《かいこん》され、衣類に混っていた金糸入りのテーブル・クロスを、没収されてしまった。恩地はトラブルなく通関するために、スーツのポケットに、煙草《たばこ》を一箱ずつしのばせていたが、渡すタイミングを逸し、すべての荷物を開けられた。

手荒に中のものを引っ掻《か》き廻し、薬袋の中味をばらされた時、恩地は、妻のりつ子が最も心を込めて仕分けてくれたものだけに、怒りを覚えた。

「アー　ユー　ミスター・オンチ？」

白い木綿のスーツを着た髭面《ひげづら》のパキスタン人と覚しき男が、声をかけて来た。そうだと答えると、男は税関吏にワーク・パーミットの写しを示す振りをして、紙幣をさっと握らせた。

迎えの男は、国民航空カラチ支店の現地採用のクラークだった。荷物を元通り詰込むと、大きいスーツケースの方を持ち、税関を出た。その途端、悪臭とともに、白いだぶだぶの上衣の下に、ズボンをはいた男たちが、わっとたかって来た。ポーターや、闇《やみ》のタクシー運転手、闇両替屋たちだった。

クラークは、寄って来た男たちを蹴《け》散《ち》らし、空港の建物の外に出た。そこにも汚れただらりとした服装の男たちが、屯《たむろ》し、チップ目当てに荷物に手をかける者、ただ蹲《うずくま》っている者、ごろごろ寝転んでいる者たちで占められている。

恩地は、クラークの後に付き、待機していたカラチ支店の車に乗り込んだ。車体が凸凹の乗用車で、座席にも臭《にお》いが滲《し》みついている。

市街に向う土漠の中の一本道を走り出すと、周囲は暗闇で、道程《みちのり》が長く感じられる。

ようやく電灯の光りが見え、家並みらしきものがぼんやりと見えはじめた時、恩地は、ほっとした。

車は住宅街の一画で停った。そこが単身赴任者用宿舎であった。クラークは門番に鉄扉の門を開けさせてから、帰って行った。

既に午前一時半を過ぎていた。二階建ての宿舎は静まり返っている。恩地は、使用人の案内で、二階の一室へ入り、裸電球の下、ベッドとバスルームを確認すると、倒れ込むように眠った。

突然、人が絞め殺されるような声で、目が覚めた。何事かと飛び起き、網戸越しに下を見ると、どうやら驢馬《ろば》の嘶《いなな》きらしく、夜が明けようとしていたが、再び床に就いた。チッチッチッチッと妙な啼声《なきごえ》がした。朦朧《もうろう》として眼を上げると、天井にヤモリが数匹、貼《は》りつき、その一匹が落ちて来た。惨《みじ》めなほどの腹だたしさで、払い除《の》け、うとうとしかけると、大音響で起された。電柱に取り付けたスピーカーからコーランが流されたのだった。回教国パキスタンの朝であった。

午前十時、恩地は、寝不足の重い体で、昨夜の車を呼び、カラチ支店へ向った。今日は休暇扱いだが、着任の挨拶《あいさつ》はしておかねばならない。

外気温三十七、八度、砂塵《さじん》が冷房のない車内に入って来る。簡易舗装の道路にはオート三輪、スクーター、軽トラックが走り、その間を駱駝《らくだ》や驢馬の挽《ひ》く荷車がゆっくり進んで行く。

椰子《やし》の並木と丸い回教寺院の屋根、白い壁のビルが見え、看板には公用語のウルドゥ語と英語が併記されている。ビジネス街のバンダー・ロードで車が停った。グランド・ビルディングと名称は仰々しいが、四階建ての壁の黯《くろ》ずんだビルの角に『NAL』と記した国民航空のオフィスがある。ガラス越しに航空券を売るカウンターが見えるが、客の姿はなく、がらんとしている。その階上にカラチ支店のオフィスがあるのだった。

暗い階段を上り、扉を押すと、十数人の視線が一斉に恩地に集中した。支店には、支店長以下、七名の駐在員がおり、そのうち五名が市内オフィス、あとの二名が空港に配置され、それぞれ主任の肩書がつき、各自、一、二名の現地採用職員を使っている。

恩地は、支店長室をノックし、部屋に入ると、予め聞いていた支店長の小田原に、

「総務主任として赴任して参った恩地です」

と挨拶した。薄いブルーのスーツを着た小田原支店長は、ゆっくりと眼鏡をはずし、

「ああ、恩地君ねぇ、着任が遅いねぇ」

間延びした声で、じろりと恩地を見やった。元海軍少尉《しょうい》で、国民航空に入社後、経理畑を歩き、金銭絡《がら》みの不祥事を起し、カラチ支店長に出された人物と聞いていた。

「申しわけありません、遅ればせながら諸先輩のご指導を受け、やらせて戴《いただ》きます」

「指導は竹村店次長に受けたまえ、ここでは面倒は起さないで貰《もら》いたい」

いきなり、釘《くぎ》を刺すように云《い》った。

「面倒と云われますと？」

「自分の胸に聞いてみることだ」

と云い、竹村の名を呼んだ。色の浅黒い店次長が姿を現した。

「総務主任の恩地君が、やっと着任して来た、面倒をみてやってくれ」

と命じた。竹村は、恩地を自分の席へ引き連れ、机の前で片肘《ひじ》をついたまま、上から下まで、詮索《せんさく》するように観察した。この竹村店次長も曰《いわく》付きの人物と聞いていた。

相当、くせのありそうな顔で、

「君ぃ、世の中、仕事の引き継ぎなしで罷《まか》り通るのは、特命全権大使ぐらいのものだよ、前任者から何も聞いていないのかね」

「懇切な引き継ぎ簿を送って戴きました」

恩地はそう云い、総務の仕事の主たる内容は、為替管理、航空券、貨物輸送料の収入金処理、現地職員の給料、諸手当の支払い、支店の備品購入であることを記した引き継ぎ簿のことを話した。

「じゃあ、その通りやればいいだろう」

「しかし、はじめての海外赴任で、どなたかに教えて戴かなくては、解らないことだらけですので、お願いします」

恩地は、頭を下げた。

「内示が出て、内規通り着任すれば、前任者がきちんと引き廻してくれる、それを君がカラチでは不当配転だとごねて、一ヵ月半以上も遅れているうちに、君を待っていた前任者は胃潰瘍《かいよう》が悪化して、日本へ帰らざるを得なくなったんだ、自分で処理すべきじゃないかね」

突き放すように、云い、

「解らないことは、前任者にテレックスを打って、問い合せることだ、もう昼だな、家へ帰って、一眠りとしよう」

ポケットに両手を突っ込んだまま、たち去った。まだ十一時二十分であった。恩地はあっ気にとられ、オフィスを見渡した。カラチ支店全体が、だらっとして、締まりがなかった。支店長、店次長が出て行くと、現地職員は、待ち構えていたように、机の引出しや、戸棚に鍵《かぎ》をかけた。

カラチでは、二月でも真昼の気温が三十五度を越すため、官庁、企業、商店は、午後二時か三時まで休憩し、自宅で昼食を摂《と》り、午睡《ひるね》をする習慣になっていた。

テレックスの前に、半袖《はんそで》のワイシャツ姿の駐在員が残っていた。

「通信主任の岡さんですか、恩地です」

と挨拶すると、

「さっきから、聞いていましたよ」

無愛想に、答えた。

「こちらには、もうお一人、営業主任がおられると聞いていますが」

「あの人は、今、マラリアで休んでますよ」

こともなげに云った。その口ぶりから、マラリアはカラチでは、特別の病気ではなさそうだった。

恩地が遅い夕食を摂りに、宿舎の食堂へ行くと、空港詰の運航主任と客室主任、それに市内オフィスの通信主任の三人が、食後も酒を飲んでいた。回教で禁酒の国であるから、出張者や空港詰の者が苦労をして手に入れた貴重な酒であった。

運航主任は、文字通り飛行機の離発着に伴う気象条件、旅客、貨物、燃料搭載などの管理をするディスパッチャー（運航管理者）であった。客室主任は、搭乗客の機内食を現地で手配する担当で、陰で〝弁当屋〟と云われており、カラチ支店で一番の年嵩《としかさ》で、煙たがられている。

運航主任は、恩地の顔を見ると、

「遅いですね、こんな暑熱の地へ来て、赴任早々から、日本並みに働いていたら、体が保《も》ちませんよ、パキスタン人の、のろのろした働きぶりは、怠け者だからでなく、生れた時からこの灼熱《しゃくねつ》の国で生きている人間の智恵《ちえ》なんですよ、ここには日本人の医者はおらず、パキスタン人の医者しかいませんからねぇ」

体を気遣うように云ったが、弁当屋と云われている客室主任は、酔いのまわったとろんとした眼つきで、恩地を見た。

「あんた、えらいんだってね、組合の〝輝ける委員長〟とかで――、カラチ転勤と云うと、不当配転だと組合がビラを撒《ま》き、果ては法廷闘争も辞さずと、息巻いたそうじゃないか」

「いや、話がいささかオーバーに伝わってます、会社の意に染まぬ者は、本人の意向も、家庭の事情も一切、考慮せず、いきなり、海外転勤を命じる会社のやり方に抗議したのであって、カラチだからといって、拒否したのではないのですよ」

恩地が事情を話すと、

「ほう、やはり、輝ける委員長は違うな、われわれは、いきなり、カラチという社命が出ても、一言の抗弁も出来ず、誰も騒いでくれず、盛大な見送りもなく、ひっそりと赴任するだけで、君のように大勢に見送られて日本を出発するなど、まさに英雄扱いで、羨《うらやま》しい限りだよ」

と絡み出した。通信主任も、

「だいたい、カラチ行きが不当配転だと騒ぐなど、われわれを馬鹿《ばか》にしている、おかげで、来ることになっていたうちのワイフと子供たちも、そんなところへ行きたくないと云い出した、人の家庭にまで迷惑をかけるな」

酒気で染まった顔をさらに紅《あか》らませた。

「申しわけない、私は決してカラチ赴任が、怪《け》しからんと云ったのではありません」

重ねて誤解を解くように云ったが、したたか酔った客室主任は、

「皆が迷惑しているよ、〝首相フライトを止めたアカ〟が来たんだからな、あんたら跳《は》ね上りのせいで、運輸省から天下りが来たり、財界から妙な奴《やつ》が送り込まれて来た

りしたじゃないか、その辺のいきさつをきちんと説明して貰いたいよ」

さすがに、恩地の顔色が動いた。だが、説明すればするほど、昂奮《こうふん》するであろうし、沈黙すれば、さらに酔って罵倒《ばとう》するであろうと、迷っていると、空港詰の運航主任が、割って入った。

「恩地さんは、何といっても、われわれの基本給や諸手当、それに海外在勤手当を増やして、つい三、四年前の国民航空では考えられなかった給与体系を築いてくれた人だよ、いくら酒の上とはいえ、そんな言い方はないだろう」

と云うと、客室主任は、ぐっとウイスキーのグラスを空け、

「それとこれとは、別問題だ、いくら組合で給料を上げてくれても、カラチの在勤者を見縊《みくび》った言動は許さん」

執拗《しつよう》に蒸し返した。

「その点はお詫《わ》びします、この際、誤解を解いて戴いて、生活条件の悪い地域で一緒に我慢するのではなく、皆さんと共に良くする方法を考えましょうよ」

生活環境の悪さで荒れている人たちの気持を明るくさせるように云うと、運航主任は、

「やはり恩地さんだ、どこにいても働く者の生活条件を良くすることを第一に考える、

皆で協力しようじゃないか」

技術者らしい明快さで云った。客室主任は、ぐでぐでに酔った体で、ふらりとたち上ったかと思うと、

「ここまで来て、アジは止《や》めろ、俺はカルカッタへ行き、一旦《いったん》、日本へ帰ったかと思ったら、次はこのカラチだ、家族は、もう二度目はご免だと、ここには来んのだ、そんなどさ廻りの者の気持は、お前には解らんだろう、二度と生意気なことを云うな！」

と云うなり、恩地の顔に、酒をぶっかけた。頭から酒が滴《したた》り落ちたが、恩地はじっと相手を見詰めるだけだった。現地人と見紛《みまご》うほど真っ黒に陽に灼《や》け、かさかさに乾いた皮膚に、その男の心の乾きを感じ取り、彼も同じ組合員だと思いながら、ぐっと堪《こら》えた。

四月に入って連日、四十度を越える暑熱が続き、一年に数えるほどしか雨が降らない土漠の町には、濛々《もうもう》と砂塵が巻き上る。

空港と市内のオフィスを往復すると、眼と咽喉《のど》をやられ、暑さに耐えかねて、煮沸していない水を飲むと、激しい下痢を起してしまう。

こんな日常の中で、冷房機は必需品であった。支店には、揃《そろ》っていたが、社宅や単身赴任者用の宿舎の冷房は、いつも故障を起し、満足に動いていることは少なかった。昼間、暑熱と砂塵にまみれて働き、夜、暑さで睡眠がとれぬのは、地獄であった。冷房機が故障し、修繕がきかなくなった社宅の者から、毎日、矢の催促があり、総務主任の恩地は連日、本社の厚生課へ冷房機購入の要請をしたが、なしの礫《つぶて》であった。

たまりかねた恩地が、支店長名での催促を頼むと、

「それは総務の仕事だよ、支店長が、冷房のことまで云うのは、どういうものかねえ」

と断わられ、暑熱に喘《あえ》ぐ駐在員たちからは、

「ここでの総務の仕事は、何をおいても、冷房と防虫網戸の完備だ」

「やはり本社に睨《にら》まれている総務主任では、分が悪いよ、な」

怨嗟《えんさ》の声が上った。もはや、要請文だけではどうにも致し難く、恩地は毎日、四十度前後の気温のみを、テレックスで打ち続けた。

遂《つい》に二週間目に、本社から返信が来た。

『修理不可能の情況、詳細に報告されたし』

『先月末、詳細に報告の通り、社宅用二台、単身赴任者の宿舎用一台、それぞれ、二

年間に三度乃至《ないし》四度の修理するも、その度に他の箇所が悪くなり、もはや修理不能。なお三台のうち一台は、前任者からの引き継ぎ案件なり』

『どうしても三台必要なりや、食堂と居間のいずれかにするか、或《あ》いは二人が一つの部屋を使用することを検討されたし』

『ご指摘の点、既に検討し、四台必要のところ三台にし、これ以上の削減は不可能なり』

テレックスのやり取りの後、ようやく、

『購入可。但《ただ》し、従来の価格を越えぬこと』

という許可が出た。冷房機の関税は、二〇〇パーセントであるから、出張者が香港で購入し、チェックイン貨物として、自社便に乗せて持ち帰り、パキスタン税関には、事前に充分なる根回しをして、通関させることにした。

冷房機購入の許可が出たと知ると、一同、息を吹き返したように生気を取り戻したが、マラリアの発作で、八人の駐在員のうち三人が倒れ、五人で仕事を受け持たねばならなかった。

その上、部下のハッサムも、三日無断で休んだ。出て来るなり、厳しく叱責《しっせき》すると、いつものスーツ姿ではなく、パキスタン風の白の長い上衣をだらっと着て、気怠《けだ》るそ

うに、

「少し、病気をしたので」

　と答えた。

「一体、何の病気だったんだ」

「赤痢です」

　恩地は驚いて、ハッサムの顔を見た。まだ高熱があるらしく、黒い顔がほおずきのように紅い。パキスタン人にとっては、赤痢は三日休めば癒《なお》るという感覚であった。

「もう、いい、すぐ家へ帰って休め」

　と追い返し、恩地は、ふうっと吐息をついた。この苛烈《かれつ》な気候といい、見るもの、聞くもの、すべてがカルチャー・ショックの中で、健康を維持し、精神を正常に保つことの難しさが身に沁《し》みた。


　冷房機が喘ぐようなモーター音を発しているオフィスで、恩地は総務主任の仕事であるパキスタン・ルピーの勘定に、悪戦苦闘していた。航空券、貨物の収入金を本社へ送金するに当っては、ルピーをドルに換算しなければならない。公定レートでは一ドル四・七六二ルピーだが、実勢相場ではほぼ半分の価値しかなく、それに慣れない上、恩地を悩ましているのは、通貨の単位が十進法でないことだった。

「ミスター・オンチ」

机の前に、現地採用職員のハッサムが、恭《うやうや》しく進み出た。経理事務の仕事を任せているが、計算が遅い上、勤務態度も真面目《まじめ》さに欠ける男だった。

「何だね、急に改って——」

「実は、故郷《くに》の母が病気で、送金が必要となりましたので、百ルピーの給料の前借りをお願いします」

「百ルピー」

一ルピーは日本円で約七十五・六円、ハッサムの給料は百二十ルピーであるから、百ルピーは、大金だった。恩地は、人事ファイルを広げ、ハッサムの履歴を見た。入社三年、二十三歳、独身、父親は綿花の仲買人と記載されている。父親の職業柄、恵まれた家庭のはずだった。

恩地が躊躇《ちゆうちよ》している様子に、離れた上席の方から、竹村店次長が、退屈しのぎに娯《たのし》むような視線を向けている。

「お父さんに面倒をみて貰っては、どうかね」

恩地が、ハッサムに云うと、

「父は、三人目の若い妻に入れあげ、第二夫人の僕の母を、蔑《ないがし》ろにするのです」

と、大きな眼からはらはらと、涙を流した。恩地は、その涙を信用していいものか、戸惑った。着任後まだ間もない頃、ピオン（メッセンジャー・ボーイ）が「弟がスクーターに当て逃げされ、大怪我《おおけが》を負いました」と治療費の前借りにすっ飛んで来た時、会社の制度では認めていないから、自腹を切って、云われるまま五十ルピーを貸したのだった。だが、翌々日には、その前借り申し込みは、高利貸しの追いたてから逃れるために、新任の自分に泣きついて来たことが解《わか》り、竹村らから笑いものにされた苦い経験がある。

「お母さんの病気は、何だね」

恩地は用心して聞いた。

「原因不明の悪病ということです」

ハッサムは、薄汚れた袖口で涙を拭《ぬぐ》った。

「一ヵ月分の給料に近い金額は貸せない、君も簡単に返せないはずだ」

「ミスター・オンチもそう思われますか、それでは三回の月賦《げっぷ》払いということにして、母を助けて下さい」

タイミングよく、また涙を流した。恩地は唖然《あぜん》とし、〝母の病気〟は信用し難くなった。

「月賦払いは認められない、当座として貸せる金額は三十ルピー、但し、給料日に返済することが条件だ」

恩地が云うと、ハッサムは不満げな顔になり、涙も止ったが、

「では、その条件でお願いします」

しぶしぶ、借用証に署名し、拇印《ぼいん》を捺《お》して、三十ルピーを受け取って退《さが》った。

ほっとし、再び本社へ送金するための作業にかかった。パキスタン中央銀行の支払い証明書、送金許可書を取るのが一苦労の上、すぐには事務処理されないため、ルピーは手元に溜《たま》りがちになり、為替の切下げの度に実質的に目減りする。

「ミスター・オンチ」

再度、呼びかけられた。今度は、何かと顔を上げると、フセインだった。

「ジョニー・ウォーカーを一本、用意出来ますか」

いきなり、切り出した。

「スコッチウイスキーを、何に使うんだ」

小声で、聞き返した。禁酒が建前の回教国であるから、オフィスでの会話は、配慮しなければならない。

「これですよ、ミスター・オンチの運転免許証」

フセインはそう云い、折り畳んだ紙片を机の上に置いた。

「えっ、いつの間に下りたんだい」

恩地は、驚いた。どこへ行くにも車が頼りの国だけに、自分で運転をマスターしなければと、練習をはじめたのは、三週間前の土、日の早朝で、会社のドライバーに手ほどきを受け、これから本格的に習うつもりで、応分の授業料を払った矢先であった。免許取得の申請は、その直後、警察署にたち寄り、手続は済ませていたが、こうやすやすと、しかも出前よろしく手元にまで届くとは、信じ難い。

「フセイン、この運転免許証は、本物だろうね、チェックしてくれ」

恩地は、折り畳んだ免許証を広げた。正方形が上下左右に開き、十字形になる風変りな免許証で、有効期間は二年、顔写真は要らなかった。

フセインは、ざっと目を通した。十三人いる支店の現地職員の中で、フセインは名目上、営業担当だが、仕事らしい仕事は殆《ほと》んどせず、航空会社の社員のメリットを利用し、香港やベイルートを飛び歩いていると聞いている。父親が政府要人で、あらゆるところに不思議なほどコネが利《き》くため、カラチ支店では重宝がられていた。

「記載洩《も》れなし、万事ＯＫですよ」

フセインは請け合い、免許証を元通り畳んで、恩地に手渡すと、

「ミスター・オンチは、東京本社のプレジデントと同じ大学ですってねぇ、日本へ行く時は、紹介状を書いて下さいよ」

ぬけぬけと、交換条件のように云った。


日曜日といっても、目的のない休日は空疎《くうそ》だった。体は疲労していても、ヤモリの貼《は》り付いている部屋で、ゆっくり寛《くつろ》ぐ気にもなれず、半袖シャツを着て、階下の食堂へ下りた。誰もいないがらんとした食堂のテーブルに着くと、ベアラー（使用人頭）が姿を現わした。

「サラマレコン（お早う）」

恩地の方から声をかけると、気のない挨拶《あいさつ》が返って来た。

新聞を読もうにも、誰かが部屋へ持って行ったのか、三、四日遅れの日本の新聞もなく、手持ち無沙汰《ぶさた》で、朝食を待った。

食卓について二十分程して、ベアラーがまずパパイヤを運んで来、さらに二十分程してチャパティ（竈《かまど》でやいた平たい円形のパン）と、羊の脂《あぶら》で料理した炒《い》り玉子を運んで来た。

「シュークレア（有難う）」

恩地は、羊の脂の臭《にお》いに、むっとしそうになるのを堪《こら》え、口をつけた。食パンが切れると、チャパティが出て来るが、見習いコックの当番日で、生《なま》っぽい小麦粉の舌ざわりがする。

早々に朝食をすませ、涼しいうちに車の運転練習をしようと、車庫へ行くと、空《から》だった。そう云えば、四人の単身赴任者のうち、運航主任と通信主任は早朝ゴルフに出掛けると、聞いていた。

為《な》すこともなく、恩地は二階の自室へ引き揚げ、昨日からもう何度も読んでいる妻のりつ子からの航空郵便を広げた。

お変りなく、お過しのことと存じます。昨日の子供の日は、吉祥寺《きちじょうじ》の紀子《のりこ》さん夫婦が、克己《かつき》を誘い、後楽園遊園地へ連れて行って下さいました。そこのジェットコースターや観覧車より大きな鯉幟《こいのぼり》に昂奮し、帰ってからも一生懸命、私に話し続けるのです。普段、口数の少い子だけに、よほど嬉《うれ》しかったのだろうと、紀子さん夫婦に感謝しています。

お姑《かあ》さんの血圧も、あなたが赴任された当時から比べると、安定していますので、ご安心下さい。

なお、ナンバー7のお手紙はやはり、受け取っていません。日本人学校がないカラチでは、在留邦人の方々は、どういう教育をしておられるのか、教科書等についても併せてお返事下さい。

恩地は、手紙から目を上げた。恩地が家族に出す手紙は、直接、中央郵便局へ持って行き、りつ子から来る手紙は、カラチ支店のP．O．BOX気付で受け取るから、間違いの起るはずはないにもかかわらず、届かない便があり、以後、重要な連絡事のある手紙は通しナンバーを付け、やり取りしているのだった。

それにしても、妻の手紙は、僻地《へきち》にいて、どうすることも出来ない夫の立場を慮《おもんぱか》って、心配の種になるようなことは一切、書いて来ない。だが、恩地は手紙の行間から妻子、母の姿を仔細《しさい》に思い浮かべた。克己が、大きな鯉幟に昂奮し、家へ帰っても喋《しゃべ》り続けるのは、親鯉、子鯉が、五月晴れの空に仲良くはためいていたからだろうか……。そう思うと、胸が締めつけられる。

恩地は、妻の手紙を引出しにしまい、気分を変えるために、客室主任の佃《つくだ》の部屋を訪れた。冷房は入っているが、扉が開きっ放しになっている。声をかけたが、応答がない。もう一度、声をかけようとして、恩地はたち止った。

佃は、カレンダーの前に突ったたち、何か歯軋《はぎし》りしているような気配だった。恩地が着任の挨拶に行った夜、食堂で、したたか酒に酔い、

「カルカッタ、カラチと、どさ廻りをし、家族も呼べない者の気持など、解らんだろう」と、恩地の顔に酒をぶっかけたあの異様さに通じるものが、漂っている。

佃は、恩地に気付かず、カレンダーの今日の日付に、まだ一日が終っていないにもかかわらず、黒いマジックで、斜線を引いて消していた。過ぎた日はすべて斜線で消してある。

週に二便、往復四回、国民航空の飛行機がカラチ空港に止まる度に、機内食を積み込み、客室用の水、トイレットペーパー、石鹼《せっけん》の類《たぐ》いを補充する一方、機内清掃も滞りなく行われているか監督するのが、客室主任の佃の仕事であった。中でも最も神経を磨《す》り減らすのが機内食で、食中毒が出ないよう、カラチ市内の業者に衛生面を厳しく指導している。それが効を奏してか、食中毒の事故を起したことは一度もなかったが、佃自身は出張で自社便に乗っても、カラチ仕立ての機内食には全く手をつけないという噂《うわさ》がある。

来る日も、来る日も、苛烈な気候の中で、衛生を叫び、トイレットペーパーの数を

数える佃の神経は、病んでいるのだった。

いつしか自分も、この酷暑と砂塵《さじん》の国で、神経が蝕《むしば》まれるのではなかろうか――、いや、自分には、このカラチまで来てくれる家族がいる、あと三ヵ月の辛抱だと、恩地は云い聞かせた。

深夜のカラチ空港に降りる日本人客は、一便に三、四人、時には一人だけの場合もある。南廻りで各国を中継して、カラチに着く乗客は、睡眠不足の疲れた表情で、空港の面倒な入国手続と通関に手こずる場合が多かった。

恩地は、自社便が到着する度に、早目に空港に行き、お客を出迎え、入国手続と通関を手伝う。乗客名簿では、今夜、降りる日本人客は一名で、その氏名が記されている。

飛行機は、午前一時十五分着の定刻より三十分遅れで到着し、アラブ人、インド人、パキスタン人、欧米人たち七十人余りの乗客に混って、日本人らしき乗客が降りて来た。

恩地はすぐ近寄り、声をかけると、

「アイム　ノット　ジャパニーズ、アイム　チャイニーズ」

英語で答えて、行き過ぎた。ようやく、一番最後に降りて来た東洋人は、顔が土のように乾き、疲れきった様子で、機内用バッグを引きずっている。

「野村さんですね、国民航空の者です、お迎えに参りました」

と云い、手荷物を受け取ると、

「日東織物の野村です、夜分に助かります」

安堵《あんど》したように答えた。恩地は入国手続を手伝い、ポーターに大きなトランクを運ばせ、ごった返している税関の台に荷物を載せる時、素早くラッキーストライクの煙草《たばこ》一箱を係官に渡した。形ばかりトランクを開けられたが、中はひっくり返されずに、通関が終った。

荷物を車に積み込むと、恩地は、野村を乗せて、真っ暗な道を市内に向いながら話した。

「さぞ、お疲れでしょう」

「ええ、はじめての中近東の出張で、疲れました」

「今晩、ゆっくりお寝《やす》みになって下さい、ご出発の時は、またお送り致します」

「そう願えれば有難いです」

大企業の商社マンと異り、海外支店がない中小企業の社員は心細げであった。

ホテルに着くと、ポーターが荷物を持って案内したが、恩地はフロントまで行き、チェックインを手伝った。部屋を予約しておいても法外なチップ欲しさに、空室がないというホテルもあるからだった。

そこまで見届けて、宿舎へ帰ると、午前三時を過ぎていた。朝は七時に起きて、八時半出勤だったから、小刻み睡眠の生活になった最近は、一刻も早く眠るために酒を飲み、日本にいる時はビール一本でさえ持て余したのに、次第に酒量が増えていた。

深夜の空港の送迎は、総務の仕事ではなかったが、新参の恩地が、やらねばならぬ微妙な雰囲気があり、恩地自身も日本から三、四日遅れで着く新聞より、人間に触れて日本につながりたい気持があったのだった。

数日後の夜、妻宛《あ》てに手紙を書き終え、克己の喜びそうな切手を貼ると、電話のベルが鳴った。

「恩地君、佃だ、今、カラチ病院からだ」

「え、どうかされたんですか？」

「僕じゃない、早朝、ロンドン発の便で到着した客室乗務クルーの中で、スチュワーデス一名が、下痢を起して、病院に運び込まれただろう」

「そう云《い》えば……、しかしカラチ病院とは――」

「わが社のかかりつけのドクター・ズベリが不在で、いい病院へ入れなかったんだ、僕は明朝、早くから仕事が入っているから、君、すぐに病院へ来て、替って貰《もら》いたい、同じクルーのパーサーが付き添ってはいるがね」

と病室の番号を伝えた。支店の病人の世話は総務主任の仕事、乗客やクルーの場合は、客室主任の仕事であったが、替ってくれと云われれば、引き継がねばならない。

恩地は急いでアラワラ・マーケットに近いジンナー通りにあるカラチ病院へ向った。

深夜の病院は森閑とし、灯りも乏しい。正面玄関の受付で、部屋番号を云うと、中庭を横ぎって、廊下へ入った三つ目の部屋だと教えられた。

恩地は暗い中庭を横ぎり、廊下へ入った途端、足を止めた。廊下にまでベッドが並び、そのベッドの横には病人の家族たちが蹲《うずくま》り、周りに食器や鍋《なべ》が散らばっている。薄暗い灯りの中で、誰が患者か、家族か、看護婦かの見分けがつかないほどだった。

ようやく教えられた扉を押すと、既に佃の姿はなく、ドクター・ズベリの助手と男性パーサーがいた。スチュワーデスが、まさか三井美樹とは、思いもかけなかった。

そっと声をかけると、美樹は顔に汗を滲《にじ》ませながら、

「すみません、お世話をかけて……」

と眼を潤《うる》ませた。ドクター・ズベリの助手は、

「ドクターは保養に出かけておられ、ここしかなかったのです、赤痢の疑いがなきにしもあらずなので、明朝から検査をするとして、目下のところは抗生物質で下痢止めの応急処置をして貰いました」

と聞き取りにくい英語で話した。パーサーは、

「恩地さん、こんな病院でちゃんとした検査ができるのですか、これなら彼女の姉さんのハズバンドが香港で医師をしていますから、香港まで連れて行く方が安全だと思います」

「万一、赤痢の場合、客室へ乗せることは出来ないでしょう」

「それは解っていますが、こんな不潔な病室では、かえって病気が悪くなりそうですよ」

パーサーのいう通り、部屋の壁は汚点《しみ》だらけ、床にはパキスタン人の習慣で、檳榔樹《びんろうじゅ》の実を噛《か》んでは、ぺっぺっと吐き散らすため、むっと鼻をつくような臭気がし、冷房もない。今は気温は二十度にまで下っているが、陽が昇れば、天井の扇風機がゆるく廻るだけで、病人は暑熱のために体力を消耗してしまう。

「ここには、冷房の入った外人病棟の個室がないのでしょうか」

「ありません、病院は満室で、順番待ちの病人が廊下に溢《あふ》れている状態です、私が頼み込んで、ここにいた患者を他の部屋に移して、個室として提供して貰ったのです」

「私、香港まで行きたい……」

美樹が、か細い声で訴えた。美樹もこの部屋の不潔さと、病室の前に屯《たむろ》している現地人の騒《ざわ》めきに不安を覚えているようだが、カラチ支店の総務主任として、伝染病の検査を必要とされているスチュワーデスを飛行機に乗せるわけにはいかなかった。恩地の頭に、先日、正規の運転免許証をどこからともなく調達して来たフセインの存在が思い浮かんだ。政府要人の息子である彼の家には、電話がある。

恩地は、パーサーに、病人を頼み、廊下を占拠している病人のベッドとその家族たちの間を縫って、電話室まで辿《たど》り着き、交換台に電話番号を申し込んだ。幸い二十分ほどで繋《つな》がり、眠そうなフセインの声がした。

「夜中にすまないが、君でなければ出来ない頼み事をしたいのだよ」

恩地が、事情を話すと、

「その病院では無理ですよ、政府要人、金持たちが使うイスマイル・ハーン・ホスピタルなら、冷房完備の外人専用病棟がありますが、あそこも年中、満員です、しかし政府要人が保養と称して、外人用を使っていますから、それを何とか一つ、空けて貰うようにしますよ」

「ミスター・オンチ、私のコネでうまく行かなかったことがあるでしょうか」

「ほんとうに、それ、大丈夫かね」

と云い、電話を切った。恩地は、三井美樹をイスマイル・ハーン・ホスピタルへ移せる見込みがたって、ほっとしたが、廊下にベッドを並べ、その下に蹲っている家族の姿を眼にし、常に不平等と闘って来た自分が、コネと賄賂《わいろ》を使って、特権を行使することに後ろめたさを感じた。

三井美樹は、ヴィクトリア通りのイスマイル・ハーン・ホスピタルの外人専用病棟に移って、三日目を迎えていた。

ここは、パキスタンの宗教的指導者であり、財閥でもあるイスマイル・ハーンの先代が創設した病院で、政府要人や富裕階級が使用し、外人専用病棟も併設している。中庭の芝生はよく手入れされ、ハイビスカスやブーゲンビリアの花が咲き乱れている。

冷房のきいた病室で、美樹は点滴を受けていたが、二日間続いていた三十九度台の高熱は下り、一時は一日、十数回も続いていた下痢もようやくおさまりかけていた。

どうか赤痢でありませんように、と祈るような気持で、美樹は間もなく終る点滴の瓶を見上げていた。主治医は、泥状の血便が見られるから、四十八時間培養を行い、赤痢菌が陰性か、陽性か検査結果が出るまでは何とも云えないと繰り返した。それまでは面会禁止であったから、美樹は、ロンドンから一緒だったクルーに会うことも、詫《わ》びることも出来なかった。

美樹が一年前から飛んでいる南廻りヨーロッパ路線は、羽田から香港を経由し、バンコクで最初のクルー交替。三日待機して次の飛行機に乗務し、カラチでまた交替、四日待機して次の飛行機に乗る。ここからは交替なしで、カイロ—ローマ—フランクフルト—ロンドン着、ロンドンで四日待機した後、往路と逆のコースを同じ日程で羽田に向うのだった。往復二十四日の南廻りはきつく、復路のカラチあたりでへばりそうになるのを、次は緑したたるバンコク、そして、日本が目前と云い聞かせて頑張り、乗客へのサービスに努めるのだった。

復路で、カラチに四日前に到着し、待機していたクルーと交替して、会社指定のメトロポール・ホテルに入り、客室乗務のクルーと行動し、同じ食事をしたにもかかわらず、なぜ一番齢下《としした》の自分一人が激しい下痢を起したのか、美樹は繰り返し、考えていた。思い当ることといえば、ロンドンのホテルの空調がうまく調整出来ず、寒過ぎて軽い風邪にかかったような気がしたが、同室のスチュワーデスは何事もなかったようだった。チーフ・パーサーから健康管理をやかましく教育されているだけに、美樹は恥しくもあり、自分の穴を埋めるために、バンコクからカラチへ引き返して乗務しなければならなかったスチュワーデスに申しわけなく思った。

扉がノックされ、主治医が、看護婦を従えて、入って来た。ドクターは空になりかけたリンゲル液の瓶を見て、看護婦に美樹の腕の針を抜かせてから、診察した。

まず舌の状態を診《み》、次に聴診器を当て、腹部を触診した。

「下痢はおさまりましたか」

ロンドンの医科大学出の医者らしく、丁寧な英語で聞いた。

「おかげさまで、ほぼ止りました、ドクター、検査結果はまだでしょうか」

「午後に出ます、出れば、すぐに伝えますから、安静にしていなさい」

主治医はそう云い、出て行った。美樹は眼を閉じ、うつらうつらしながら、国際線に乗務しはじめた頃の出来事を思い出した。

イギリスに向うインド人移民のグループが、カルカッタから乗り込んで来た時のことであった。洋式便器の使い方が解《わか》らなかったらしく、床に直《じか》に排便したのだった。悪臭に、トイレ近くの乗客が騒ぎ、次のカラチまで放置出来ず、美樹はマスクをして、新聞紙で拭《ぬぐ》い取り、水と布でさらに拭ったが、悪臭は取れず、熱湯を使って清掃した。

泣き出したかったが、序列の厳しい客室乗務員の中では、新米がその役割だった。またインド、パキスタンの空港では、機内のシート・ポケットのごみは、スチュワーデスが一つ一つ取り出して床に落しておかねばならない。カースト制度により、到着した空港で清掃のため機内に入って来るスイーパーと呼ばれる作業員は、シート・ポケットに触れることが許されず、床のごみだけを掃除する定《きま》りになっているからだった。こうしたカースト制の名残りは、気候、衛生面に加え、強いプレッシャーになっていた。

そのカラチで病気になり、クルーとカラチ支店に迷惑をかけてしまった。中でも恩地のことを思うと、感謝の気持で一杯だった。早くよくなりたいと思いながら、美樹は、眠りに落ちた。

午後五時になっても、西陽がぎらつき、カラチ支店のクーラーの効きは良くない。恩地が現地職員の給料計算をしていると、

「恩地君、検査結果が出たんだってねぇ」

竹村店次長が、声をかけた。

「ええ、病院の事務長から、培養検査の結果は陰性、病名は大腸炎と連絡が入って、

安堵しました」

「陰性なら伝染しないから、見舞いに行ってもいいわけだ、若い女性が独りぽっちでは心細いものだよ、一緒に行こうか」

いつもの突慳貪《つっけんどん》な態度とうって変り、気味が悪いほどの猫撫《な》で声で云った。

「はぁ、しかし……」

「支店長も見舞いに行ってやりたいと、云っておられる」

スチュワーデスの中に、赤痢の疑いがある病人が出たと客室主任の佃が報告した時は、支店長、店次長ともに激怒した。特に竹村は、「それが赤痢患者であった場合、機内を消毒し、乗客全員を最寄りの空港に降して、検査しなければならない、もしそんな事態にでもなれば、国民航空の南廻りはすべてキャンセルになり、カラチ支店もとんだとばっちりを受ける」と当り散らしていたのだった。

ところが病人がスチュワーデスの中でも、すこぶるつきの美人で、赤痢ではなく、単なる大腸炎だと解った途端、態度が変った。恩地は美樹の安静のため、暇つぶしの見舞客は防いでやらねばならぬと思った。

「もう一晩、様子を見た方が安全だと思いますよ、主治医がいかにイギリス留学したドクターとはいえ、菌の検査をする技師は別ですからね」

「そうだな、じゃあ君、様子を見に行って来てくれ」

竹村は俄《にわ》かにそう云い、席へ戻って行った。

単身赴任者用の宿舎のコックに作らせた五分粥《がゆ》と梅干しを持ち、女性の現地職員を伴って、恩地は病室を訪れた。

「まあ、恩地さん――、すっかりご迷惑をおかけしました、プロ失格ですわ」

「いや、南廻りは、体調を崩しやすく、今までにも食中毒を起したスチュワーデスやパーサーがいるそうですよ、お粥を持って来たので、食べて下さい、こちらはわが社の現地職員で、身の回りのことで困ったことがあれば、彼女に手伝わせて下さい、簡単な英語は話せますから」

と云い、パキスタン風のコンチ（上衣）とシャルワール（柔らかなズボン風のもの）を纏《まと》った女性職員を紹介した。美樹は、もし何かあればお願いしますと、会釈《えしゃく》した。

温かいお粥と梅干しを食べると、悄然《しょうぜん》としていた美樹の表情が生々とし、

「何よりのものを戴《いただ》いて、有難うございます、こんな急病で倒れましたけれど、恩地さんにお会い出来る機会を得ましたわ」

大きな瞳《ひとみ》を輝かせて、恩地を見詰めた。

「それはよかった、じゃあ明日また」

恩地がたちかけると、

「病人が云うのは、おかしいかもしれませんが、恩地さん、少しお窶《やつ》れになりましたわね」

「赴任して、まだ四ヵ月しか経《た》っていないので、馴《な》れないからですよ」

「それにしても、私たちのために尽して下さった恩地さんが、なぜここにと、納得の行かない思いの人が多いのです、今、パイロットや航空機関士の乗員組合も、いろいろな問題が生じていますわ」

各職種の組合が、会社側の厳しい労務政策に締めつけられていることは、組合委員長の沢泉からの手紙や同封されて来るビラで知っていたが、恩地は口にせず、

「こういう僻地へ赴任して来ると、国内では到底、解らない心の乾きを持った人の存在に気付きますよ」

と云った。

「これから南廻りの時は、お訪ねしてよろしいかしら」

「結構ですが、体には充分、気をつけて」

「ええ、地獄の南廻りが、苦でなくなりそうですわ」

恩地はさりげなく、女性職員と共に部屋を出た。

＊

待ちに待った家族の到着の日であった。深夜の空港で、恩地は落ち着きなく、空港事務所を出たり入ったりしていた。

「恩地さん、ほぼ定刻通りですけれど、まだまだですよ、お茶でもいかがですか」

空港詰めの運航主任が、云った。

「もう充分です、今夜はいつまでも蒸し暑いですねぇ」

午後十一時を過ぎても、気温は三十度を下らず、海に面した町独特の湿気があった。

「ご家族とは、半年ぶりにご対面ですねぇ」

「仕事を一通り覚えたと思ったら、次は家族と、手間がかかりますよ」

恩地は照れを隠すように窓の外を見た。満天の星空で、空港全体がほの青く包まれ、恩地の心を昂《たか》ぶらせた。

やがて、星空の彼方《かなた》に赤く点滅するランプが見え、エンジン音とともに機影が現われ、滑走路に着陸した。

タラップがかけられ、恩地は空港建物の前にたって、降りて来る乗客に眼を凝らした。今夜、カラチ空港に降りる日本人旅客は、紡織機械メーカーの社員二名だったが、商社の駐在員の出迎えがあり、恩地が世話をする乗客はいなかった。

タラップに、小さなリュックサックを背負った克己が現われ、続いて純子を抱いた妻のりつ子が降りて来た。機内持込みの荷物は、パーサーが持ってくれ、乗客の最後に降りたった。

「お父さん！」

小学二年生になった克己が、いち早く父の姿を見つけ、駈《か》け寄って来るなりしがみついた。

「よしよし、克己、よく来たな」

思わず、克己を抱き上げると、

「お父さん、会いたかったよ」

父の首に力一杯、抱きついた。子供のぬくもりが、恩地の乾ききっていた心身を熱く満たしたが、歓《よろこ》びに浸ってはいられない。パーサーに礼を云い、荷物を受け取ると、りつ子に、

「子供連れの長旅で大へんだったろう、何より無事でよかった」

眼を見交しながら云うと、

「あなたこそ……」

あとは言葉にならず、眼を潤ませた。

入国管理、税関の係官とは、既に顔馴染《なじ》みであったから、特に質問されることもなく、通関したが、税関を出るなり、りつ子と克己は、床にごろごろ寝転んでいる男たちを見て、怯《おび》えた。

「大丈夫だよ、さあ、早く車に――」

恩地は、ポーターに荷物を運ばせ、妻子の背中を押し、群って来る男たちを払い退《の》けた。

車に乗り込み、ドアが締まるなり、りつ子は、

「想像以上に、大へんなところね」

と吐息をついた。恩地は、りつ子の腕の中で眠り続けている純子を抱き取った。僅《わず》か半年で、また大きくなっていた。

車が星明りの一本道を走り出すと、克己は長旅の疲れで、両親の間ですぐ眠った。

三十分後、車はやや山手の大きな邸宅が建ち並ぶ地域に入った。多くが白い壁の邸宅で、椰子《やし》の樹《き》が青く浮かんで見える。

車が停まり、運転手が、鉄扉の前で、大声をかけると、門番が慌《あわ》てて、大きな扉を

開けた。中へ入ると、玄関の戸が開き、白の長い上衣とだぶだぶのズボンをつけたパキスタン人が出迎えた。

「彼が、この家を差配してくれるベアラー（使用人頭）だ、英語が話せるのは彼だけで、あとはウルドゥ語で私も解らない」

と紹介すると、ベアラーは、

「ミセス、お待ち致しておりました、ベアラーのシェイクでございます」

恭《うやうや》しく、りつ子と子供を迎えた。

「さあ、今日から、ここがお家《うち》だよ」

恩地が云うと、十四、五畳ほどの広さに、大きなソファがL字形に置かれた居間を見て、

「うわっ、大きな家だなぁ」

克己は、眠気が醒《さ》めたように家の中を見廻した。居間の奥は、中ホールを挟んで、食堂と、キッチンとが続き、庭に面したテラスも広々としている。

「あなた、網戸は大丈夫ね」

りつ子は、家の広さより、防虫網戸のことを聞いた。

「うむ、各室をよく点検して、破れているところは修理しておいたよ」

単身赴任者用宿舎に住いながら、家族用の一軒家を探し、二週間前から、移り住んでいたのだった。特に気を配ったのは、水廻りとマラリアにかからぬための防虫網戸の完備であった。

「さあ、克己、お前の部屋へ行こう」

克己の手を取り、二階へ上った。二階には、バス、トイレ付きの寝室が三部屋ある。部屋の灯りを点《つ》け、

「ここがお前の部屋だ、勉強机も用意しておいたよ」

と云うと、嬉《うれ》しそうに机を見たが、ベッドに腰をかけると、そのまま眠りこんでしまった。パジャマに着替えさせて、念のため蚊帳《かや》を吊《つ》った。

「りつ子も疲れているだろう、今晩はともかく寝なさい、もう一時を過ぎているよ」

「ええ、でも、家の中はちゃんと、見ておきたいわ」

りつ子は主婦らしく云い、純子を克己の横に眠らせ、恩地について、階下へ降りた。ベアラーのシェイクは、別棟のサーバント・クォーターへ引き退り、階下の灯りは消えていた。

恩地は一部屋ずつ、灯りを点けて説明して行き、キッチンのスイッチを点けた途端、床一面にびっしり貼《は》りついていたゴキブリの大群が、一斉に動き出した。まるで茶色

のカーペットが、ざっと動くような大群であった。

りつ子は、声もなく、夫の腕にすがった。恩地も、さすがにぞっとした。入居時に、水廻りのチェックのため、キッチンに入って以後、キッチンはコックの職域であるから、足を踏み入れていなかった。

「ひどいな、これは」

「あなたは手紙で、パキスタンの習慣に従って、私もキッチンへ立ち入ってはいけないと書いてらしたけど、これで衛生状態は、大丈夫かしら」

「明日、私からよく注意しておくよ」

「子供たちが心配だわ、私、ちょっと見て来ます」

りつ子はそう云うなり、二階へ上り、克己と純子を寝かしつけたベッドに寄った。二人とも、よく寝入っているが、克己は寝息をたてながら、体のあちこちを掻《か》いている。そっと蚊帳の裾《すそ》をめくり、克己の掻いている辺りを見ると、赤い発疹《はっしん》のようなものがある。

「何でしょう、虫に嚙《か》まれたのかしら」

りつ子は、純子の体も見た。やはり、柔かい皮膚に発疹が出来ている。

「何かいるようだな」

恩地は、困惑した。

「あなたは、何か虫に刺されて痒《かゆ》いことはなかったの」

「そういえば痒いこともあったが、この時間では、ベアラーを起すわけにもいかないから、明日のことにしよう」

りつ子は頷《うなず》き、蚊帳の裾を注意深くベッドの周囲に折り込み、

「あら、これは……」

天井から低く吊った蚊帳のつり手の紐《ひも》に眼を止めた。平たい赤茶色の虫がびっしり、付いている。恩地は驚いて、手に取って潰《つぶ》した。

「こりゃあ、ひどい、南京虫だ」

「えっ、南京虫、そんなのまでいるの」

りつ子は、蒼《あお》ざめた。恩地は、急いで階下からＤＤＴを持って来て、振りかけた。到着早々、ゴキブリと南京虫に遭い、夫婦が眠ったのは、午前三時を廻っていた。

翌朝、階下へ降りた一家四人の前に、この家で働く使用人たちが、ずらりと並んで待っていた。ベアラーのシェイクが、朝の挨拶《あいさつ》をした後、

「私からサーバントたちを紹介致します」

と云い、一人一人を紹介していった。

料理のすべてを取り仕切るコック、洗濯一切をするドビー（洗濯人）、テーブルから下の掃除をするスイーパー（掃除人）、庭の水撒《ま》きをするマーリー（庭掃除人）、門番のチョキダールと、五人を順次紹介し終ると、

「奥様は何もなさらなくていいのです、お食事はもちろん、お茶が飲みたいと思われましたら、私をお呼び下さい、すぐお持ちします、その他のご用もすべて、私に申しつけて下さい、私からそれぞれの召使に指図致します」

ベアラーの言葉に、りつ子は、呆然《ぼうぜん》とした。

一家揃《そろ》っての生活に、ようやく落ち着きが出て来たのは、妻子が到着して十日程、経ってからだった。

朝食は果物、炒《い》り卵、トースト、紅茶と定《きま》っており、キッチンでコックが作った料理を、ベアラーが食卓まで運び、空いた皿を下げて行く。

恩地にとって、鼻につく羊の脂《あぶら》の臭いも、家族と囲む食卓では苦にならなくなったが、りつ子や子供たちは馴染めず、専《もっぱ》らトーストとミルクをたっぷり入れた紅茶で済ませることが多かった。

チンにたつことが出来ない。

「克己、卵も食べなさい」

恩地は、育ち盛りの克己を気遣うと、

「だけど、臭いんだもん、僕は、お母さんの目玉焼きが食べたいよ」

トーストにジャムを塗りながら、母の味を恋しがったが、この国ではりつ子はキッチンにたつことが出来ない。

「子供たちが喜んで食べるような調理法を、考えねばなりませんね、コックは長年、イギリス人の家庭でやって来た人といっても、羊の脂は考えものよ」

りつ子が云った時、克己の肘《ひじ》がミルク・ポットに当って倒れ、カーペットに流れ落ちた。

「あら、大へん」

りつ子が腰を浮かせ、拭《ふ》きかけると、

「奥様は、どうぞ何もなさらずに――」

ベアラーが慇懃《いんぎん》に云い、自分で食卓の上のミルクを拭い取ってから、スイーパーを呼び、床に落ちたポットを拾わせ、カーペットのミルクを拭わせた。

ベアラーは、食卓の上は始末するが、その下のことは、自分の仕事ではないという態度であった。インドのカースト制度の名残りが、パキスタンという独立国家になった現在でさえ、根強く残っていることは、この十日間で解っているつもりでも、主婦のりつ子にとっては、驚きであり、苛《いら》だたしくもあった。

「そのうち、おいおい、慣れるよ」

恩地は、りつ子に云い、食事を済ませると、自分で車を運転し、出社して行った。

りつ子と子供たちも、食堂から居間へ移った。

「今日の洗濯ものは、他にありませんか」

ベアラーが、聞いた。食堂と居間の間のホールの隅に、五十歳前後の痩《や》せたドビーが、たっている。ワイシャツから肌着、ソックスに至るまで、家族の洗濯ものは、朝、ドビーが出勤して来て受け取り、共同洗濯場へ洗いに行き、糊付《のりづ》けしたものはきちんとアイロン掛けして、夕方、届けに来るのだった。

「今朝、洗濯もの籠《かご》に入れておいた以外、ないわよ」

「あの、奥様のものは?」

「先日も云ったように、私がすべきものは、自分でやります」

りつ子が云うと、ベアラーはドビーに、

「それで全部だと、おっしゃっている」

ウルドゥ語で伝えた。毎朝のように勧められるが、りつ子は自身の肌着まで出す気になれず、バスルームに干しておくようにしていた。

庭には、若いが、およそ青年らしさのないマーリーがしゃがんで、毎日、散水に明け暮れている。夫から、郷に入れば郷に従えと口酸《くちず》っぱく云われているが、親子四人の家庭に、六人もの使用人がいることは、子供の教育上からも好ましくない。

「シェイク」

りつ子は、ベアラーの名前を呼んだ。当初、名前を呼ばれる度に「どうぞ、ベアラーとだけ呼んで下さい」とシェイクは、繰り返した。シェイクとは、首長、王様という意味であるから、気が引けるらしかったが、りつ子は職種名で呼ぶことに、こだわりを覚えた。

「シェイク」

もう一度、りつ子が呼ぶと、大きな体軀《たいく》を現わした。アーリア系の彫りの深い顔だちで、恰幅《かっぷく》がよく、二十五歳の独身ながら一廻り以上、齢上《としうえ》に見える。

「お呼びですか、メム・サーブ（奥様）」

「あなたは、料理が出来るのでしょう」

「よくご存知で――」

「主人があなたを面接した時、あなたは、たくさんの推薦状を持っていて、その中に、

『彼の料理のセンスはいい』と褒めたフランス人夫妻の推薦状があったと、聞いているの」

「イエス、メム・サーブ」

シェイクは、得意気に頷いた。

「主人はお国の雇用政策を尊重して、それぞれの仕事に六人を採用したのだけれど、兼任もあり得るのでしょう」

「サーブ（ご主人様）は、慈悲深い方ですから、一人でも多くの雇用を考えておいでのようです、ですが、お客様があまりないご家庭では、コック兼ベアラーは珍しいことではありません」

「そうでしょうねぇ、主人と相談してからでなければ決められませんが、もし兼任を頼んだら、子供のための調理と、日本料理を私が教えるから覚えて貰《もら》えるかしら」

「もちろん、教えて戴ければ、私の資格がそれだけ増えますから、喜んで兼任させて戴きます、但し給料は二倍、戴けますね」

シェイクは、素早く大事な点を、念押しした。

「お給料については、主人から話します」

「解りました、しかし、スイーパー、マーリー、チョキダールには兼任はあり得ませんよ、スイーパーは代々、スイーパー、チョキダールの息子はチョキダールと、身分が決まっていますからね」

シェイクは、そう云《い》いながら、自分と彼らとは別種の人間であることを、強調

門番の子は代々、門番——、りつ子は身震いしそうになった。

「じゃあ、この話は改めてということにしましょう」

りつ子が云い終ると、電話のベルが鳴った。シェイクが取り上げ、りつ子に代った

「私、竹村の家内です、何かお困りになっていることはありませんこと？」

店次長の夫人からだった。

「わざわざ恐縮です、まだ解らないことばかりで、一向に慣れません」

りつ子は、世帯の小さいカラチ支店での夫の立場を慮り、謙虚に答えた。

「そりゃあ、はじめての海外ですものねぇ、今から私の家へいらっしゃらない？」

「え、今から？」

「車をそちらへ廻しますわよ、この間、ご挨拶においでになった時、いろいろ話を聞きたいと云ってらしたから」

「はぁ、では伺わせて戴きます」

半ば押しつけるような誘いに、りつ子は応じざるを得なかった。シェイクに二人の

子供の世話を頼み、フレアのあるワンピースに着替えていると、早くも車が来た。店次長宅まで僅《わず》か十分の距離だが、何事も車に頼らざるを得ない生活だけに、早く免許を取りたかった。

竹村の家は、門から玄関ポーチまでブーゲンビリアや、ハイビスカスの花が咲き、大きな椰子の樹が植わっていた。

「あら、ようこそ、いらっしゃい」

顎《あご》の張った竹村夫人が、半袖《はんそで》のブラウスとスカート姿で、出て来た。

「お邪魔じゃございませんかしら」

りつ子は、午前九時半という時間を気にするように云うと、

「日本じゃありませんのよ、ベアラー、お茶を持っといで」

紅茶セットが運ばれて来、ベアラーが二人のカップに、熱いお茶を注《つ》ぎ、退《さが》って行った。

「奥様、もう大分、盗《と》られているんじゃありません？」

竹村夫人は、紅茶を啜《すす》りながら、上目遣いに、聞いた。

「盗るって……、いえ、私の方は幸い泥棒には、まだ入られていませんが、多いのですか」

「あら、奥様、泥棒じゃありませんよ、使用人たちが、砂糖、小麦粉、石鹸《せっけん》、トイレットペーパーの類《たぐ》いを、主人の眼を掠《かす》めて、家へ持ち帰りますでしょ、お気付きにならない？」

そう云われれば、この国の貧困という事情から、ものが消えるとは聞いていたが、自分の家で、そうしたことに気を配る余裕はまだなかったし、夫も何も云っていない。

「戸棚や物置の中のものは、数量をかぞえて、鍵《かぎ》を掛け、奥様がきちんと保管しておかないと、油断大敵ですわよ、私なんか、ほら」

と云い、スカートのベルトに吊した十数個の鍵の束を体を捩《ねじ》って見せた。

「それは全部、物入れの鍵ですか」

「そうよ、もし掛けておかなければ、鼠《ねずみ》が引いていくように、ものが消えて行くんだから、奥様、気を付けなくては」

「まぁ、そうですか」

「それと奥様、家計簿は厳しくチェックなさいよ、市場での買物もよく値段をごまかしてつけるので、時折、私自身も市場へ出掛けて、卵や肉、野菜の値段を控えて来ますのよ、この国の駐在員の妻って、そんなこんなで神経が磨《す》り減っているってこと、本社の方はご存知ないのだから」

いつの間にか愚痴になり、りつ子はやりきれなくなった。視線を庭の方へ逸《そら》せ、思わず、紅茶のカップを取り落しそうになった。

首のない鶏《にわとり》が、芝生の上を走って来たのだった。その後から庖丁を持ったコックが追いかけて来、ぱたりと倒れた首のない鶏を引っ摑《つか》んで、視界から消えた。

「あのコックはいつもどじばかり――、奥様、鶏は市場で生きたのを買って来て、家でコックが絞めますの、子供さんには見せられませんわよ」

青くなっているりつ子の様子を、娯《たのし》むように云った。

「子供といえば奥様、英語の家庭教師でいい方はいないでしょうか」

りつ子は、話題を変えた。

日本人学校は、来年、開校する運びらしいが、その間、国語や算数はりつ子自らが教え、英語は誰かに頼みたかった。

「品のいいキングズ・イングリッシュを話すパキスタン人の英語教師をと思ったんですが、今は学校が休みでしょう、困ったわねぇ」

竹村夫人は、あまり乗り気でない返事をした。

「では、会社のどなたかに、主人の方からお尋ねします、今日はいろいろとお教え戴《いただ》いて有難うございました」

りつ子は丁寧に礼を述べ、竹村家を辞した。

砂埃《すなぼこり》の舞う道を家へ戻りながら、りつ子は竹村夫人の腰に吊り下げられた鍵束を思い、このカラチで、家族が無事、過ごすのは、並大抵のことではないと思った。

恩地は、車で、下町の自動車修理工場へ向っていた。

一ヵ月前、エンジンのかかり工合が悪く、スターターが故障していることが解《わか》り、新品に取替えたばかりであるのに、またスターターの調子が悪い。その上、燃料フィルターも悪くなった。しかも、不当に高い代金を請求して来た。この国ではよくあることとはいえ、あまりのひどさに、恩地は、腹に据えかねた。

下町の自動車修理工場は、カラチマーケットの近くの大通りを挟んで、軒を並べている。敷地は広いが、板張りにトタン屋根をかけた程度の建物で、外にポンコツが何台も列《なら》んでいる。

恩地は、会社が常時、使っている修理工場の前で車を停めた。中へ入ると、砂埃だらけの床に、タイヤや部品が乱雑に置かれ、三台の故障車の下に、油まみれの修理工が、五、六人、もぐり込んでいる。天井に扇風機さえなく、セメントの床に、水を打って冷気を取っているが、暑さで床の水はすぐ、乾いてしまう。

蒸せかえるような暑さとがんがんと音が響く中で、ようやく顔見知りの修理責任者を掴まえた。

「一ヵ月前に修理したのが、直っていない、おかしいと思って、会社の運転手と私とで、ボンネットを開けて見ると、新品に取替えるように云っておいたスターターを、修理だけですませているじゃないか」

と詰《なじ》ると、顎髭《あごひげ》を生やし、白い服を着た男は、首をかしげ、

「それは、おかしいですね」

と云い、古ぼけた台の上にある紙綴《つづ》りをゆっくり繰って、恩地に示したが、アラビア文字に似ているウルドゥ語は、一字も解らない。

「たしかに、新品のスターターと取替えたことになっているんですがねぇ」

「じゃあ、今すぐ、私の車のボンネットを開け点検してみろ、新品か、そうでないかは、この場で解ることだ」

「今日は、手一杯ですから、一日、車を置いていって下さい、明日中にはちゃんと点検させます」

神妙に答えた。恩地は、汗まみれになりながら、

「まだ云うことがある、なぜ、勝手に燃料フィルターを取替えたんだ、この五百ルピ

ーの代金の内容を、きちんと説明して貰いたい」

「燃料フィルターは、修理工が故障を見つけて取替えたんですよ、ともかく自動車の部品は全部、輸入品で、関税が一五〇パーセントだから高くついて、私たち修理屋の手には、一しずくほどの工賃しか落ちません」

すべて関税のせいにしたが、恩地は、彼らが修理を頼まれると、外に置いてあるポンコツの部品から使えるものを使い、真似《まね》て作れる部品は自前で作って、輸入品だと云いたてることを、聞き知っていた。

「お顧客《とくい》さんの会社から、高く取ろうなんて、だいそれたことはしませんよ、他よりいくらかは、お安くさせてもらっているぐらいですよ」

俄《にわ》かに阿《おもね》るように下手に出たが、恩地は、その手に乗らなかった。

「ともかく、車をおいて行く、今後はこちらが納得がゆかない場合は、会社《うち》の車の修理は、他の工場へ替えることにする」

恩地はそう警告しながら、赴任早々、冷房機の修理に苦労したことと思い併せ、開発途上国の赴任者の必要条件は、自動車と冷房機の修理に精通していることだと痛感した。

修理工場を出ると、恩地の後から来た社用車が待っていた。ほっとして車に乗りかけた時、四、五メートル先に、オランダ航空カラチ支店の総務担当者の姿が見えた。オランダ航空も同じ苦労をしているのかと思い、声をかけて、歩み寄った。

「ミスター・ホーテン、お互い車の修理で泣かされますね」

と云うと、ホーテンは赫《あか》ら顔を綻《ほころ》ばせて、建物の日陰にたち、

「今日は、修理のことではなく、私の後任候補の夫妻を見学に連れて廻っているのですよ、なかなか、熱心な人でねぇ」

と云い、二、三軒先の修理工場へ入って行く中年の夫婦を眼で指した。

「えっ、後任候補？　候補というのは、どういう意味なんです」

「オランダ航空では、中近東などの気候、衛生環境の悪い地域へ赴任する時は、まず本人に打診があり、夫人同伴で任地を見学旅行させる、この場合、夫人にも日当が支払われ、OKなら、赴任ということですよ」

「ほう、僻地《へきち》勤務に対して、そこまでの配慮があるのですか――」

恩地は、驚きを隠せず、

「他の航空会社の場合は、どうなんです」

と聞いた。

「スイス航空の場合は、わが社よりさらに徹底している、カラチ勤務の募集の貼《は》り紙

が、本社のみならず、世界各支店に貼り出され、それを見た希望者が、給料、勤務年限、年間の休暇日数などの希望条件をつけて申し込み、入札制で決まるわけですよ、つまり、暑くて環境が悪いけれど、給料が三倍で、何年間かだけ働いて貯《た》めるだけ貯めるという考えですよ」

「エール・フランスの場合も、同様なんですか」

「そんなこと聞くだけ野暮ですよ、わが社は、何事も個人の自由と意志を尊重して行われる、それがフランスですと、あの鼻にかかった声で、きざっぽく答えますよ」

皮肉を籠《こ》めた言い方をし、

「で、おたくでは、どうなんです」

「残念ながら、あなた方の会社には、及びもつかない、事前に何らの打診もなく、いきなり社命が出て、拒否すれば、業務命令違反で、クビですよ」

「ほう、信じられないことですね、カラチは地理的にも気候的にも大へんな僻地で、その上、回教国で禁酒、娯楽といえば、賭《か》け事、〝砂漠ゴルフ〟ぐらい、ティーをさす場所に油を浸し、塗り固める、あのゴルフ——、普通の給料の三倍、千五百ドルや二千ドルぐらい、取っても当り前だからねぇ」

ホーテンは、至極、当然のことのように云い、見学中の夫婦が修理工場から出て来る姿を見ると、急いで後を追った。

恩地は、自分の月収が、外地手当を含めて四百七十ドルであったから、苦い思いを呑《の》み下した。

*

インドのボンベイ空港を飛びたち、北西へ六百マイルのカラチに向った国民航空の四五一便は、雷雲に突っ込んだ。

稲妻が光る度に、機体が上下に揺れ、帯電して、操縦席の窓ガラスの縁が、ピカピカと火花を散らし、機首の先端にも、青白い炎のような光がたつ。夜間航行中は、計器類のライトがはっきり見えるよう、コックピットの灯りを消しているから、一層、不気味な状態が続く。

平井機長は、戦前の大東亜航空出身のベテランパイロットらしく落ち着き、

「よく見ておけよ、インドの雷は恐いのだ、四万フィート（約一万二千メートル）近くまで入道雲が出ている、気象情報とはずい分、違うだろう」

コックピットの重苦しい雰囲気を和げるように云ったが、航空大学校を出て、三年目の副操縦士《コーパイ》は、青白い稲妻が奔《はし》る度に、唾《つば》を呑み込んでいる。

「パーサーに連絡して、乗客に伝えましょうか」

副操縦士が云うと、機長は、

「いや、お客さまは就寝中だから、わざわざ起すことはないが、シートベルトの点検をしておいてくれ、七、八分でぬけられるだろうから」

と答えた。なおも稲妻が光る雷雲の中を飛び、ようやく抜けると、機体の揺れが止まり、順調な飛行状態になる。機長は、操縦を副操縦士に任せて、一息ついた。

コックピットの扉が開き、スチュワーデスが飲物を運んで来た。

「お疲れさま、コーヒー、紅茶、お冷水《ひや》を、取り揃《そろ》えて参りましたわ」

「おう、美樹か、さすがによく気がつくね、咽喉《のど》がからからだから、僕はお冷水」

平井が云うと、副操縦士はコーヒー、機関士は紅茶と、それぞれ好みのものを取った。

「さっきの雷、恐かったですわ、客室の窓の日よけが下りているからよかったものの、あの稲妻がガラス窓に光ると、ちょっとしたパニックものでした、他に何かお持ちしましょうか」

「いや、結構、それより美樹、今度は下痢に気をつけることだよ」

「はい、あの時はクルーにも、カラチ支店にもご迷惑をおかけし、プロとして恥しく思っています、充分、気をつけますわ」

美樹は素直に云い、空になった容器を下げた。

カラチ空域に入ると、平井は、

「ちょっと、気象状況を聞いてみてくれ」

と云った。副操縦士はすぐ短波のカラチ・ラジオにコンタクトを取ったが、地上の設備が悪く、ザーザーと雑音だけしか聞えない。

「キャプテン、コンタクトが取れません」

「何とか、呼び出せ」

副操縦士は、なおもカラチ・ラジオにコンタクトを取ったが、交信出来ず、暫《しばら》くして、超短波のカラチ・コントロール（空港管制）へ切換えた。雑音の中からやっと応答があった。副操縦士は、

「This is Japan National Airlines 451. If you read me latest Karachi weather.（こちら日本の国民航空四五一便、カラチの最新の気象情報を報《しら》せて下さい）」

と云うと、雲の状態、視程（視界）、風向、風力、気温、気圧を告げ、霧が出ていることをつけ加えた。

「霧の情況と、視程を確めてくれ」

副操縦士は、雑音混りの交信で、確めた。

「薄い霧で、視程は千二百メートル」

聞き取りにくい英語で応答した。カラチ空港に着陸可能な視程は、千二百メートルまで、それ以下だと着陸できない。もし着陸できない場合は、上空で視界が展《ひら》けるまで待機し、それでも着陸できない時は、オルタネート（代替空港）のボンベイに引き返さねばならない。平井は、

「燃料はどれくらいある？」

機関士に聞くと、各燃料計を読み、計算尺で素早く計算した。

「オルタネート燃料は別にして、高度一万二千フィートで、四十分は待機できます」

「四十分あれば、上空待機《ホールディング》には、まずまずだな」

「そうですね」

「では着陸はストレート・インＩＬＳ（計器着陸装置）で行く、ミニマム（最低進入高度）は三百フィート」

と云い、いつものようにブリーフィングをすると、機関士はパーサーを機内電話で呼び出し、ブリーフィングの内容を伝えた。

副操縦士は、管制塔を呼び出した。

「こちらジャパン・ナショナル・エアラインズ四五一、高度三一〇《スリーワンゼロ》（三万一千フィート）、降下を要求します」

「リクエスト　DMEカラチ（カラチ空港までの距離を知らせよ）」

「百三十五マイルです」

「二万フィートまで降下せよ」

「ラジャー（諒解《りようかい》）」

機長は、ボタンを押して手動に切り替えた。操縦桿《かん》を押しながら、少し機首を下げ、スラストレバーを後《うしろ》に引いて、エンジンを絞り、高度を下げる。同時に、客室のシートベルト着用のサインを点灯させた。

高度がぐんぐん下り、三千フィート近くになると、管制塔に着陸許可を求めた。

「ILS進入を許可します」

と応答があった。コックピットで、着陸のためのILSやその他のビーコンのID（識別符号）などの最終チェックを行い、機長がスイッチを進入モードに切換えると、計器進入コースに乗った機は、徐々に高度を下げて行った。

霧の報告があったから、高度が下るにつれ、副操縦士は高度計を読み、緊張が続いた。高度千フィートになると、薄い霧がかかっていたが、滑走路の進入灯も、空港建物の灯りも見える。

「たいした霧でなくてよかった」

コックピットの緊張がほぐれ、着陸体勢に入った。高度百フィート（約三十メートル）まで下った時、突然、ミルクの中に突っ込んだように、真っ白に視界が遮られた。

「うわっ、見えない！　ゴーアラウンド！　マックパワー！」

地面を這《は》う霧の濃さに驚き、機長は必死でエンジンを全開にし、機首を起して、急上昇した。背中が強くシートに押しつけられたが、一瞬にして霧がきれ、澄んだ夜空が見えた。

三千フィートまで上昇してから、平井は、

「まさか砂漠に霧とは――、一瞬、どきりとしたよ」

と云《い》い、機内の乗客にアナウンスするため、マイクを取った。

「ただ今の急上昇で、乗客の皆さまは驚かれたことと思います、高度百フィートで霧に包まれ、視界不良となりましたので、安全を期し、上空に上りました、霧は間もなく晴れ、着陸できると思われます、ご迷惑をおかけしますが、今、暫くお待ち下さい」

と云い、機関士に燃料の余裕を聞いた。機関士は、燃料計を見た。

「高度一万二千フィートで、三十分は待機できます」

機長は、上空を旋回しながら、管制塔を呼び出し、霧の情況を聞くと、風が強まっているから、霧は晴れる見込みだと答えた。

「では、もう一度、進入してみよう」

機長は、手動に切り替え、操縦桿を押しながら、機首を下げ降下した。高度千フィートを切ると、先刻、薄くかかっていた霧は晴れ、真下に進入灯が目視できた。

「アプローチライト　インサイト！」

背後の機関士が叫び、傍らの副操縦士も、

「インサイト！」

と叫ぶ。高度三百フィートになった時、機長は、

「ランディング！」

と告げ、静かにエンジン推力を下げ、操縦桿を少し手前に引くと、機体は軽いショックを受けて着地した。

息詰るような思いで、国民航空四五一便の着陸を見詰めていた運航主任と恩地は、思わずほっと、息をついた。

飛行機の客室のドアが開き、タラップがかけられ、乗客が降りて来る無事な姿を確めてから、コックピットを出て、空港建物に入って来る平井に、運航主任が駈《か》け寄った。

「機長、地上三十メートルぐらいで、突如、ゴーアラウンドされた時は、われわれも思わず眼をつぶりました、滑走路を目前にしながら、地上に激突した例がありますからねぇ、お疲れでしょう」

感じ入るように云った。恩地が、

「天候が悪く、視界が最悪の時は、着陸時の緊張は異常に大きいと聞いていましたが、今夜はそれを痛感しました」

「管制塔から、霧があると報されていましたが、まさか地上三十メートルとは――、砂漠の霧は、そう経験しないし」

さり気ない口調で云ったが、夜間、バンコク、ボンベイと離発着して来た挙句、思いがけない地表面の霧でゴーアラウンドを行っただけにさすがに平井の顔は、疲労の色が濃い。

運航主任は、クルーたちの疲れを慮《おもんぱか》り、パスポートをまとめて、入国手続をしに行き、その間、恩地は近くの小部屋に機長を案内した。

「平井さんは、いつから南廻りになられたのですか?」

「会社にもの申し過ぎて、太平洋路線から廻されたのですよ、中近東を飛ぶ南廻りは、正直いって、こたえますね、気象、通信、空港施設が悪い上、深夜に離発着を繰り返すので体がきつく、陽のあたる太平洋路線に比べると、天国と地獄、まさしくどさ廻りですね」

苦笑するように云ったが、平井のようなベテランパイロットに、どさ廻りを強いるとは、よくよくの事情がありそうだった。

「乗員組合の方で、何かあったのですか」

「ありましたよ、燃料のことで。会社側は経済性の面から、法的に必要最低限の燃料で飛べ、予備燃料まで必要ない、予備燃料を積むと、機体重量が重くなるので、よけいに燃料を食うし不経済だと云うのです、だが、それでは恐しくて飛べない、空中にガソリンスタンドはありませんからね、パイロットにとって大きなプレッシャーになるんですよ」

「じゃあ、空の安全より、経済性を優先することになっているのですか」

「そういうことですね、恩地さんが築いた組合も、現執行部は苦労していますよ」

平井機長は、組合の将来を案じるように云った。

カラチ支店の受付に、純白のシャークスキンのスーツを着た三井美樹が現われた。膝丈《ひざたけ》のスカートから、すらりとした脚が伸び、女性の脚などめったに見ることのない回教のお国柄で、現地の男性職員たちは、ハイヒールを履いた美樹の脚を喰い入るように見入った。

「わざわざ挨拶《あいさつ》にいらしたんですか、恐縮です」

恩地は、たち上って迎えた。

「ええ、お手紙だけでは失礼なので、お詫《わ》びかたがた、御礼に」

眼鼻だちのはっきりした華やかな顔に、改った表情を浮かべた。

「支店長はベイルートへ出張中なので、竹村店次長のところへ――」

恩地は、竹村の席へ案内した。テレックスの前にいた通信主任も、体を捩《よじ》って美樹を見た。

「客室乗務員の三井でございます、その節は支店の皆様に大へん、ご迷惑をおかけしました」

深々と、お辞儀をした。竹村は見惚《みと》れるように眺めた。

「ああ、三井美樹さんね、日本から丁寧な手紙を貰《もら》いましたよ、昼食を一緒にどう？

恩地君、オープンしたあのレストランを予約してくれたまえ」

「せっかくですが、今回は……、ご馳走《ちそう》して戴《いただ》いて、また体調を崩すようなことがあったら、皆さんに合わせる顔がありません、この先、カイロからロンドンまでは、クルーの交替がありませんので」

美樹が、美しい笑顔で辞退すると、

「それは残念だねぇ、じゃあ、ホテルまで送ろう、少し早いが昼休みになることだし」

いそいそと、席をたちかけた。

「ミスター・タケムラ、ベイルートの支店長から電話が入っていますよ」

現地職員が呼び止めた。竹村は、ちっと舌打ちせんばかりに眉《まゆ》を顰《ひそ》め、

「恩地君、ホテルへ送ってあげなさい」

不満そうに云い、電話に出た。

美樹たちのクルーが宿泊しているメトロポール・ホテルまでは、僅《わず》かな距離だが、炎天下では車を使うほかなかった。駐車していた車の中は、オーブンのように暑い。

「冷房はないので、我慢して下さいよ」

「お仕事中に、恐縮ですわ」

「それより、この間の病気の後、暫く国内線を飛んでいたとか——、体調が悪かったのですか」

恩地は、ハンドルを切りながら聞いた。

「いいえ、あれから十日ほど休暇を取っているうちに、クルーの組替えがあって、一時、国内線に就いただけです、店次長のお誘いを辞退したのは、ご一緒したくなかっただけのことですわ」

美樹は、くすっと笑った。

ホテルまで、ものの五分もかからなかったが、美樹は額の汗をハンカチーフで押えた。

「咽喉が渇きません？　ラウンジで、お茶をご一緒して下さると、嬉《うれ》しいのですが」

「じゃあ、駐車して来ますから先に入っていて下さい」

恩地は、そう云い、この際、機長の平井がいれば話したいと思った。

ラウンジの冷房は、効き過ぎるほど効き、そこここのソファで商談しているグループ、待合せに新聞を広げている人で、八割方、占められていた。その中で三井美樹は大輪の薔薇《バラ》のように目だつ。窓際《まどぎわ》のテーブルに坐《すわ》り、ボーイに紅茶を注文した。一流ホテルといえども、湯ざましを使っている保証はないから、熱い紅茶が無難であり、一番美味《おい》しかった。

運ばれて来た紅茶に口をつけ、美樹は妙にぎこちなく黙っていたが、ハンドバッグを開け、

「これ、入院騒ぎでお世話になりました、ささやかな御礼ですの」

しゃれた包装紙の小さな包みを渡した。

「これはこれは――、あなたのお世話は、客室主任の佃さんか、総務主任の私の仕事の一つなんですから、お気遣いはご無用ですよ」

恩地は、押し返すように云った。

「せっかく持って参りましたのに、ご覧になって」

美樹は、大きな瞳《ひとみ》で睨《にら》むように恩地を見た。包みを開くと、ダンヒルのネクタイピンであった。

「イスマイル・ハーン・ホスピタルで、恩地さんが持って来て下さったお粥《かゆ》、有難くて忘れられませんわ、退院して日本へ帰る途中、香港の姉のところへ寄りました時に求めましたの、お気に召して戴ければいいのですが――」

美樹の眼《まな》ざしが眩《まば》ゆく、恩地は戸惑ったが、固辞するのも大人気なかった。

「では遠慮なく愛用させて戴きましょう、香港におられるお姉さんは、もう長いので

すか」

「いえ、まだ二年ばかりですの、姉は、日本の大学の医学部で勉強し、大学病院に勤務していた中国系華僑《かきょう》と結婚し、暫く東京に住んでいましたが、香港の医院を継がねばならぬことになって、移りましたの、香港へ行かれることがありましたら、足場のいいところですから、ホテルがわりにいらして下さい、夫婦揃《そろ》ってフランクなので、何の気兼ねもいりませんわ」

「お気持のほど有難う、ところで、平井機長は、今、ホテルにおられるでしょうかね」

「遺跡へ行かれましたわ、ゴーアラウンドの緊張感で、あの夜は眠れなかったスチュワーデスもおりますのに、機長は何事もなかったように近郊の遺跡見物とかで、考古学に関心がおありなんですって」

「そうですか、私ももう少し落ち着いたら、廻ってみたいと思っています」

恩地はそう云い、たち上る潮時だと思っていると、

「行天《ぎょうてん》さんとは、何かおありだったとか、ほんとうなんですの」

突然、美樹の口から行天の名前が出、はっとしたが、恩地は答えなかった。

「私、先日、行天さんのお宅を訪ねましたのよ、奥様が、先輩スチュワーデスで、可《か》

愛《わい》がって下さっていましたの」

恩地は、黙って紅茶を飲んだ。

「行天さんは、恩地さんがカラチに赴任されてから、あっという間に同期の中で、トップで係長に昇進され、麗子夫人は、夫も組合の仕事を離れ、ようやく、本来の仕事に戻って、エリートコースに乗るようになったわと、ご満悦でいらしたわ」

「そうですか」

三井美樹を通して、行天の消息を詳しく知るとは、思いもかけぬことであった。

「ちょうど、行天さんが帰って来られ、今日は堂本常務のゴルフに、八馬《はちうま》労務部次長と一緒にお伴して来たと、とても上機嫌でその日のプレーを話されましたわ、麗子夫人も、堂本常務の奥様とのおつき合いで、新文芸座の観劇のお伴はうんざりだけど、主人のためにチェーホフとか、ゴーリキーを読んでいるのよって」

美樹はふっふと笑った。行天の妻が、夫を組合執行部から離れさせたがっていたことは察しがついていたが、堂本夫妻と何時《いつ》の間に、つき合いがはじまったのか、想像もつかなかった。それに、団体交渉の席では、組合側がどんなに追及の鉾先《ほこさき》を向けても、爬虫類《はちゆうるい》のように動きのない不気味さで黙り込み、何十分でも無言を押し通すあの堂本常務が、八馬と行天を連れ、ゴルフに行くなど、信じ難いことであった。

運輸省の大物次官の小暮《こぐれ》が天下り、〝財界の労務部長〟の異名を持つ日本経営者連合会の呉植《ごうえ》専務理事が乗り込んで来、自分がカラチへ左遷《させん》されてから一年も経《た》たずして、社内の風向きが俄《にわ》かに変りつつあることを、今さらのように感じた。

「恩地さん、それだけじゃありませんわ、サンフランシスコ支店赴任の内示が、行天さんにあったようですのよ」

「え、サンフランシスコ――」

恩地は、愕然《がくぜん》とした。サンフランシスコ支店は、将来のニューヨーク路線を踏まえたアメリカ最重要拠点の支店であり、これ以上の栄転はない。

「麗子夫人は、この話はほんとに内密よとおっしゃってましたから、まだ皆さん、ご存知ないでしょうけれど、あまりにも露骨で、ひどすぎますわ」

美樹は、瞳を曇らせた。

曾《かつ》ての組合委員長をカラチへの懲罰人事で左遷し、組合と袂《たもと》を分った副委員長は陽のあたるサンフランシスコ支店へ抜擢《ばってき》――。これほど明暗を分けた人事はない。

恩地は、本社から送られて来た職員の制服の包みを持って、カラチ支店の一階にある営業カウンターへ下りた。旅客と直《じか》に接する空港と市内営業カウンターの職員には、国民航空の制服が、二年に三着の割で支給される決りになっていた。

通りに面したカウンターでは、お伴を従えた三十代後半と覚しき男性客が、切符を購入していた。パキスタン風の膝下まである上衣のカミーズに、だぶついたシャルワールをはき、袖口《そでぐち》から金のロレックスの腕時計がのぞき、小切手を書く手付きも、もの馴《な》れている。貿易会社の経営者か、政府要人に連なる特権階級か、恩地はいまだに見分けがつかない。

お客がお伴を連れて出て行くと、恩地は、男女一名ずつの現地採用のカウンター係に、

「本社から、新しい制服が届いたよ」

と、名前を記した包みを渡した。

「やっと新品が着られるのですね、あちこち擦り切れ、保《も》たせるのに苦心しました」

「私も、スカートの汚点《しみ》が増え、困ってましたわ」

二人とも、嬉しそうにカウンターの下で、包みを開け、新品の制服を取り出した。

男性はビニロン地の半袖ワイシャツにブルーの化繊とウールの混紡のズボン、女性はブラウスにブルーのスカートで、予《あらかじ》め採寸をし、仕立てている。

「女性はこの新しい制服から、赤いスカーフを衿《えり》もとにするのだよ」

恩地が云うと、女性職員は鏡の方へたって行き、

「まあ、素敵、ミスター・オンチ、有難うございます」

と礼を云った。二人の喜びようを見ると、職員の制服支給まで総務主任の仕事であることに憮然《ぶぜん》とした思いでいた恩地は、心が和《なご》み、大切に着るように云い残して、二階のオフィスへ戻った。

坐った机の上に、月に一度、本社から送られて来る社内報が、配られていた。官報を横書にしたような味気ないもので、常務会議事録、組織改編、人事が記載されている。僻地《へきち》の支店勤務者にとって、殆《ほと》んど無関係の事項ばかりだったが、人事の採用、退職、異動程度は目を通していた。停年退職者の中に、恩地が入社当初、配置された空港カウンターの万年課長の名前があった。研修中だった恩地たちには口喧《やかま》しかったが、自分の仕事を天職と心得た働きぶりが、ふと懐《なつか》しく思い出された。以下、異動欄をざっと見て行き、柳良夫の氏名のところで眼を止めた。恩地に、カラチ赴任を内示した上司の課長だが、人事部次長に昇進している。喫茶店でコーヒーを飲みながら、柳からいきなり、カラチ赴任を命じられた時の衝撃は、恩地にとって忘れることが出来ない。

海外支店の欄に、「サンフランシスコ支店総務主任　行天四郎」とあった。スチュ

ワーデスの三井美樹から伝え聞いてはいたが、社内報の人事欄で、活字になったものを目にすると、改めて現実味を増す。今頃はもうサンフランシスコへ着任しているに違いない。同じ総務主任とはいえ、僻地の支店で車やクーラーの修理の交渉から、職員の制服支給の類《たぐ》いまで、職務の大半が雑事で明け暮れていることに、恩地は空《むな》しさを嚙《か》みしめた。

庭の椰子《やし》の葉が、重たげにそよぐ朝、りつ子は、子供の勉強を見ていた。日本人学校の開校が遅れており、小学三年生になった克己の授業は、日本の学校の時間割を参考にして組立て、勉強机を挟んで進めていた。

八時半から五十分は算数を教え、休憩を挟んで国語の授業をはじめたが、外気温の上昇につれて、集中しなくなった。

「朗読はそこまでにして、漢字の書き取りをはじめて――」

りつ子が云うと、

「僕、教科書の漢字なんか全部、読み書き出来るもの、いいじゃないか」

鉛筆を投げ出した。

「外国にいると、忘れるかもしれないでしょう、知っていても書きなさい」

りつ子は、ぴしりと云った。

「じゃあ、お母さん、島と鳥は全然意味が違うのに、どうしてこんなに似た字を書くの」

突拍子もない子供の質問に、りつ子は口籠《くちご》もった。

「何だ、答えられないじゃないか、お母さんは、やはり先生じゃないからだ」

克己は、不満気に、頰を膨らませた。りつ子はカラチへ来る前、克己の担任の先生を数度、訪れ、二年生、三年生の各科目の授業のポイントを尋ね、二年間の夫の任期を終え、日本の小学校へ復学した時、遅れをとらないような勉強のさせ方を進めていた。はじめの頃、克己は母と勉強することを喜び、純子が傍に来て、勉強の真似事《まねごと》をしても面白がったが、やがて妹を邪慳《じゃけん》に扱うようになり、先生役の母にも不平を鳴らしはじめた。

「鳥と島のことは、お母さんも勉強して、後で教えてあげるから、授業を進めましょう」

つい、あやすように云うと、

「こんなの授業じゃない、お母さん、僕は学校へ行きたい！　友達と一緒に勉強したいよ！」

克己はそう云《い》うなり、泣き出した。りつ子は胸が締めつけられた。

「お父さんに云って、東京へ帰ろうよ、僕は学校へ行きたいよ！」

克己は、なおも泣きじゃくった。りつ子は、克己の肩を抱き、

「もう少しすると、日本人学校が出来るのよ、そうすればお友達がたくさん出来るから、楽しくなるわ、もう少し辛抱して、お母さんと頑張るのよ」

自分にも云い聞かせるようにして、克己を宥《なだ》め、涙を拭《ぬぐ》った。


遠浅の白い浜辺に、波が打ち寄せては、引いて行く。アラビア海に面したクリフトンの海岸は、カラチ市街から南へ五、六キロほどの保養地だった。

恩地が自動車で家族をクリフトン海岸に連れて来たのは、はじめてだった。からからに乾いた砂塵《さじん》の街を抜けて、洋々とした真っ青な海を見ると、子供たちもりつ子も歓声をあげた。日曜日で人出は多いが、広い砂浜で家族はゆったりと寛《くつろ》げる。

「お父さん、もう一度、泳ごうよ」

克己が、海から上って、一休みした後、サンドイッチを頬張りながら、せがんだ。

「もう海の水が冷たくなるし、波も高くなるから、子供は危険だ、ここは、日本の海と違って、恐いんだよ」

恩地が云い聞かせると、

「あっ、カニさん――」

純子が、岩の隙間《すきま》から、にょきりと鋏《はさみ》をたてて出て来た蟹《かに》を見つけた。

「大きいな、お父さん、つかまえてもいい？」

「うまく胴を摑《つか》まないと、鋏で指をちょん切られるぞ」

恩地は笑いながら、摑み方を教え、持って来たバケツの中に入れた。克己は要領を覚えると、兄らしく、純子にバケツを持たせ、蟹取りに夢中になった。りつ子は、久しぶりに大声ではしゃぎ廻る子供たちに眼を細めた。

「あなた、ここへ連れて来て下さって、有難いわ」

「こんなに喜ぶのだったら、もっと早く来ればよかった」

恩地はそう云いながら、克己が、「学校へ行きたい、お父さんに云って東京へ帰ろう」と泣いた話をりつ子から聞いた時の不憫《ふびん》さを思い返した。

潮風が少し、強くなりはじめた。パキスタンのような炎暑の国では、一日中、海辺にいることは出来ないから、陽がやや翳《かげ》りはじめてから海辺に来、日没まで夕涼みを楽しむのだった。

「克己、純子、もう戻って来なさい」

恩地が呼びかけると、克己は妹の手を引いて、駈《か》け戻って来た。

「ほら、こんなにたくさん捕まえたよ」

得意気に、バケツの中を見せた。

「じゃあ、シェイクに料理させよう」

恩地が云い、りつ子は濡《ぬ》れた子供たちの服を、乾いたものに着替えさせた。

潮が次第に満ちて来、海辺にいた家族連れが、後方の堤防に退《さが》ると、それを見すましていたように、猿廻しや、蛇使いの大道芸人がかけ声を上げ、見物の輪が出来た。恩地たちも猿廻しの猿の愛嬌《あいきょう》のある芸に、笑い興じた。

やがて陽が西に大きく傾き、海の色が青黯《あおぐろ》く変ると、輪郭はぼやけているが、炎の色をした太陽が、アラビア海に沈んで行く。その途端、周りの景色は一変し、残照の中で、浜辺にいる人々の姿が黒いシルエットのように見え、賑《にぎわ》いも消えた。

「お母さん、『夕焼け　小焼け』を歌って」

克己が、歌の上手な母にせがんだ。

「外国の海では、似合わないわ」

「いいよ、歌って」

克己がりつ子の腕を揺すった。りつ子は海に向って、歌い出した。

「夕焼け、小焼けで日が暮れて……」

柔かい声で歌いはじめると、恩地と二人の子供も歌った。暮れなずむ、アラビア海に向って歌声は大きくなり、太陽は水平線に没した。恩地は自分の節を全うするために、子供たちをこんな遥《はる》けき任地に連れて来たことを、すまなく思った。

その年の九月一日の朝、恩地はパキスタン放送のニュースに、耳を欹《そばだ》てた。

いつもと異り、異様に昂《たかぶ》った声が繰り返し聞えて来る。ウルドゥ語でよく解《わか》らない
が、アユブ・カーン大統領の名と、ジャング（戦争）、ヒンドゥスタン（インド）、パキスターン　アラー　ホー　アクバル（パキスタン万歳）という三語だけが耳につく。


恩地はすぐベアラー（使用人頭）のシェイクを呼んだ。

「今、何を云っているんだ、よく聞いてくれ」

音量を上げると、シェイクの顔色がみるみる変った。

「戦争！　戦争がはじまった、大統領が、パキスタンとインドの正規軍が、カシミールの国境地帯で戦闘に入ったと、告げています」


と云い、戦争だと使用人たちに告げた。スイーパー（掃除人）、ドビー（洗濯人）、マーリー（庭掃除人）たちの反応はいま一つだが、インド人に対する憎しみは一致し

ているらしく、ヒンドゥスタンという言葉に唾《つば》が飛び散った。

「あなた、戦争ですって？　突然、どういうことなの」

りつ子が、不安そうに聞いた。

「以前から続いているカシミールでの小競《こぜ》り合いの延長だと思うが、パキスタン放送だけじゃあ、事態が摑めない、たいしたことはないと思うがね」

と答えたが、アユブ・カーン大統領自ら、ラジオを通して宣戦布告したことに、今までと異るものを覚えた。

恩地は、すぐ支店長の家へ電話をした。

「えっ、戦争だって？　気が付かなかった、すぐ大使館で事情を聞いてから、出社する、君は早く支店へ出て、東京本社からのテレックスに対応すると共に、皆に連絡して、オフィスに集めておいてくれ」

と云った。恩地は、不安そうな顔をしている妻と子供たちに、

「心配しなくていいよ、だけど、出歩かないように」

と注意して、すぐ車でオフィスに向った。

本社からは、まだテレックスが入っていなかった。竹村店次長、営業主任に電話をし、単身赴任者用宿舎では、運航主任を呼び出して、宿舎の全員に伝えて貰《もら》うように

した。

一息ついて恩地は、オフィスの壁に掛かっているアユブ・カーン大統領の写真を見上げた。

胡麻塩《ごましお》の頭髪に、口髭《くちひげ》をたくわえた彫りの深い整った顔だちであった。一九四七年に英領インドから分離独立して以来、この国の指導者たちは、常にインドとの政治的・宗教的紛争を背負って来たのだった。今回の戦争も、単なる領土問題ではなく、イスラム教とヒンズー教との宗教対立が根底にある根深いもののようであった。

現地職員たちが出勤して来たが、大統領の放送に興奮し、仕事が手につかぬ様子であった。駐在員たちが慌《あわただ》しく出勤して来、緊張した面持で、支店長室に集った。

竹村は、第一報のテレックスを入れるための文案を考え、万一、ロンドンから本社へのテレックスに遅れるようなことがあってはと、頻《しき》りに時計を見ていた。

小田原支店長は、部屋へ入って来るなり、

「大使館では、ロンドンの大使館へ電話をして、情報を蒐集《しゅうしゅう》した結果、目下のところ、朝の大統領の放送以上の情報はなく、『現在、情報蒐集中』ということだったよ」

いささかあてはずれの顔をしたが、竹村は、

「ともかく戦争勃発《ぼっぱつ》地のカラチ支店としての第一報を至急に打たねばなりません、こ

れでいかがですか」

と文案を示した。

九月一日朝、アユブ・カーン大統領は、インドに対して宣戦布告し、戦闘状態に入ったことをラジオを通して公表したが、戦闘は北方のカシミール方面であり、直ちにカラチに戦火が及ぶとは思えない。大使館は現在、情報蒐集中とのこと。本社側で外務省、在外公館、その他関係筋から情報が得られた場合はお報《しら》せ乞《こ》う。

支店長が眼を通し、通信主任が、すぐ至急電を打った。

第一報を入れてしまうと、支店長は、

「わが社には、外地勤務で戦争に巻き込まれた時にどう対応するかのマニュアルがないから、今後の戦況の推移に、どう対処するか、諸君と共に検討したい」

元海軍少尉《しょうい》であるにもかかわらず、自信のない態度であった。竹村は、

「宣戦布告のあと、戦況によっては外出禁止や灯火管制などが敷かれた場合のことを考えて、その対応をすべきでしょう」

と云った。総務主任の恩地は、

「万一、戦争が長期化した時のことを考え、駐在員とその家族の生活を守るために、食糧、生活必需品、ガソリンなどの確保が重要です、総務担当としては、直ちに物資調達にかかりたく、銀行から相当額をおろすことを認めて戴《いただ》きたい」

と云うと、竹村が大きく頷《うなず》き、

「総務主任は物資調達、通信主任はテレックス、電話のチェック、運航主任は飛行機の離発着及び給油などの運航関係、営業主任は当社の航空券を持つ乗客の世話に当って貰いたい」

決断力の乏しい支店長に代って指示を出した。小田原支店長は、

「私と竹村君は、大使館をはじめ、各商社と銀行の代表が幹事をしている日本人会などとの連絡と情報蒐集にあたることにする」

と締め括《くく》った。

恩地は、自分の机に戻ると、すぐ現地職員のフセインを呼んだ。小麦粉の十キロ袋を千個調達し、砂糖、紅茶、蠟燭《ろうそく》、マッチ、石鹼《せっけん》などの生活必需品と、ドラム缶二十本分のガソリンを購入するように命じた。特に軍用として街からすぐ失《な》くなるであろうガソリンは、今日中に買うように云い、支店の手持ちの現金を渡し、

「フセイン、君は顔のきく男だ、こんな時こそ、大いに力を発揮してくれ、もちろん、

トラックを借りて運べばいい、但《ただ》し、社名は出さないように注意してくれ」

と釘《くぎ》を刺した。恩地はさらに物資調達の金を、国民航空の口座から引き出すために、カラチ銀行に車を走らせた。

銀行の中も、街の商店も、大統領の宣戦布告の放送にもかかわらず、のんびりとして、平常と変りなかった。だが、オフィスに戻って来ると、電話のベルが鳴りやまず、営業主任と店次長が、応対していた。

恩地の机の上の電話も鳴った。ハイデラバードの紡績工場へ出張中の日本人客からの問い合せであった。

「はい、当社の便は平常通りに運航することになっていますから、車を飛ばしてカラチ空港へ向い、一刻も早く日本へ出発された方がよいかと思います、今後のことは、私どもでも責任をもってお答えできない状況ですので」

と云い、チケット番号と氏名を聞いて、書き取った。

営業主任は、電話の応対に追われているが、日本語のできない現地職員は、手持ち無沙汰《ぶさた》であった。

翌日、パキスタン政府は、ガソリンを配給制にする声明をラジオを通して発表した。

それを聞くなり、一般市民も外国人も、ガソリンだけでなく、他の物資の買い溜《だ》めに走り出した。目抜き通りの商店街は、売り惜しんだり、略奪を怖《おそ》れて、シャッターを降したりした。

次いで空港閉鎖が告げられた。パキスタン空軍の管理下に入り、各航空会社の職員は、空港建物から退去を命じられた。

運航主任は、市内のオフィスへ帰って来るなり、

「空港は閉鎖され、パキスタン空軍のみならず、米軍の兵士の姿も見られます、飛行機の離発着はもちろん、給油もできない状態で、昨日の深夜便が、国民航空の最後の便になりました」

と云い、通信主任がその旨《むね》をテレックスで打つと、電話会社から、送信を拒否して来た。ローマ字による日本語のテレックスは受けつけない。すべて英語により、航空会社使用の略語も不可。電話もすべて英語で話さなければ、通話中に傍受して切ると、通告して来た。

そんな中で、東京本社からのテレックスが入って来た。


カラチへのすべての便を運休する。

英文の短いテレックスであった。

カラチの英字新聞、『DAWN』には、カシミール方面の戦況と、国境での戦車戦の模様が伝えられていたが、カラチ市内には空襲もなく、兵士の姿も見かけず、平穏であった。

それが空港閉鎖と通信制限で、一挙に戦時下の様相を帯びた。

灯火管制の敷かれた暗い市街を、恩地はインターコンチネンタル・ホテルに向けて、車を走らせていた。

ヘッドライトは、上半分を黒く塗っている。九月一日朝、インドに対して大統領の宣戦布告が放送され、次いで六日正午、非常事態宣言が発令されて、灯火管制、夜間外出禁止令が敷かれたのだった。戦火が及ばぬカラチ市内は、昼間はのんびりしているが、日没ともなると、様子が一変し、険しい雰囲気に包まれる。

「ストップ!」

信号の灯りの消えた交差点を曲ったところで、検問に引っかかった。

「身分証明書を見せろ!」

銃を持った兵士が、命じた。恩地が提示すると、行先を聞いた。

「インターコンチネンタル・ホテルに集っている日本人たちに事情を説明しに行くところです」

「通ってよし！」

非常事態宣言が発令されると同時に、各ホテルにいる外国人滞在者に対して、安全上、インターコンチネンタル・ホテルに集るよう勧告が出されたのだった。

ホテル周辺はパキスタン軍兵士の歩哨《ほしょう》の他に、米軍の海兵隊員が玄関の周辺を警備している。入口で再度、身分証明書の提示を求められた後、恩地は九人の長期出張者のまとめ役である中国パルプの藤山の部屋を訪れた。

「外出禁止令が出ているのに、すみませんねぇ」

藤山が会釈《えしやく》した。部屋には合弁事業のために来ている四、五人の技術者が集っていた。

「皆さん、仕事はストップ、ホテルからは出られないでは、さぞお困りでしょう、胆石の発作が出た方の具合はいかがですか」

「痛み出すと、脂汗《あぶらあせ》を滲《にじ》ませ、気の毒です、油ものの食事がよくないというので、恩地さんの家で、お粥《かゆ》と梅干しを食べさせて戴けると聞いて、本人は生き返った気持になってますよ」

藤山は真底、感謝し、病人の部屋へ電話をして出かける用意をするように促した。

「恩地さん、この戦争の先行きはどうなんでしょうね、昨日、オランダ人がKLMで引揚げて行き、ドイツ人やスイス人も引揚げの特別機が来るとの噂《うわさ》ですが」

「大使館も本省と連絡を取り合っているようですが、何分、情報が得られないので、苦慮しているようです」

「そうですか、昨夜、十一時と午前三時に二回、空襲警報が鳴りましたね、地下二階の防空壕《ぼうくうごう》がわりの倉庫に避難しましたよ、戦争体験のあるわれわれは、背広に着替え、会社の重要書類を入れた鞄《かばん》を抱えて入りましたが、外人客の中には、パジャマやネグリジェ姿で飛び込んで来るのがおり、呆《あき》れました、ですが、そういう外人に限って、さっさと引揚げ機で脱出し、われわれは先行き不明……、せっかく先の戦争で生きのびたのに、こんな僻地《へきち》で外国同士の戦争の巻き添えをくって、死にたくないですよ」

胸に痞《つか》えていたものを、吐き出すように云い、

「病人をお預けして、早く帰って戴かねばならんのに、つい愚痴ばかりで失礼――」

と云うと、その当人らしい社員が、背広に鞄の姿で入って来た。

「井尻《いじり》と申します、こんな時にご迷惑をかけます」

心苦しげに頭を下げたが、発作の痛みで眠れなかったのか、げっそりと窶《やつ》れている。

「こんな時はお互いさまです、では藤山さん、何かご用があれば、オフィスの方へおいで下さい、電話は不通でも、うちはまだ通常の勤務体制ですから」

恩地はそう云い、井尻の鞄を持った。

エレベーターに乗り込むと、ジーンズ姿のアメリカ人の家族連れが、賑《にぎ》やかに喋《しゃべ》っていたが、二人の背広姿を見ると、こんな時間にと、不思議そうな視線を向けた。

助手席に井尻を乗せ、恩地は用心深く暗い道路を運転した。街はしんと静まり返っている。

「胆石は、長いのですか」

「四年前に、小さいのが見つかり、当時はちょくちょく痛んだんです、ここのところずっと何ともなく、流れたのかなと高をくくっていたんですが、羊の脂にやられたのかもしれません、幸い痛み止めは持って来ましたが」

井尻は云い、

「ホテルにアメリカ人が目だちますが、何の仕事なんです？」

と聞いた。

「アメリカが電源開発に力を入れ、ダムを建設するようなんです」

恩地は、さっきの検問がなくなったのに、ほっとして交差点の角を曲った。

「それでカラチにまで、インターコンチネンタル・ホテルが出来たんですか、家族連れで超一流ホテルに滞在し、外では海兵隊員が守っている、国力の違いですね」

井尻は、羨《うらやま》しげにため息をついた。

「わが家はもうすぐですから、楽な姿勢でいて下さいよ」

恩地は、スピードを上げた。自宅に到着すると、妻のりつ子とベアラーのシェイクが出迎えた。

「遅いので、途中、何かあったのかと心配してましたわ」

「暗がりを、半分の明りで運転するのだからね」

検問のことは口にせず、井尻を、りつ子とシェイクに紹介した。

「部屋が空いていますから、どうぞわが家のおつもりで、気楽になさって下さい、お粥も用意しておりますわ」

りつ子が部屋へ案内しようとすると、ウォーン、ウォーンと空襲警報が不気味に鳴り渡った。

「シェイク、カーテンを引け」

カーテンの裏に黒い布地を縫いつけていたが、念のため部屋の照明を消し、卓上スタンドを床に下した。

警報で、二階にいた克己が妹の純子の手を引いて下りて来、井尻の傍らのソファに坐《すわ》った。

やがてカーテンの外に、光が映った。

「お父さん、爆弾？」

「大丈夫だ、井尻さんの傍にいなさい」

恩地は、カーテンの隙間《すきま》から、外を観察した。サーチライトが交錯していたが、暫《しば》くすると夜空に高射砲の光が奔《はし》った。オレンジ色の光を放ち、海岸の方向へ飛んで行く途中で、すうっと暗闇《くらやみ》に消えた。

「やはり、インド軍は、カラチの軍港を狙《ねら》っているのですか」

井尻が外を覗《のぞ》くように云った。

「そのようですが、パキスタン軍はどこから撃っているのか、全然、届かないですね」

「ですが、北方のカシミールからラホールへと徐々に戦線が南下し、軍港を狙い出したのですから、全面戦争近しかもしれません、インドの戦闘機が撃墜され、飛行士が捕虜になって、カラチの街中を引き廻されたという噂がありますが、ほんとうです……か……」

井尻は胆石の痛みが来たのか、体を屈《かが》め、蹲《うずくま》りかけるのを、恩地はソファに横たわらせ、痛み止めの錠剤を出させた。

「りつ子、水だ」

りつ子は、食堂のポットから、湯ざましを持って来た。ベアラーのシェイクは、先程、空襲警報が鳴り、カーテンを閉めると、部屋の隅にへたり込んでいた。パキスタンはインドから独立して以後、国境周辺の小競り合いはあっても、本格的な戦争ははじめてであるから、闇夜に警報や光が交錯すると、異様に怯《おび》え、恰幅《かっぷく》のいい体を縮めてしまうのだった。

薬を飲んだ井尻は、痛みをこらえるように、歯を喰いしばり、脂汗を滲ませた。部屋には冷房を入れていたから、恩地は井尻の体に毛布をかけた。突然、玄関の戸が手荒らに激しく叩《たた》かれた。シェイクは役にたたず、りつ子の不安げな顔を眼で制して、用心しつつ戸を開けた。一ヵ月前に隣へ引っ越して来たばかりの政府高官というふれ込みのパキスタン人だった。

「空襲警報が鳴り、敵機が襲来しているのが解《わか》らんのか！　冷房機を止めろ！」

「空襲警報は解っていますが、なぜ冷房機を切るんですか」

不審に思って、聞き返した。

「外に出ているモーターが、わんわんと鳴っているだろう、この上をインドの戦闘機が飛んで来たら、たちまち爆撃されるではないか！」

恩地は、啞然《あぜん》とした。

「万一、インドの戦闘機が上空に飛来したとしても、数千フィートもの上空から、冷房機の音など聞えるはずがないですよ」

「いや、そんな保証はどこにもない」

「私は日本の航空会社の社員ですよ、飛行機のことは専門ですから信じて貰《もら》いたい」

「止めろといったら、止めるべきだ！　われわれの命が危いのだ」

殺気だって喚《わめ》いた。恩地はやむなく、冷房を切った。

カラチ市内に昼間から空襲警報が鳴り出し、ＢＯＡＣを最後に、ヨーロッパの航空会社が、自国民をすべて乗せて引揚げてしまうと、アメリカ人と日本人だけが残された。

インド洋に集結しているアメリカの第七艦隊から飛びたつ艦載機が、カラチ空港に駐機し、アメリカ人は万一の時には、軍の輸送機で脱出できる態勢だが、日本人は無援の状態であった。

　カラチ駐在の各企業の代表たちは、日本人会に集った。三十社の支店長たちのなかで、最初は楽観的に考えていた人も、俄《にわ》かに深刻になった。

「一体、日本からの救援機は、いつ来るのだ、まさにカラチは陸の孤島になった」

「日本政府は、佐橋首相と外務大臣が、早期終結は望み薄、長期化を懸念《けねん》とコメントしておきながら、何の術《て》も打たない、現地大使館は、在留邦人の生命と財産を守る義務があるのに、本国へちゃんとした情報を入れているのか！」

　いきりたつ声が、そこここから起った。近畿商事の支店長は、

「まあ、皆さん、落ち着いて、第二次大戦を経験した私から見ると、インドとパキスタンの戦争は、拡大しないと思う、なぜなら、双方、兵器工場を持っていないから、手持ちの弾を費《つか》い果たしたら終りです、だいたい、貧しい国で戦争とは贅沢《ぜいたく》というものですよ、万一、危くなったら、家族はバンコクへ一時避難させる程度でどうですか」

　ビルマ戦線で生き残った人らしい言い方をすると、一瞬、静まったが、五井物産の支店長は、

「それは安易な考えだね、インドの背後にはソ連、パキスタンの背後には中国がつい

ているが、米国が、中国封じ込め策として、パキスタンに経済、技術援助をしている、要は米ソの対立が根底にあるから、そう簡単に収まらない、ヨーロッパの駐在員たちが、非常事態宣言が出るなり、三日間で次々に引揚げたのは、そう考えたからだと思うね」

真っ向から反対した。近畿商事の支店長は、

「おそらく、ヨーロッパ諸国では、危機管理のマニュアルが、日頃から出来ているからでしょうな、それに地理的に近いということもある、その点、日本はパキスタンと距離があるし、しかもインド領空を飛ばねばならぬ危険がある、戦争というものは、常に予期せざる事態が伴うものだから、救援機が来ても、無事に日本へ帰れるかが問題ですよ」

と云《い》った。一部に動揺の気配があった。日本人会の会長で、東都銀行の支店長は、動揺を制するように静かに云った。

「皆さん、いろんなご意見があるでしょうが、一つ私の経験を申し上げましょう、五年前、ラオスに駐在していた時、内戦に巻き込まれましてね、まあ、ラオスの内戦のことだからと呑気《のんき》に構えていると、突如、社宅に銃弾が撃ち込まれて、九死に一生を得ました、その体験から、ここは安易に考えず、少くとも婦女子から犠牲者を出さぬ

ために、救援機を至急、大使館に要請することでいかがですか」

もはや異論はなかった。

「では、早速、日本人会の総意として、大使館に申入れますが、飛行機の準備はどうですか」

国民航空の支店長に向って、聞いた。

「実は、ヨーロッパの航空会社の情況を見て、本社と連絡を取り、日本からカラチまでの安全な航路、給油地、パイロットの技術などを含めて検討し、外務省の指示を待っています」

「救援機の機種は何で、定員は何人ですか」

五菱《ごりょう》商事の支店長が聞いた。

「DC8で、百六十人乗りです」

「パキスタンの在留邦人は、カラチ以外も含めて、四百十数名と聞いている、救援機第一便に乗る順位は、もちろん、婦女子が最優先だが、あとの順番が問題ですね」

と云うと、日本人会の会長は、

「その点は、大使館と協議して、公正を期すことにしてお任せ願いたい」

一同諒《りょう》承《しょう》したが、三洋繊維の支店長が、

「救援機の費用は、当然、日本政府が負担するのでしょうね」

国民航空の支店長に確めた。

「恐縮ですが、各社でご負担願うようにと、本社から云って参りました」

「なに？　戦乱のために脱出する救援機の費用を各自で持つなど、そんな馬鹿《ばか》なこと！」

「政府と大使館は、何を以《もっ》て判断しているんだ！　国民航空もだ！」

非難の声が上った。小田原支店長は、

「当社は、日本政府、外務省の指示を受けて飛ばすだけですので――、大使にご意見を伺いますと、今回が、他国の戦争に巻き込まれた、いわゆる〝救援第一号〟であって、前例なしという本省の回答だそうです」

「前例なしか、官僚の常套句《じょうとうく》だな、それでチャーター機だと、負担額はどれぐらいになる？」

三洋繊維の支店長が、重ねて聞いた。

「それが、片道空《から》で来ますので、その分、高くなりそうです」

「片道空？　よくもそんな言葉が使えるものだ、国民あっての、国民航空だぞ」

五菱商事の支店長も激怒すると、

「人命救助に、金を支払えというのか！」

五井物産の支店長も憤《いきどお》り、騒然とした。日本人会会長は、

「負担額の交渉は事後のことにして、今は一刻も早く救援機の要請です、今からすぐ大使館に参ります」

と締め括《くく》った。

特別救援機の到着が、十二日午後二時半と決まると、カラチ在住の人々の間に、異様な雰囲気が漂った。誰もが、この便に乗ってパキスタンを脱出したいという切迫した情況になった。

だが、大使館から発表された救援機搭乗の優先順位は、①一般在留婦女子②出張、旅行者③希望する在留邦人男子④国民航空駐在員⑤大使館の必要最低人員を除いた男子、であった。

昨夜、恩地の家に、日本人会の幹事が、灯火管制下の夜陰にまぎれて訪ねて来た。日頃は、人を下目《しため》に見て、威張っているその人物が、想像もできない腰の低さで挨拶《あいさつ》した。

「恩地さん、この度は何かとお世話になります、あなたが、引揚げ者リストを担当し

ていらっしゃるそうですね」

「いえ、大使館の意向を受けて、国民航空がリスト作りをしており、私はたまたま、担当者にすぎません」

「そこで、折り入ってお願いしたいことがありましてねぇ、実はうちの息子が下痢気味なのを、誰かが誇大に伝えたらしく、大使館から、おたくの息子さんは赤痢かもしれないので、ご遠慮願いたいと云って来ましてね、ですがほんとに単なる腹くだしで、絶対、赤痢なんかじゃありませんよ、是非とも搭乗者リストに入れて戴《いただ》きたい、おたくの便だから何とか計らえるでしょ、うちの出張者は、いつもおたくの便を使いますしねぇ」

辞を低くして頼みながら、ちらっと恩着せがましさを覗かせた。

「いつもご利用戴き、有難うございます、ご令息の件は私の一存では参りません、恐縮ですが、大使館の医務官の診断を受けて下さい」

「君ぃ、融通がきかないね、大使館の医務官云々《うんぬん》などとは、野暮じゃないか」

「ですが、搭乗者リストについては、個人的に勝手に処理することは出来ません、もちろん、医務官には早急に診断して戴くように、当方からも手配致します」

重ねて鄭重《ていちょう》に云うと、

「どうしても駄目かね、電話の回線がよければ、君んところの社長に電話をかけてもいいんだがねぇ」

何と云われても、恩地は黙っていた。

息苦しいほど暑い日であった。

カラチ空港は、銃を持ったパキスタン軍の兵士に囲まれ、空港の駐機場には、米軍機がずらりと翼を並べていた。

天井に扇風機がゆるゆると廻っているだけの空港の建物内は蒸せかえり、自国の救援機に乗り遅れたヨーロッパ人や、出張や旅行中に立往生したアジア系の人たちで犇《ひし》めいていた。

そんな中で、在留邦人の婦女子百三十二名は、暑熱にぐったりしながらも、一かたまりになって、日本からの救援機を待ち構えていた。

妊婦や、乳幼児を抱いた若い母親、幼子の手をひいている母親たちが、子供にリュックサックを背負わせ、手に身の回りの品を持っている。見送りに来た夫たちは、子供を抱きしめたり、むずかる赤ん坊をあやしながら、それぞれ別れを惜しんでいる。国民航空の社員の家族は、他の在留邦人を優先して、うしろに列《なら》んでいた。

克己と純子を連れて手荷物の上に腰を下しているりつ子と、恩地の眼が合った。恩地は、眼で「子供たちを頼むよ」とだけ云った。国民航空の社員である恩地は、到着便に備える仕事に追われて、家族と別れを惜しむ暇などなかった。

やがて雲の中から機影が現れ、日の丸の翼が眼に入った。どっと、拍手が沸き起こった。戦乱の地を脱出する人々にとっては、日本の国民航空は、祖国そのものであった。

日本からバンコク、サウジアラビアのダーランで給油し、三十数時間の長途を飛んで、在留邦人を迎えに来た国民航空機は、パキスタン空軍の兵士が監視する中で、管制塔の許可を得て、ようやく、滑走路に着陸した。

スチュワーデスは乗っておらず、スチュワードたちが、休む間もなく、妊婦、乳幼児を抱いた母親を優先し、次々と機内に迎え入れた。幼い子供たちは、無邪気にタラップを駈《か》け上り、夫と別れる妻たちは、何度も振り返っていた。

恩地は、列のうしろから搭乗する妻子を見送った。万一、戦火が拡大すれば、後に留まった者は必らずしも無事とはいえず、今、カラチを飛び発《た》って、ダーランに向う飛行機も、戦火を避けるための航路であった。恩地は、ひたすら航路の無事を念《ねが》った。

国民航空の救援機が出発して十日後、印パ戦争は、突如として終結した。

カラチ市内は戦火に見舞われずにすんだが、停戦発表後も空港は閉鎖され、通信制限は続き、外国企業のビジネスマンはエア・ポケットに嵌《は》まった状態にいた。

「突然、戦争がはじまったかと思えば、僅《わず》か二十二日間で停戦など、第二次大戦で四年間も戦った日本人には想像もできないことだよ」

閑散としているオフィスで、竹村が、机の上に広げた英字新聞を見ながら云った。

「今にも全面戦争かという報道だったのに、ほんとうに理解しがたいですが、国連で決議されたというのですからねぇ」

恩地は、竹村同様、一面のトップに報道されている停戦記事を見入った。

〔九月二十二日　ニューヨーク発ロイター〕国連安保理事会は二十二日未明、印パ戦争についての緊急討議を開き、ブット・パキスタン外相から、停戦受諾の発表を聞いた。

ブット外相はカシミール問題の根本的解決は、カシミールに世界普遍の原則である住民投票の権利が適用されない限り、印パの友好関係はあり得ないと演説。さらに、もし支持が得られない場合、パキスタンは国連からの脱退も辞さずとの爆弾声明を読み上げた時、アユブ・カーン大統領の至急電報が届いた。ブット外相は演説を一時休止した後、大統領の停戦命令を指示する電報を読み上げ、劇的な演出で、調停時間ぎりぎりに受諾が決定された。

竹村は、新聞を折り畳むと、

「戦争が終ったことはめでたいとしよう、だが、あの救援機に乗った引揚げ者から航空運賃を回収するのは、大へんだよ、日本からダーラン経由の片道分も負担するのだから、チャーターで安いどころか、通常料金の約一・五倍だもんなぁ、昨日、商社の連中と麻雀《マージャン》した時も、こういう非常事態で帰国せざるを得ない在留邦人に、運賃を払えとは何事かと、吊《つる》し上げられたよ、国民航空は、外務省の要請を受けて飛ばし、外務省に代って運賃の集金をしているわけだから、文句があるなら大使館へ抗議しろと云いたかったよ」

と、ぼやいた。国民航空にとって、商社は大のお顧客《とくい》であるから、機嫌は損ねられない。

「私もこういう外国での戦争で日本へ帰らねばならない状況の時には、政府が当然、負担すべきだと思いますねぇ、第一、救援機のパイロットをはじめ乗務員は、危険を覚悟の上で操縦桿《かん》を握るわけですから」

恩地が云うと、竹村はじろりと恩地を見た。

「君はそんなことより、総務主任として考えることがあるだろう、大統領の宣戦布告と同時に、フセインを使って大量に買いだめした小麦粉やガソリンをどうするつもりかね」

それを云われると、恩地は一言もなかった。

「社名を伏せて、備蓄用に買い集めたので、下手に転売出来ません、信用のおける倉庫会社に一時預りさせるつもりです」

「それならいい、かかった費用は支店の損失にならぬよう、本社の営業本部に面倒をみさせろよ、連中だって、まさか戦争が二十二日間で終結するなんて、想像だにせず許可したんだ、こういう事態の前例はないのだから、君の作文次第ですんなり通るだろう」

と云った時、突然、カチカチとテレックスが鳴りはじめた。それまで通信機の前で古雑誌を読み耽《ふけ》っていた通信主任が、待ち受けていたようにテレックスへ向った。東京本社からの第一報であった。

カラチ空港乗り入れは、九月三十日より再開の見通しにつき、準備されたし。

自社便が再び飛んで、仕事がはじまる——。僻地《へきち》の支店の雑用に等しい職務だが、無為に日々を過すより、まだしもというのが、恩地の本音だった。

運航再開の見通しの報《しら》せに、現地職員たちも、活気づいた。

次の日曜日、恩地は、市内から東へ百キロほどのタッタへ向けて、車を走らせていた。タッタの遺跡は十八世紀中頃まで、四百年にわたってインダス河流域を支配した代々の王朝の都であった。今はさびれて見るかげもないが、インダス文明の俤《おもかげ》を偲《しの》ぶ遺跡が残されている。恩地は遺跡の宝庫といわれるパキスタンの文明に触れたい思いで、家族のいない家を出たのだった。

途中、ガソリンスタンドで給油し、一休みしてから、タッタの町に入った。道の両側に小さな商店がしがみつくように軒を列《つら》ねているが、休日で扉はほぼ閉ざされており、道行く人影もまばらだった。

一本道の先を、驢馬《ろば》の挽《ひ》く荷車がのんびり進んでいる。どの辺りで抜こうかとブレーキに足をかけた時、アザーンが、拡声機で鳴り響いた。一日五回、メッカへ向って礼拝する時刻を告げる合図だった。荷車が道端に寄り、馭者台《ぎょしゃ》から老人が下りたかと思うと、布切れを地面に敷き、メッカの方向に跪《ひざま》ずいて、ひれ伏した。カラチ市内では寺院以外の場所ではあまり見かけない光景だった。何度も頭《こうべ》を地面につけてひれ伏し、祈りを捧げる老人の姿に、恩地は心搏《う》たれた。

タッタの遺跡は、そこから間もない町はずれに広がっていた。遺跡といっても、往時の王朝の宮殿は次々と、略奪と砂嵐の中に消え、残っているのは、数えきれない墓のみだった。

近くには、風化しているが、比較的損傷の少い赤褐色の墓、霊廟《れいびょう》が列なっている。四角い台座の上に、一廻りずつ小さな石を積み、先は四角い柱のような形にすぼまっている墓もあれば、高さ二メートルほどの石柱に支えられた廟もある。どの墓石にも、花や鳥、太陽のようなモチーフを幾何学的に彫ったレリーフがあり、死者を讃《たた》え、弔っているようだった。

墓石の中に、忽然《こつぜん》と建っているのが、シャー・ジャハーン・モスクであった。インドのムガール朝の皇帝の命によって造られた壮大なペルシア式モスクで、中庭を隔てて東西に回廊がのび、主ドームの天井は青と白の釉薬《うわぐすり》をかけたタイルが、色鮮やかな模様を描き、恩地の歩く靴音が異様なほど高く響いた。

ふと足を止めると、コバルトブルーのタイルの装飾で縁取られた回廊の向うにも、赤褐色の墓石が列なっているのが見える。

恩地はモスクを出、地面に崩れ落ちた墓石に注意しながら、さらに先へ歩んだ。そこからは、百万とも云われる墓石が建つマクリの丘が見渡せた。栄耀《えいよう》栄華と滅亡の歴史の中で死んで行った人々の墓は崩れて、石杭のように僅かに残り、霊廟も柱だけが俤をとどめて累々《るいるい》と続き、やがて大地に埋もれている。

風の音さえ止ったような遺跡から、ふと、「お父さん!」と呼ぶ子供の声が聞えたように思えて後を振り返ると、白い帽子に黒っぽい服を着た墓守が、控えていた。その横で息子なのか、六、七歳の男の子が恩地を見詰めている。その子供の声が「お父さん」と聞えたのだろうか。

墓守は、ウルドゥ語らしき言葉で、案内を買って出るふうであったが、恩地は断り、心ばかりの喜捨をすると、恭《うやうや》しく頭を下げ、子供の手を引いて、たち去って行った。

恩地はその親子のうしろ姿を見送りながら、わが子に、思いをはせた。救援機で無事、日本に帰り着いたことは、大使館を介して聞いていたが、東京で克己と純子は母親の云いつけを、守っているだろうか。

救援機で帰国する前夜、恩地は妻に、克己がどうしても日本の学校へ通学したいのなら、任期はあと四ヵ月ほどだから、そのまま元の小学校へ転入させてやろうかと云うと、りつ子は、「あなた、いつかおっしゃったじゃありませんか、男にとって理由《わけ》あれば妻とは離別が出来ても、子供とは出来ない、ましてや子供にとって親は、自分から選べない存在なのだと――、ですから、戦争が終ったら、また子供を連れて戻りますわ」と首を振った。

妻子に対する愛《いと》しい思いが、こみ上げて来た。任期を終え、日本へ帰ったら、この愛しさを忘れないよう、二度と家族を悲しませたりしないようにしなければならぬと思った。

それから一ヵ月後、労務部次長の八馬忠次が、人事部の課長を同行して、カラチ空港に降りたった。

現地駐在員の生活、労働実態の視察で、九月の予定が、印パ戦争のため、十月下旬にずれ込んだのだった。

日頃、空港への出迎えなどしない支店長が、本社の労務部次長の巡回視察とあって、自ら出迎え、翌日のホテルへの出迎えも、自らあたった。

現地での送り迎えは、総務主任の役目であったが、いつもは横柄でだらしのない支店長が、打って変ったまめまめしさで取り仕切ったのだった。

だが、カラチ支店の生活、労働環境について、具体的に知るために、総務主任の恩地が呼び出された。

応接室に入って行くと、八馬は、以前の小柄ながら、頑丈そうな体つきに、さらに腹がせり出し恰幅《かっぷく》がよくなっていた。

「どうだ、このうだるような暑熱の国で現地人並に真っ黒に陽やけし、よく体が保《も》っているな」

細い眼を光らせ、懲罰人事を行った相手の反応を見るように云ったが、恩地は感情を抑えた。

「赴任前に想像していた以上の厳しさで、駐在員の生活環境は非常に悪い情況にあります、加えて、カラチは飛行機の離発着が深夜で、空港業務は夜になります、市内オフィスでは昼間のみならず、夜間の空港への出迎えもあり、つい夜行性になって、健康に悪影響を及ぼしておりますので、その辺のところを特に視察願いたく思います」

「中近東で楽なところはないよ、カルカッタへ寄って来たが、あそこと比べりゃ道路に寝転んで、ごろごろしている人間の数が少いだけでも増しだよ」

「生活の苦楽を云《い》っているのではなく、基本的な日常の衛生状態の劣悪さを云っているのです」

「衛生状態と云うと？」

「ご説明するより、実際に見て戴いた方が確かですからご覧下さい、まず単身赴任者用宿舎の飲料水の水槽《タンク》を――」

と云い、恩地は、会社の車で宿舎へ案内し、地下へ降りて行った。年に数度しか雨が降らないカラチでは、カラチ・ダムから、郊外の貯水場へ水を送り、そこから各戸へ水を引いて、地下の水槽に貯《た》め、給水しているのだった。

恩地が、地下に設けた水槽の蓋《ふた》を取ると、八馬は顔を顰《しか》めた。水面にゴキブリが何匹も浮かんでいる。同行の人事課長は足を竦《すく》ませたが、八馬は、

「私に見せるために、こんなものを浮かせておいたのか！」

大声を放った。

「とんでもありません、このタンクに貯めた水を煮沸して、飲料水にしているのが、ここの現状です、その上、この国全体の衛生状態の悪さから、赤痢、腸チフスで、ひどい時は駐在員の半数が、欠勤という場合もあります」

「それこそ、宿舎の料理人の採用と監督をきちんとやるのが、総務の君の仕事じゃないか」

「ところが、いくら厳しく採用、監督しても、調理する素材そのものが、不衛生極まりない状態なのです、ちょっと市場《バザール》をご覧下さい」

恩地はまた、八馬と人事課長の長谷部を車に乗せて、市場へ案内した。

異様な臭《にお》いと人が犇めく騒々しい市場には、マンゴー、パパイア、オレンジ、バナナなどの果物を並べた露店、胡椒《こしょう》、キンマの葉、サフラン、チョウジ、ニッケイなど何種類もの香辛料を積み上げた店などが、処《ところ》狭しと軒を並べ、鶏《にわとり》を籠《かご》に入れた店では、その場で首を大型ナイフで、すぱっ、すぱっと切って客に売っている。首を切られる一瞬の鶏の声と飛び散る生臭い血が鼻をつき、八馬は反吐《へど》を吐きそうな顔をし、人事課長は人影に隠れて胃液を吐いている。

「もういいよ」

「せっかくですから、少し先の魚売場へ――」

恩地は先にたって、人波をかき分けた。

「君ぃ、魚は一向に見えんじゃないか」

「いいえ、ここに並んでいますよ」

と云い、恩地が店先へ手を伸ばした途端、黒山のように群っていた蠅《はえ》が、ウァーンと飛びたち、そこに七、八十センチほどの大魚が白い腹を見せていた。

その夜、支店長社宅で、駐在員全員が集り、八馬労務部次長と、人事課長を囲む夕食会が催された。

食卓には、この日に限ってコックに任せず、駐在員の妻たちが腕をふるった料理が、十二、三品ならべられた。

最初、ビールで乾杯し、小田原支店長が挨拶《あいさつ》した。

「巡回視察の第一日目から、暑熱の中を精力的に廻って戴き感謝します、カラチの生活環境の劣悪さと、それに挫《くじ》けずに働いている駐在員の勤務情況を本社へご報告戴ければ幸いです」

と云うと、八馬は、

「印パ戦争の勃発《ぼっぱつ》で、一度、妻子を日本へ引揚げさせた苦難にもかかわらず、再度、家族を呼び寄せて、支店業務に精励されている駐在員の皆さんに、敬意と謝意を表します」

と応《こた》えた。支店長夫人は、八馬にビールを注ぎ、

「お口に合いますかどうか、できるだけ日本風の味つけにしたのですが」

仔羊《こひつじ》の丸焼き、肉と野菜の煮込み、鶏《とり》の唐揚げなどがならんだ中で、日本風のあん

かけの料理を勧めた。

「アラビア海から上ったばかりのパンフレット、日本で云うシマガツオでございます」

「えっ、魚、あのカラチのバザールで売っていたあれ――」

八馬の顔色が変った。支店長夫人はおろおろしたが、やり手の竹村夫人は、すかさず、

「買物も調理も、コックに任せず、私たちで充分に吟味し、ボイルしてございますから、ご安心下さいまし、淡泊なお味がよろしければ、こちらの鮫《さめ》のてり焼きの方が――」

と云うと、八馬は顔を硬《こわ》ばらせ、同行の人事課長に、

「君、遠慮なく戴き給え」

自分は箸《はし》をつけず、異様なほどの用心深さであった。人事課長は当り障《さわ》りのない返事をして、やはり箸をつけなかった。

八馬は、恩地の妻のりつ子に気付くと、

「奥さん、せっかくのおもてなしですが、何しろこう暑くては食欲がなくてねぇ」

魚に手をつけないのを、酷暑のせいにした。

「では、こちらの大根おろしはいかがでしょう、さっぱりしておりますから」

と勧めると、八馬ははじめて箸をつけ、

「うまい、暑いところでは、これに限る」

と云いながら、取り皿に、大根おろしを山盛りとって、ずるずると、かき込んだ。

「お口に合って、ほっと致しました、バンコク産の上質の大根でございます」

竹村夫人が、説明を加えた。

「ほう、カラチには、大根がないのですか」

「はい、大根、白菜といった野菜は、出張者が、仕事のついでに買って参ります」

さすがの八馬も驚いた風であったが、貴重な大根おろしを白米の上にかけてお代りをして、一人で平げ、楽しみにしていた駐在員たちには一掬《ひとすく》いも残らなかった。

食後の座談に入ると、八馬は、恩地を広間のコーナーに呼んだ。

八馬は、ブランディ・グラスを手にして、恩地のウイスキーの水割りを見やり、

「君はビールをコップ一杯飲むのがやっとだったのに、飲むようになったのかい」

「深夜の空港へお客さまを出迎え、ホテルまで送り届けて、早く眠るために飲むくせがつきました」

「本社から指示のあるVIP以外に、出迎える必要はないよ、自分勝手に働いて、カ

ラチ支店は長時間労働だなどと云わんことだな」

　釘《くぎ》を刺すように云った。

「どうだね、ここの勤務は?」

「既にご覧戴《いただ》いた通りですので、職、住の環境をもっと改善し、医薬品の補給と、定期的な医師の巡回診療をお願いします」

「だが、乗り降りするお客の半数以上が、トランジットで、切符の売り上げの少い支店が、勤務がきついからと、特別の要求を出しても通らんよ、まあ、私から事情報告は出しておくがね」

　と云い、恩地の顔をまじまじと見詰め、

「そのほか、君なりに考えたことがあるんじゃないかね」

「カラチのような特別地域の総務の仕事は、皆の日常の世話をすることが重要ですから、私の後任については、困難な条件の中で人の面倒をみられる親切な人を選んで戴きたいと思います」

「後任の話か——、それは君の帰任が決った時のことでよかろう、それより君自身の考えだよ、幼い子供さんを抱え、奥さんも並たいていの苦労ではない、カラチに来たのをきっかけに、そろそろ組合から足を洗っていい頃だろう、組合でも、もう君の時代は過ぎたよ、この辺で、一札、詫《わ》びを入れれば、本社へ帰った時、働き甲斐《がい》のあるポストが考えられるんだがねぇ」

俄《にわ》かに親身な口調になった。

「私が一体、誰宛《あ》てに、どんな内容の詫び状を書くのでしょうか」

「曾《かつ》て君を組合の委員長に推薦した先輩であり、今回、巡回視察に来た労務部次長の私宛てに、今後、組合とは一切、手を切り、社業に専心することを誓約する一文を出すのが、筋というものだろう」

当然のことのように云った。

「組合の委員長だった私が、本社へ帰り、組合の仲間と会って、今まで通りにはつき合えない、ということは出来ません」

「だが、管理職になれば、組合員でなくなるのだから、不自然ではないじゃないか」

「つまり、管理職と引き替えに、組合と手を切れとおっしゃる訳ですね、それではまるで、職場の上司が、女子職員に今晩、つき合えば、よきに計らうという下劣な誘いと同じじゃないですか」

恩地は、軽侮《けいぶ》するように八馬を一瞥《いちべつ》した。

「君という奴《やつ》は、いつまで経《た》っても成長せん、以前、桧山《ひやま》社長に直訴して、カラチ行きを決めたらしいが、もうそんな直訴は罷《まか》り通らんよ、それでも妻子を泣かせて、自分一人、そうやって英雄気取りでいたいのかい、今に吠《ほ》え面《づら》をかくぞ！」

八馬は、空になったブランディ・グラスを投げつけんばかりに怒った。

遠くから、二人の様子を見詰めている心配そうな妻の顔に、恩地は気付いた。


支店の仕事は、相も変らず単調で、家族がいるとはいえ、この空疎《くうそ》さは癒《いや》されることがなかった。

「ミスター・オンチ、手紙ですよ」

郵便物係の現地職員が、駐在員たちへ航空便や船便を配って歩き、恩地の席へも一通、航空便を届けた。郵便配達制度がないから、個人宛の郵便物でも中央郵便局の支店のP.O.BOX気付でしか届かなかった。

差出人を見ると、M・SAWAと記されている。恩地のあとを受け、国民航空労働組合の委員長を務めている沢泉からの手紙だった。カラチ支店へ左遷《させん》されてもなお組合と繋《つな》がっていると邪推されないように、沢泉は目立つ〝泉〟の一字を略し、ごくたまに便りをくれるのだった。恩地は懐《なつか》しい思いで封を切った。

拝啓。遥《はる》けき地で、ご苦労を重ねておられることと拝察します。今年の年末闘争は、既にご承知のような不本意な妥結額で終り、非力を恥じるばかりです。一方、会社側の組合弾圧も日毎《ごと》に巧妙になり、〝財界労務部〟のプロが背後についていると思われる『高士会』が、公然とビラを撒《ま》き、酒席を設けて、同調者を拡大する挙に出ております。

さて、空の安全に人一倍、心を砕いておられる貴兄のことですから、一ヵ月前、サンフランシスコ空港を出発したDC8が、離陸直後にエンジントラブルを起し、あわや海へ墜落寸前、無事に緊急着陸した事故に、関心をお持ちのことと思います。私は新聞で詳しい記事を読み、エンジンから火を噴き爆発、油圧系統まで故障して、制御不能に陥った飛行機が、機長以下、乗員の冷静沈着な連繋《れんけい》プレーにより、危機を免れ、一名の負傷者もなく、着陸に成功したことを知って、感動すら覚えました。このDC8のニュースは、空の美談として各種マスコミに取り上げられ、国民航空の安全神話の象徴的な出来事となりました。もっとも後日、判明したところでは、会社は当初、この事故が表沙汰《おもてざた》になることを嫌い、伏せる方針でしたが、アメリカで起きた事故であり、偶然、市民が炎に包まれたDC8を撮影して地元新聞社へ通報したため、隠しきれず、美談仕立ての情報操作の方針を打ち出したようです。その裏方を務めたのが、サンフランシスコ支店の総務主任で、広報も担当する行天四郎さんであったのです。会社が、なぜ、この事故が表沙汰になるのを恐れたのか、そしてその後、故意に美談仕立てにしたのか、不審に思いはじめた矢先、サンフランシスコへ事故調査団の一員として赴かれた運航技術部の志方《しかた》真一郎さんから、想像を絶する怖《おそろ》しい真相を秘《ひそ》かに伝え聞きました。

恩地は、思わず、眼を瞬《しばたた》いた。あのサンフランシスコ空港離陸直後に起ったDC8のエンジントラブルに関する報道に、行天四郎が介在していたことだけでも意外であるのに、カラチへ赴任する当日、日頃、何の付き合いもないのに、空港へ見送りに来てくれた志方が、事故調査団に加わっていたことに、不思議な因縁を覚えた。志方が、美談の裏側にある事故原因の真相について何を見、何を語ったのだろうか——。恩地は手紙の先を読んだ。

沢泉の文面が、いつしか志方の声となり、恩地の耳朶《じだ》に響いて来た。

問題のDC8は、羽田からホノルルを経由して、サンフランシスコに到着した飛行機でね。二日後、羽田へ折り返し運航するために整備に申し送る航空日誌《ログブック》には、格別の記述はなかった。乗客七十八名を乗せたＤＣ８は、十四時〇〇分、定刻通りサンフランシスコ空港を離陸、上昇しつつ禁煙サインを消した直後に、突然、ズドーンという音がし、機首が左へとられた。機長が機の姿勢をたて直すと、第一エンジンの計器が異常を示した。同時に、客室乗務のパーサーがコックピットに飛び込んで来て、第一エンジンから出火し、左主翼上面が燃えていると報告した。航空機関士が消火用ハンドルで消火剤を噴射すると、火は消えたが、客室では翼から火が出たのを見て、全員総だちのパニックに陥った。翼の窓際《まどぎわ》にいた乗客の顔が、紅《あか》く染ったというくらいだったから、乗客は生きたここちがしなかっただろう。幸いパーサーが落ち着いて乗客を坐《すわ》らせ、シートベルト着用を促している間に、機関士が客室の窓から焼損状況を視認し、機長に左主翼、ことに補助翼の大半が焼失していることを報告して、機長は直ちに空港に引き返す決断を下した。サンフランシスコ空港管制塔は、すべての飛行機の離発着を差し止め、「どの滑走路に緊急着陸してもよし」と応答するが、機体は、機長の思い通り動かず、操縦桿《かん》が左右に激しく震え出し、油圧低下を示す警報灯が点灯した。事態は最悪の方向へ進んで行った。西の滑走路にしか進入出来ないと思っていた機長は、空港がまたたく間に近付き、その向うには山が迫っているので、とても降りられないと判断した。とはいえ、七十八名の乗客を乗せ、どこかに降りなければならないと、必死の機長は、「パワー・オン（油圧をくれ）」と叫びながら、湾の対岸のオークランド空港に、西向きの長い滑走路があることを思い出し、急遽《きゅうきょ》、オークランド空港への着陸を決断、管制塔と交信した。オークランド空港も、万全の受入れ態勢を敷き、消防車や救急車を配置した。

ところが、機体はなおも、右へ右へと傾きを増すばかりで、サンフランシスコ湾に乗客もろとも墜落かと思われたが、ベテランの機関士が油圧切替レバーを最後まで冷静に操作し続け、操縦桿が生き返った。窮地を脱したDC8はほぼ満タンの燃料を積んだ危い状態のまま、着陸に成功したのだ。

事故発生から着陸まで僅《わず》か六分間の出来事だったが、この間に一つの判断ミス、操作ミスでもあれば、万事休すの事態で、油圧系統が故障してよく着陸出来たものだ。さすがはわが社随一のパイロットだけあると驚嘆したよ。

だが、それから思いがけない問題に発展したんだ。直ちにアメリカの運輸安全委員会が、エンジン火災の事故調査に乗り出したが、発足したばかりで人員と機構が整っておらず、その上、一名の死傷者も出なかった外国のエアラインであったせいもあって、落下した部品の回収を、地元のボーイスカウト五十名に任せたんだ。ボーイスカウトじゃあ、何の成果も上らないのは当然だよ。我社《うち》がサンフランシスコとオークランドの二空港に迷惑をかけた手前、われわれ五名の他に、在米のパイロット訓練生十三名と、彼らの支援整備関係者十五名を動員して、第一エンジンの部品回収のために、航跡の下を根気よく辿《たど》って行くと、三、四百メートルの山に出くわした。標高の割には崖《がけ》あり、谷ありの急峻《きゅうしゅん》な山で、われわれ総勢三十三名は、一列横隊になって、崖を登り、谷底に下りて、浚《さら》い、小型トラック一台分の部品を空港倉庫へ持ち帰った。アメリカ側の立合いの下に、回収したエンジン部品を床に並べ、具《つぶさ》に点検したところ、辻褄《つじつま》が合わないことに気付いたのだ。

恩地は、あの事故にそれだけの調査が行われていたことを、はじめて知った。だが、辻褄の合わないこととは、どういうことだろうかと、手紙を繰った。

丸二日間、山狩りしたが、おかしなことにトルク・リングの破片が一片たりとも見つからなかった上に、取り付け周辺の部品が、擦《こす》れて熱で溶けた跡が発見された。

トルク・リングというのは、エンジンカバーの内側に取り付けてある直径一メートル弱のいわば、わっぱのような形をしたもので、これがないと、エンジンの外側の固定翼が回転し、遠心力でエンジンは吹っ飛んで爆発してしまうのだよ。トルク・リングを付けずに、羽田からサンフランシスコまで太平洋を飛べたのは、多分、ボア・スコープという、エンジン内部を点検する穴の縁が、固定翼とエンジン外周に引っかかって、トルク・リングの役割をしていたとしか考えようがない。

この常識では考えられない事態に、事故調査団の一人が、固定翼が回転した際、溶けてなくなってしまったのではないかと云《い》い出した。アメリカ側はそれなら、擦れて熱で溶けた部分に、トルク・リングの溶解した成分が残っているはずだと分析したところ、いささかも検出されず、羽田を飛び発つ時点から、なかったことが証明された。

われわれ日本側調査団は、帰国してすぐさま、整備本部に命じ、エンジン組立工場の立入検査をさせたよ。トルク・リングはエンジン組立ての時、一緒にリベットを打って取り付ける部品だから、羽田出発時になかったということは、工場で付け忘れたというミスしか考えられない。

恩地は愕然《がくぜん》とした。トルク・リングを付けず、太平洋上を無事に飛行できたことは、まさに奇蹟《きせき》としか云えないが、エンジン組立て時に、こんな大切な部品が付け忘れられた事情は、何だったのだろうかと、その先を読んだ。

ところが、エンジン組立工場では、担当の取り付け整備士、検査整備士全員が取り付けて点検したことを証明する書類に、すべてサインがあることを楯に、規定通り取り付けられていたという一点張り。取り付け作業を行った工員の一人ぐらい正直に認めるかと思いきや、「志方さん、今度あんたが工場へ入って来たら、天井から何が落ちてくるかしれませんよ」と脅しにかかる始末なんだ。その中には組合支部のリーダーもいたんだから、〝空の安全〟がスローガンの組合も落ちたもんだよ。一方、工場長以下、責任ある立場の連中も、あり得ないことだと主張するばかり。調べてみると、そのエンジン組立ては、整備本部の打ち出した安全月間中に行われたもので、エンジン組立工場は、ミスなしの優秀な成績を上げたとして、表彰されていたんだ。上も下も、今さらトルク・リングを付け忘れたなど、金輪際、云えない理由《わけ》だ。

そうこうするうち、事故調査の会議が開かれなくなったので、何かおかしいなと思ったら、やはり勘が当ったよ、運航技術部長から、調査打切りの命令が出た。トルク・リングの取り付けを忘れていたことがもし外部に漏れれば、美談の安全神話が崩れるどころか、そのお粗末ぶりが満天下に知れ渡り、処分者が多数、出る。そこで、知らぬ存ぜぬを会社ぐるみで決め込んだらしいが、乗客の命を預かる航空会社として、断じて許せない。このような杜撰《ずさん》なミスがなぜ起ったのか、徹底的に調査、追及してこその安全であるのに、闇《やみ》に葬《ほうむ》れば、新たな事故の温床となり、将来、取り返しのつかない事態を招くことは明白だ。会社が、労使関係のみならず、空の安全を直接、脅《おびや》かす体質をも生み出しつつあることに、私は怖しさを感じる。

恩地は、背筋が寒くなった。死力を尽してDC8を救った機長たちは、この事故原因を知って、どんな思いでいるのか。美談仕立てに奔走したという行天は、この事実を知った上で動いたのだろうか。エンジン組立工場の組合員たちは、なぜ黙して語らないのか。会社の切り崩しが、事故の真相解明にまで及んでいることに、衝撃を覚えた。

恩地は、小田原に呼ばれて、支店長室へ入った。

冷房のよくきいた部屋で、皺《しわ》一つないクリーム色のスーツを着、袖口《そでぐち》に金のカフス

ボタンを光らせ、

「ちょっと、君に聞きたいことがあってねぇ、会社の不動産関係のことだが、聞くところによれば、出入りの今の業者は、性質《たち》がよくないらしいが、大丈夫かね」

常々、保身に汲々《きゆうきゆう》としている人らしい用心深さであった。

「そのことでしたら、たしかにこの間、インフレに乗じて、社宅の家賃を上げたいと、法外な額をふっかけて来ました、それでは、他の業者に変えると云い渡しましたら、すぐ常識的な線に収めて来ましたので、性質《たち》が悪いとまでは云いきれませんが——」

恩地が、その間のことを説明すると、

「そうか、君がそう判断するのなら、まあ、君の責任で、引き続き対処してくれ、ところで、君自身のことだがねぇ」

と云い、一旦《いったん》、言葉を区切り、

「君も知ってのように、わが社はかねてから、イラン乗入れの航空交渉をしていたが、ようやく来年四月一日、テヘランへの乗入れが決まった、航空交渉が遅れた関係で、支店開設の準備も遅れている、そこで四月一日の期日までに開設を実現するためには、現地事情に詳しく馴《な》れた社員でなければ間に合わないので、近隣諸国の支店から人を出すことになってねぇ、カラチからは、君に行って貰《もら》うことになりそうだよ」

恩地は、あまりのことに呆《あき》れ返った。

「そういう理屈だと、過酷な環境にある者は、永久にそういう地域ばかりを盥廻《たらいまわ》しというこことになり、あまりに不平等ではありませんか、私としてはお受けできません」

「君一人だけでなく運航主任も、同じように行って貰うのだよ」

「運航主任は、カラチに着任して、まだ半年ではありませんか、テヘランの支店開設に一年行ったとしても、一年半です、この点を支店長として、公正にご判断戴きたい」

「この件は、私の判断ではないんだ、実は、本社人事部に、君をテヘラン支店開設委員として派遣するという考えがあってねぇ、つまり、これは本社人事部からの内示だ」

恩地の抵抗を考え、曖昧《あいまい》にことを運ぼうとしていた支店長が、本音を吐いた。恩地は、愕然とした。

「カラチ支店駐在が、間もなく、まる二年になる私に、そのような内示があるなど考えられません、海外在勤者に関する内規で、インド、パキスタン、クウェートなどが二年に限られているかと云えば、それだけ生活条件が厳しく、衛生状態が悪いからでしょう。カラチに二年駐在すれば、その後はまず日本へというのが通例ではありませんか、どうして私の場合だけが、パキスタンとほぼ同様の僻地《へきち》に支店開設委員として出されるのですか、納得できません」

恩地は、あまりに酷《ひど》い人事に腸《はらわた》が煮えくり返った。小田原は、恩地の凄《すさま》じい語気に圧《お》され、狼狽《ろうばい》するように視線を逸《そら》し、間を取るように煙草《たばこ》をくわえ、

「何といっても、君の人事は特殊だから、一支店長が、口を挟むケースではないのでねぇ」

いやに持って廻った言い方で、逃げを打った。

「では、支店長が取り合って下さらないのなら、誰に云えばいいのです、先月、巡回視察に来られた労務部の八馬次長にですか」

「人事異動は、あくまで人事部が判断し、発令するものだよ、それとも、君は、八馬次長に対し、こんな人事が発令されても仕方がないような印象でも与えたのかね」

恩地は、八馬が、詫び状の一札でも書けば、前非を悔いた証拠になるのだがねぇとまで云ったことを思い返した。

「支店長、せめて本社人事部に、カラチ駐在二年につき再考願いたしと、本人が申し出たことをお伝え下さい」

恩地はそう云い、頭を下げた。

「いや、何と云われようと、私は君の人事には関わりたくない、云いたいことがあれば、自分でやり給え」

「それでは、あまりに無責任すぎるおっしゃり方ではありませんか」

恩地が気色ばむと、小田原は、ゆっくり視線を向け、

「無責任？　君の方が、無責任というものだよ、この間、八馬次長が来られた時の君の態度は、なんだい、広間のコーナーの様子が、私に解《わか》らないとでも思うのかい、八馬さんは、空《から》のブランディ・グラスを君に投げつけんばかりだったじゃないか、あれが、本社の労務部次長に対する一駐在員の応対の仕方かね、君はもう、とっくに組合の輝ける委員長とかではなく、カラチ支店の一駐在員だ、あんな風な態度をとれば、いい報告が、本社へ上るはずはないさ、自己流のやり方を通しておいて、今になって文句をつけるのは、勝手すぎる、自分がとった言動には、自分自身責任を取ればいいだろう、何と云われようが、私は、君の人事とは関わりたくない」

小田原支店長は、迷惑げに、重ねて断った。

支店長室を出、自分の席に戻ると、恩地は呆然《ぼうぜん》と、窓の外を見た。灼《や》けるような太陽がぎらつき、宙にまで砂塵《さじん》が舞い上っている。この国での任期が

あと二ヵ月で終るはずの自分に、突如として、テヘラン支店開設委員という内示が出ようとは——。

現地職員のフセインが、イスラマバードの観光省へ出張する書類を持って、机の前にたっていた。いつもなら出張日数、交通費、宿泊費などの項目をチェックする恩地であったが、さっと眼を通しただけでサインし、ふと、視線に気付いた。

斜め向いの席から、竹村が煙草をくゆらせながら、にやりと笑った。支店長室であったことを、すべて承知しているという表情であった。

間もなく、支店長がどこへともなく出かけると、竹村が、恩地の机に近寄って来た。

「君、小田原支店長を相手に話しても、所詮《しょせん》は、ぬらりくらりの〝小田原評定〟にしかならないよ、それより曾《かつ》て組合の輝ける委員長だった君の交渉力を生かして、本社人事部にかけ合うことだねぇ、第一、小田原支店長は、今月一杯で、日本へ帰任するんだよ」

「え？　帰任、今月一杯で……」

「おや、君に話さなかったのかい、あの人らしいやり口だな、本社から、八馬さんが来られた時、巧《うま》く泣きついて、支店の代表者は三年という任期を半年、短くして貰ったらしい、それだけに君に絡《から》まれるとまずいと思って、だんまりを決め込んでいたんだろう」

恩地は、小田原に対する怒りをぐっと呑《の》み下した。

「では、次の支店長はどこから赴任して来られるのですか」

「この私だ、昇格人事であと一年、私がここで支店長を引き受けることになった、その代り、日本へ帰任する時のポストを、せいぜい考えて戴くことにしたよ」

と云い、煙草の吸殻を、恩地の灰皿にねじ込み、訪れて来た客を迎えた。

支店長は、半年繰り上げで帰任することを伏せて、在勤期間が間もなく二年の恩地にテヘラン支店開設委員を内示し、店次長は、現地で一年、支店長を務める代り、日本へ帰った時のポストを取り付けている。話には聞いていたが、人事の裏で、こんな馴れ合いが罷《まか》り通っている。

しかし、恩地自身が直面している人事は、海外在勤者の内規を破り、しかも、二年だけだ、保証するとの桧山社長の約束をも破るものであった。

恩地は時計を見た。日本はカラチと四時間の時差であるから、現在、午後三時半である。この間、労務部次長の八馬に同行して来た人事課長は、温和で、聡明さを感じさせる人柄であった。思いきって、人事課長に電話をしてみよう、非常識かもしれないが、今はそれしかなかった。

恩地は、机の上の電話を取り、東京本社へ指名通話の国際電話を申し込んだ。運よく四十分足らずで繋《つな》がった。

「えっ、カラチ?」

カラチからの国際電話と知って、驚く気配が伝わって来た。

「もしもし、カラチ支店の恩地です、その節はご遠路お運び戴いて、恐縮でした、実は先程、小田原支店長から、テヘラン支店の開設委員として赴任するようにという内示を受けましたが、私はあと二ヵ月でカラチ在勤まる二年になりますので、海外在勤者の内規通りに扱って戴《いただ》きたいのです、それに高血圧の老母を独り、日本に残している家庭の事情もお考え戴きたいわけです」

思わず、切羽詰るような声になったが、人事課長は日常業務を捌《さば》くように、

「恩地さん、人事は内示通りです、万一、どうしても異論のある場合は、支店長を通して、申し入れるようにして下さい、会社の定《き》まりですから」

と答えて、電話をきった。

「サラマレコン(おやすみなさい)」

ベアラー(使用人頭)のシェイクが、サーバント・クォーターに引き退《さが》って行き、

子供たちも、子供部屋で寝入ったらしく、広い家の内は静まり返っていた。

三日遅れの日本の新聞を読んでいる恩地の肩越しに、りつ子が声をかけた。

「いつまで読んでいらっしゃるの、もう寝《やす》みましょう」

「うむ、高血圧の特集記事が載っているのでつい……、おふくろは、われわれが帰るのを指折り数えて、待っているのだろうねぇ」

テヘラン支店開設委員の内示を切り出しにくく、さり気なく母のことを口にすると、りつ子は恩地の向いに坐り、

「もちろんよ、なまじ、印パ戦争で私たち母子《おやこ》が帰ったのが、お姑《かあ》さんを淋《さび》しくさせているわ、カラチへ戻る時、次は元《はじめ》と一緒に帰って来られるねって、念を押され、玄関口で見送って下さった姿が、ありありと瞼《まぶた》にうかぶわ、お姑さんのためにも、私たち、早く帰らなくてはね」

と云い、はっとしたように、

「あなた、何かあったんじゃありませんの」

夫の顔を、覗《のぞ》き込むように聞いた。

「うむ――」

どう切り出そうか言葉に、詰った。

「いよいよ、国民航空も、イランへの就航が決ったんだよ、その開港が迫っているので、近隣地区の馴れた者の応援が要るから、テヘラン支店開設のために行ってくれと、内示を受けたんだ」

「えっ、日本へ帰れると思っていた矢先に、今度はもっと西のテヘランへ……」

りつ子は、言葉を失った。

「内規違反だから、強く抗議したのだが、内示通りの一点張りだ」

「ひど過ぎますわ、運航、客室、営業の方々は例外なく、二年で帰って行かれたのに、どうしてあなただけが――、八馬さんが巡回にいらした時、そんなお話でもあったんですか」

「いや、全くない、あの時点で解っていたら、彼のことだから、匂《にお》わすはずだが……」

と云いながら、八馬が「今に吠え面をかくぞ」と捨て台詞《ぜりふ》を吐いたのは、この人事だったのかと、唇を嚙《か》んだ。

「あなた、私たちの八馬さんへの対し方がまずかったのじゃないかしら、巡回視察に来られた時だって、支店長、店次長は、ご夫婦で下にもおかぬおもてなしをしておられたのに、わが家は夫婦揃《そろ》って、不器用だと反省しましたわ、以前のことですが、あなたが二期目の委員長を引き受ける前、社宅に八馬さんが立ち寄られた時も、ビールを所望されたのに、主人が飲みませんのでと云わずに、すぐ買いに走ればよかったんですわ」

「りつ子らしくもない繰り言じゃないか、八馬が何を云い、どう動こうと、それに乗じられる経営者に責任があるのだ、カラチ赴任の際、社長自身が、私にされた約束を反古《ほご》にするなど、黙って引き退ることは出来ない、桧山社長に直談判《じかだんぱん》するより方法がない」

恩地が云うと、りつ子の顔色が動いた。

「苦労をかけるかもしれないが、このままでは、私の矜持《きょうじ》が許さない」

無念の思いが、こみ上げた。

「あなたの誇り、あなたさえ、惨《みじ》めにならなければ……」

りつ子は耐えるように云い、二階へ上って行った。

一人になると、恩地はライティング・デスクの蓋《ふた》を開け、便箋《びんせん》を取り出した。もしや、この海外駐在員の人事は、労務担当の堂本常務によって進められ、桧山社長は関与していないかもしれないという一縷《いちる》の望みが、胸にあった。それならば、これを出せば、桧山は、約束を履行するべく努力してくれるはずではないか。その一縷の望みを託し、乱れた気持を抑え、整理して、社長宛《あて》の書状をしたためた。

突然、書状を差し上げます失礼を、ご容赦戴きたく存じます。

本日、本社人事部からの指示に基づいて、小田原支店長から、国民航空のテヘラン就航に伴い、テヘラン支店開設委員にという内示を受けました。私にとっては青天の霹靂《へきれき》であります。

特別地域の勤務は、海外在勤者の内規によって二年と定められております。しかも、社長は、ご記憶のことと存じますが、私のカラチ赴任にあたって、二年だけだ、保証すると約束されました。そのお約束をご記憶の上で、なお且《か》つ、社長のお考えで内示が出されたのであれば、著しく信義に悖《もと》るのではないでしょうか。

何故《なにゆえ》、私のみが、かほどまで、不当な扱いを受けなければならぬのか、理解に苦しみます。すべて組合の委員長であったことが、その理由であるのならば、まさに不当配転に他なりません。私が組合の委員長として行ったことは、常に、国民航空の〝空の安全を守る〟ための職場と労働条件の改善以外の何ものでもありません。それを以《もつ》て、左翼分子、アカのレッテルを貼《は》り、海外在勤の内規を越えて、長期に僻地勤務を強いられるならば、私は到底、容認することは出来ません。よって今回の人事を是非とも、撤回して戴き度《た》く存じます。また今後の問題として、このような人事の意図が、奈辺にあるのかを、社長にお目にかかって直接お伺い致したく、ご都合のほどをお聞かせ戴ければ、支店長の許可を得て、東京本社まで参上させて戴きます。

ようやく、書き終えると、表書きは、会社の秘書室気付では、紙屑籠《かみくずかご》に放り込まれかねないことを考慮して、桧山の自宅宛にした。

中央郵便局まで行き、エアメールのエキスプレスで投函した日から、恩地は平常通りに振舞いながらも、胸中では、今日か、明日かと、返信を渇望《かつぼう》していた。国民航空の社長と、組合の委員長という対立する立場にあったが、桧山社長とは、人間的にはどこか通じ合うものがあった。それを恩地は、信じていたのだった。

組合からは早くも、今回のテヘラン派遣は、不当配転であるから、会社側に抗議する旨《むね》を伝えて来たが、正式の人事発表まで慎重を期して貰いたいと、返信した。

カラチ市内の中華料理店で、小田原支店長の送別会が行われていた。

外人用のホテルに、中華料理店はなかったが、外資系企業が、接待に使えるそこそこの店は、市内に三軒あり、個室もあった。

「小田原支店長の本社ご栄転を祝って、乾杯！」

竹村店次長が音頭をとり、ビールのコップを高々と掲げると、駐在員たちもたち上って、

「ご栄転、おめでとうございます」

と乾杯した。

小田原は、口の端のビールの泡を拭《ぬぐ》い、

「諸君のおかげで、恙《つつが》なく任期を終了することが出来ました、有難う」

上機嫌で、しまりのない顔を綻《ほころ》ばせた。

「支店長が鷹揚《おうよう》なご性格ですから、われわれは働きやすかったですよ、営業成績も上向きになりましたし」

営業主任が、持ち上げた。客室主任ともども、半年前に赴任して来たばかりだが、食堂に入った持ち上げ方だった。

芳《こう》ばしい匂いがし、ボーイたちが、注文の品を運んで来て、回転テーブルにのせた。冷房がよくきいた部屋で、湯気のたつ中華料理は、食欲をそそった。

「支店長、ここの鱶《ふか》ヒレは絶品ですよ」

竹村が、小田原の器に取ってすすめた。

「私はいい女房役に恵まれ、助かったよ、今度は君が、竹村新支店長に仕える番だから、よおく見習っておき給え」

と云うと、営業主任は、

「いやぁ、竹村店次長ほどの力量があればですが、及びもつきませんので、馬力と誠心誠意で仕えさせて戴きます」

と遜《へりくだ》り、ボーイを呼んで、チップを握らせ、空の急須《きゅうす》と湯呑《ゆの》みを持って来させた。紙バッグに隠していたスコッチウイスキーを取り出すと、急須にどぼどぼと満たし、支店長をはじめ、各自の湯呑みに注いで廻った。

「これで、もう一度、乾杯ということに、乾杯！」

回教国での隠れたアルコールの乾杯であった。恩地は、よくも次々と太鼓持ちのようなことが出来るものだと苦々しく思った。

「支店長、荷造りの方は、準備が進んでいますか」

竹村が、聞いた。

「身の回りの引っ越し荷物は大したものがないからいいが、本社のいろいろな筋に配る土産ものが頭痛の種だよ」

大げさに顔を顰《しか》めたが、社用にかこつけて、個人の土産物を持ち帰ろうという魂胆が窺《うかが》えた。

「それは大へんなお気遣いですねぇ、タキシラの石仏は、もう入手されましたか」

「回教国でも、仏様があるのですか」

客室主任が、素《す》っ頓狂《とんきよう》な声を上げた。前任の客室主任とは対照的に、底ぬけに明るい男だった。竹村は慌《あわ》てて小声で、

「回教徒が、パキスタンの領土を制圧した時、偶像崇拝を否定して、ガンダーラ美術の粋《すい》であるタキシラの石仏を破壊したんだが、全部、破壊できず、鼻だけ削ったのが多いんだよ」

と説明した。事実、全く破壊を免れた石仏は、ロンドンの大英博物館に展示されるほど、価値の高いもので、パキスタン政府は、重要文化財として、国外持出しを禁じていた。

「ところが、古美術の世界では、盗掘も含めて、傷のない石仏が密《ひそ》かに高値で出回っているんだよ、日本では、大卒の初任給の一年分と、夏冬のボーナスを足したぐらいの値段がついているそうで、ものによって、五分の一から十分の一と聞いている、一年前に帰国した大使館員が、外交特権を利用して何度か持ち帰り、一財産作ったとい

う噂《うわさ》があるよ」

「ああ、あの人のことなら、私も知っていますよ」

運航主任は、相槌《あいづち》を打ったが、恩地は、黙々と海老《えび》や蟹《かに》の料理に箸《はし》をつけていた。

「タキシラの石仏が、そんな価値のあるものなら、何とか入手したいものだねぇ、その他、キャッツ・アイやタイガーズ・アイがあるそうだが、どうなんだろうねぇ」

小田原が興味を示すと、竹村は、

「さすがにいいところへ眼をつけられました、いいものは日本では百万単位ですから」

と熱心に勧めた。営業主任は、

「絨毯《じゆうたん》は、ペルシア絨毯と比べものにならないとはいえ、手織のいいものが、信じられない安さですから、ご用向きがあれば、お申しつけ下さい、格別の筋を持っておりますので」

阿《おもね》るように云った。赴任してまだ半年ほどの営業主任が、どこでそんな筋を摑《つか》んだのか、恩地は驚いた。

「そうだねぇ、東京の家用には買ったけど、手頃で喜ばれそうだから三枚ほど、見つくろって貰おうか、恩地君、あとは通関をよろしく頼むよ」

小田原が突然、声をかけた。

「どれを、よろしく通関させるのでしょうか」

恩地が聞き返すと、

「今、話したのを全部だよ、解っているだろう」

「しかし、石仏は厳しいですね」

「そこを何とかするのだよ、絨毯は一まとめでは目だつから、空《す》いた便に分けて入れればよい」

「え？　絨毯は船便ではないのですか」

いかに自社便とはいえ、荷物の超過料金は高く、あまりに節度がなさ過ぎた。

「君ぃ、私個人ではなく、会社がいろいろなことに使うのだから、準社用だろうが」

威丈高に云った。仕事の上で、これほど熱心だったことはなく、リーダーシップもなかった支店長が、こと土産物の類《たぐ》いの話になると、人が変ったように貪婪《どんらん》になる一面を見せた。小田原は、酔いの廻った勢いで、恩地に、眼を据えた。

「君、テヘランへはいつ出発かね」

送別会の席が、一挙に気まずくなった。恩地は黙って、答えずにいた。

「どうしたんだ、本社人事部からまだ、何も云って来ないのかね」

「まあ、支店長、今日はおめでたい席ですから——、美味《うま》い蟹が出てますよ」

竹村が、割って入ったが、小田原はちらりとも見ず、恩地を見据えたまま、

「在勤中の私の心配事といえば、今だから云えるが、君がカラチを拠点に、中近東地区の駐在員組合でも組織することになったら、どう対処したものかということだったよ、幸い君は、どう心境が変化したのか、至って普通に勤務し、深夜便の出迎えもやり、私の単なる杞憂《きゆう》に終って、ほっとしたよ、ほっとしたよ、ほっほっほっほう」

奇妙な声で笑った。嫌味ではなく、小田原支店長は、その一点から解放されたことを酔いに任せて、真底、喜んでいる様子であった。恩地は、この二年間、そんな眼で自分を見ていたのかと思うと、一旦《いったん》、アカのレッテルを貼られた怖《おそろ》しさと同時に、怒りが噴き上げ、両の拳《こぶし》を握りしめた。

「恩地さん、ここは宴席なんですから」

両隣りの駐在員が、恩地を制した。


桧山社長からは、何の返信もなく梨《なし》の礫《つぶて》で、会社のトップと、海外の僻地《へきち》にいる一社員との大きな隔たりを感じた。

十二月の第二週の月曜日、出勤するなり、支店長室に呼ばれた。入って行くと、新

任の竹村は、支店長になったことを誇示するかのように、背もたれの高い新しい回転椅子《いす》に坐《すわ》り、

「恩地君、本社から例の正式辞令が入ったよ」

一通のテレックスを机の上に示した。

カラチ支店　恩地元　一九六六年一月一日付を以て、テヘラン支店開設委員を命ず。

この一片のテレックスが、会社側の回答であり、桧山社長の返信であるのかと思うと、恩地は、絶句した。

「悪く思わんでくれよ、私は伝えるだけだからね、実は、君の後任が、昨夜、香港乗り替えの便で到着している、間もなく、挨拶《あいさつ》に来るはずだよ」

と云《い》っていると、扉をノックする音がし、中肉中背の眼鏡をかけた見るからに真面目《まじめ》そうな男が入って来た。

「本社経理部の資産管理課から、赴任しました、よろしくお引き廻しのほど、お願い致します」

緊張しきって、深々と一礼した。資産管理課は、本社では陽の当らない部署であっ

た。竹村はすっかり支店長が板についたような鷹揚さで頷《うなず》き、

「じゃあ、恩地君、後任に引き継ぎをきちんとやってくれ給え」

と命じた。すべてが本社人事部の指示通りに運び、万事休すで、恩地は、次の任地へ追われるように押し出された。


（「二　アフリカ篇・下」に続く）

この作品は、平成十一年六月新潮社より刊行された。

山崎豊子著
不毛地帯（一〜五）

シベリアの収容所で十一年間の強制労働に耐え、帰還後、商社マンとして熾烈な商戦に巻き込まれてゆく元大本営参謀・壹岐正の運命。

山崎豊子著
二つの祖国（一〜四）

真珠湾、ヒロシマ、東京裁判——戦争の嵐に翻弄され、身を二つに裂かれながら、祖国を探し求めた日系移民一家の劇的運命を描く。

山崎豊子著
ムッシュ・クラタ

フランスかぶれと見られていた新聞人が戦場で示したダンディな強靭さを描いた表題作など、鋭い人間観察に裏打ちされた中・短編集。

山崎豊子著
暖簾（のれん）

丁稚からたたき上げた老舗の主人吾平を中心に、親子二代〝のれん〟に全力を傾ける不屈の大阪商人の気骨と徹底した商業モラルを描く。

山崎豊子著
ぼんち

放蕩を重ねても帳尻の合った遊び方をするのが大阪の〝ぼんち〟。老舗の一人息子を主人公に船場商家の独特の風俗を織りまぜて描く。

山崎豊子著
花のれん
直木賞受賞

大阪の街中へわての花のれんを幾つも幾つも仕掛けたいのや——細腕一本でみごとな寄席を作りあげた浪花女のど根性の生涯を描く。

山崎豊子著

華麗なる一族（上・中・下）

大衆から預金を獲得し、裏では冷酷に産業界を支配する権力機構〈銀行〉——野望に燃える万俵大介とその一族の熾烈な人間ドラマ。

山崎豊子著

白い巨塔（一〜五）

癌の検査・手術、泥沼の教授選、誤診裁判などを綿密にとらえ、尊厳であるべき医学界に渦巻く人間の欲望と打算を迫真の筆に描く。

山崎豊子著

しぶちん

〝しぶちん〟とさげすまれながらも初志を貫き、財を成した山田万治郎——船場を舞台に大阪商人のど根性を描く表題作ほか4編を収録。

山崎豊子著

花紋

大正歌壇に彗星のごとく登場し、突如消息を断った幻の歌人、御室みやじ——苛酷な因襲に抗い宿命の恋に全てを賭けた半生を描く。

山崎豊子著

仮装集団

すぐれた企画力で大阪勤音を牛耳る流郷正之は、内部の政治的な傾斜に気づき、調査を開始した……綿密な調査と豊かな筆で描く長編。

山崎豊子著

女系家族（上・下）

代々養子婿をとる大阪・船場の木綿問屋四代目嘉蔵の遺言をめぐってくりひろげられる遺産相続の醜い争い。欲に絡む女の正体を抉る。

沈《しず》まぬ太陽《たいよう》(一)

—アフリカ篇・上—

新潮文庫　や-5-26

平成十三年十二月一日発行
平成二十七年十一月十日五十一刷

著者　山《やま》崎《さき》豊《とよ》子《こ》

発行者　佐藤隆信

発行所　株式会社新潮社

郵便番号　一六二―八七一一
東京都新宿区矢来町七一
電話　編集部(〇三)三二六六―五四四〇
　　　読者係(〇三)三二六六―五一一一
http://www.shinchosha.co.jp

価格はカバーに表示してあります。

印刷・錦明印刷株式会社　製本・錦明印刷株式会社

ISBN978-4-10-110426-3 C0193